D0532660

La Bourgeoise

Gil Debrisac

La Bourgeoise

ÉDITIONS FRANCE LOISIRS

Édition du Club France Loisirs,
avec l'autorisation des Éditions Blanche.

Éditions France Loisirs,
123, boulevard de Grenelle, Paris.
www.franceloisirs.com

© Éditions Blanche, Paris, 2011.
ISBN : 978-2-298-04148-4

À mes très chers lecteurs et lectrices, je souhaite que ma sulfureuse Rebecca procure des moments d'intense émotion, des accès de chaleur agréable et d'excitation enivrante, souvent difficile à dissimuler.

Qui sait après-tout ? Peut-être rêvez-vous, vous aussi, secrètement bien sûr, de réaliser des fantasmes semblables à ceux de ce couple hors norme ?

En attendant, chères amies, chers amis, savourez pleinement, délectez-vous de leur sexualité exacerbée.

Bien "érotiquement".

Gil DeBrisac

« L'ennui naquit un jour de l'uniformité. »
Antoine Houdar de la Motte

« L'oisiveté est la mère de tous les vices. »
Proverbe latin du IIIe siècle

Chapitre 1

L'usure (du couple)

— Mon cher Édouard, je n'ai que trente-sept ans, et avec toi j'ai l'impression de vivre comme une nonne ! Ton image de marque à la banque semble bien plus compter que la satisfaction de ta femme. Tu n'hésites même pas à t'absenter parfois une semaine durant pour aller conclure l'une ou l'autre affaires au bout du monde. Et moi, là-dedans ?

— Mais... enfin, Rebecca, il me semble que tu ne manques de rien. Après la piscine que j'ai fait recouvrir, on a installé le hammam que tu désirais. Sans oublier l'abri avec un petit bar sur le court de tennis.

— Ne fais pas l'innocent, Édouard. Tu sais très bien de quoi je parle. Au lit, c'est un désastre. C'est à peine si tu sais que j'ai des nichons à en faire pâlir plus d'une et un cul qui ferait les délices d'un photographe de mode. Quant à ma chatte, elle désespère d'une bite qui pourrait enfin me ramoner jusqu'au délire ; je me demande vraiment si tu sais à quoi ça sert !

Édouard de la Molinière avale de travers sa gorgée de Glenfiddish. Entendre son épouse parler de la sorte, aussi crûment, non, il ne peut le concevoir.

— Rebecca, je t'en prie, utilise donc un autre langage que ce ramassis de mots vulgaires qui ne sied guère à notre rang. Ce n'est pas parce que nous sommes en province que nous pouvons nous permettre certains écarts de langage. Pense donc ! Si la banque me nommait à Paris !

— N'élude pas la question, Édouard ! Cela fait un mois que ton sexe m'ignore, qu'il n'est plus venu me pénétrer et jouir en moi... À croire que le plaisir des femmes t'importe autant que ta première branlette !

Sur un ton ironique et narquois, la réponse d'Édouard fuse, cinglante, méprisante aussi.

— Fais donc un peu plus de sport, Rebecca ! Cela te passera. Je finirai par croire que j'ai épousé une vicieuse, ne pensant qu'à assouvir ses instincts de femelle ! Joue au bridge avec quelques amies en prenant le thé, tu penseras peut-être à autre chose qu'aux plaisirs de la chair.

Un silence plombé tombe sur le salon illuminé furtivement par les rayons rasants du soleil d'automne. Édouard continue à feuilleter *Le Monde*, plus précisément le cahier réservé à l'Économie et à la Bourse. Dans la cheminée monumentale, brûle le premier feu de la saison. Les bûches se consument lentement, dégageant une douce chaleur parfumée de bois de chêne, de bouleau ou de hêtre. Toutes ces senteurs qui vous montent au nez quand vous vous promenez dans la Forêt Noire toute proche et qui vous aèrent la tête autant que le cœur. Enfoncée dans son fauteuil de cuir fauve, la belle madame Müller, de son nom de jeune fille, laisse sa main descendre sur son bas-ventre. Son pantalon en skaï noir est tellement serrant que son sexe, gonflé par la pression du vêtement, apparaît en relief de façon obscène. Sans se soucier du regard de son mari, plongé de toute façon dans sa lecture favorite, madame Müller n'hésite pas à passer ses longs et fins doigts sur cette partie de son anatomie trop délaissée à son goût. Elle mord sa lèvre inférieure en appuyant l'index sur le skaï noir pour l'enfoncer sur toute sa longueur entre ses grandes lèvres. Un geste malheureusement interrompu par la voix de son mari, cherchant à se disculper auprès de son épouse.

— Écoute Rebecca, tu sais à quel point j'ai été accaparé ces derniers temps à la banque. C'est à force de travail, d'abnégation, que j'ai pu atteindre cette situation fort enviable. Le sexe, bien sûr que ça m'intéresse, que crois-tu ? Que je n'aime pas voir une jolie poitrine, un beau cul moulé dans une jupe de cuir ou un jean ? Moi aussi, enfin... actuellement... mes journées sont épuisantes... N'oublie quand même pas que c'est grâce à mon travail plus qu'à ta fortune personnelle, et à mes absences pro-longées, comme tu dis, que nous vivons dans un tel luxe.

Agacée, madame Müller se lève et va se servir un porto. Ironisant à son tour, elle fait remarquer :

— Ce n'est pas ma Jaguar qui me fera jouir, que je sache. À moins bien sûr que je m'empale sur le levier de la bite... de la boîte de vitesses !

— Arrête donc le porto, Rebecca ! conclut

sèchement Édouard, sautant à pieds joints sur ce lapsus révélateur de son épouse soudain fort excitée.

La fièvre aux joues, madame Müller enrage, retient son geste. Elle a envie d'envoyer son verre de porto sur cette immense tapisserie d'Aubusson qui orne un mur du salon, en face de la cheminée à feu ouvert. Ce luxe, ce confort, oui, c'est agréable, mais cela ne suffit pas pour apaiser sa soif de jouissance, pour calmer son sexe de plus en plus affamé. À trente-sept ans, elle a besoin de sentir une bite s'agiter dans son con trempé, la belle madame Müller. Elle veut aussi qu'on lui mâchonne le clitoris, elle a envie de sucer une bite raide, épaisse comme un manche de pioche, et pas uniquement à chaque nouvelle lune. Non. Tous les jours, le matin, l'après-midi ou le soir, peu importe, quand elle sort de sa piscine, ou avant d'entrer dans son hammam, peu importe encore ! Mais qu'on la ramone, que diable ! Excédée par l'attitude de ce cher Édouard, elle vide d'un trait son verre de porto et déclare :

— Puisque tu le prends ainsi, eh bien, je me débrouillerai toute seule !

Madame Müller quitte le salon pour aller plonger dans l'eau chaude de sa piscine couverte. Il est dix-sept heures trente. Dehors, en cette fin octobre, la nuit tombe lentement, aussi lentement que les feuilles des marronniers du parc entourant la demeure des époux la Molinière-Müller. Mais pas aussi lentement que se dresse de temps à autre la queue de ce cher Édouard et que se gonflent ses couilles velues âgées de quarante ans à peine.

— Avec tout ce porto, ce n'est pas très prudent,

Rebecca, murmure Édouard entre deux gorgées de whisky.

— Va te faire foutre, Édouard ! Et quand je dis foutre, ça me fait rêver, tiens !

Cinq minutes plus tard, seins nus, parée seulement d'un string rouge, madame Müller effectue quelques longueurs. Si elle ne se retenait pas, elle nagerait complètement nue. Nager, un moyen efficace pour faire passer sa colère mais nullement approprié pour apaiser ce feu qui la dévore. Ces quelques brasses lui permettent juste de fatiguer son corps sainement, sans pour autant effacer de son esprit les idées inhérentes à une femme de son âge et encore moins les fantasmes engendrés par des manques de satisfaction sexuelle et l'oisiveté qui les accompagne.

*
* *

Trente-sept ans, sans enfants, Rebecca Müller a hérité d'une fortune familiale la mettant à l'aise financièrement, lui permettant donc de ne pas se noyer dans la foule dite des travailleurs qui comptent et recomptent ce qu'il leur reste à la fin du mois. En outre, à vingt-cinq ans, elle a épousé Édouard de la Molinière, notable strasbourgeois et P.-D.G. d'une grande banque luxembourgeoise. À vrai dire, il s'agissait bien plus d'un mariage arrangé entre familles de haut rang que d'un mariage d'amour.

Dès leur retour d'un voyage de noces aux Bahamas, où déjà Édouard de la Molinière avait lié quelques contacts fructueux dans le domaine de la

15

finance, le couple s'était installé dans une luxueuse propriété dans la périphérie strasbourgeoise, sur la route de Hochfelden plus précisément. Une demeure digne des gens de leur rang et entourée d'un parc, à laquelle on a accès par une allée semi-circulaire, avec bien entendu, une grille d'entrée télécommandée. L'intérieur de l'habitation respire confort et luxe hors de prix, tendance « m'as-tu-vu » de province. Le chêne et le cuir constituent les éléments essentiels du grand living et du salon à cheminée monumentale. Les quatre chambres richement décorées sont dotées chacune d'une salle de bains et d'un cabinet de toilette. Sans oublier l'immense salle de bains des propriétaires, à robinetterie couverte de feuille d'or, dotée d'un jacuzzi. Quant au garage, il contient le 4×4 Mercedes d'Édouard, le coupé Jaguar de Rebecca et aussi une Smart pour faire branché.

Physiquement, Édouard de la Molinière, sans rien avoir du play-boy, est plutôt bel homme, mais son aspect guindé n'incite guère à la trivialité. De taille moyenne, cheveux châtain clair peu abondants, fines lunettes à monture métallique et fine moustache, il entretient sa condition physique par un jogging matinal effectué tôt le matin dans son parc, tandis que son épouse dort encore. Ses origines, ses études et sa haute fonction l'ont toujours incité à arborer ce style austère et protestant, parfois trop hautain selon Rebecca qui, à l'opposé, aurait même aimé ne pas descendre d'une famille bourgeoise.

Quant à elle, ce n'est pas pour rien qu'il arrive aux gens du voisinage ou aux gérants des commerces chic de Strasbourg de parler de *la belle madame Müller.* Dotée d'un physique de mannequin, elle a toujours su en tirer parti, ne serait-ce que pour être remarquée lors de ses déplacements en ville ou lors de ses vacances à Saint-Tropez. Un visage soigneusement maquillé, une chevelure blonde descendant jusqu'aux épaules, des mensurations de miss Monde, quatre-vingt-dix, soixante, quatre-vingt-dix, Rebecca veille à ce que ces dons de la nature s'estompent le plus tard possible, quand la vie lui aura apporté tout ce qu'il faut pour être comblée, à tous points de vue. Elle fréquente donc assidûment la salle de fitness et l'institut de beauté, où elle fait apporter autant de soins à la taille et à l'épilation de sa toison pubienne qu'à la beauté de ses mains fines aux ongles toujours impeccablement vernis, dont la teinte est comme il se doit coordonnée à celle de son rouge à lèvres. Des mains qui, par le passé, bien avant de connaître ce cher Édouard de la Molinière, avaient déjà flatté tant de bites jeunes et vaillantes, et de couilles si rapidement vidées.

*
* *

Au début du mariage tout allait pour le mieux dans le couple la Molinière-Müller, mais l'entente n'a pas tardé à subir une lente et déplorable dégradation. Dans ces cas-là, c'est toujours au même endroit qu'il faut en chercher la cause : le lit ! Édouard s'est laissé de plus en plus accaparer par sa situation de banquier de haute renommée, multipliant les rendez-vous d'affaires, cherchant à faire de sa banque une des plus fortes sur le marché financier luxembourgeois. Aussi, il lui arrive fréquemment de rentrer tardivement à Strasbourg, même si depuis pas mal de temps déjà il effectue ses déplacements en avion privé affrété par la banque elle-même. Les deux villes étant quand même distantes l'une de l'autre de plus de deux cents kilomètres. Il n'est pas étonnant dans ces conditions que sa chère et tendre en subisse les conséquences sur le plan relationnel, et qu'elle cherche un exutoire à son insatisfaction sexuelle.

Seulement voilà, c'est loin de l'exutoire suggéré par Édouard lui-même, à savoir un peu plus de sport ou le bridge avec ses amies en prenant le thé. Entre ses rares parties de tennis et ses courtes séances de natation, entre ses programmes de fitness et ses soins à l'institut de beauté, il reste encore pas mal de temps libre à Rebecca Müller. Et ce temps libre, elle le consacre à la lecture. Fort bien, et tout à l'honneur de la belle bourgeoise. Le hic, c'est qu'il ne s'agit pas de n'importe quelle lecture. Elle ne relit pas Zola, ni Maupassant, ni Hugo ou même Maugham, non. Madame Müller lit les ouvrages de Henry Miller, de son amie Clotilde, auteure érotique éditée à Paris, et surtout elle dévore les romans pornographiques d'un autre écrivain à succès, un certain Gil D..., qualifié d'auteur sulfureux par les critiques et sa propre maison d'édition. Des lectures qui, il faut bien l'avouer, plutôt que d'apaiser les pulsions de Rebecca ne font que les accroître et la mettent fréquemment dans un état d'excitation insoutenable.

Pour combattre cette sinistre situation sexuelle où Édouard l'a installée contre son gré, madame Müller est devenue une experte de la masturbation. Nombre de sex-toys fleurissent ainsi dans son armoire personnelle de la salle de bains. C'est là en effet qu'elle a pris l'habitude de s'enfermer, plusieurs heures durant, avec les ouvrages de son auteur préféré, plongée dans un bain moussant ou dans le jacuzzi, entourée de ses jouets en forme de phallus aux dimensions plus surprenantes les uns que les autres. Des roses lisses à glands allongés en matière plastique, des noirs épais en silicone mi-souple avec un gland en forme d'obus entouré d'une fine collerette, certains avec système vibrant, d'autres blancs et fins se terminant par une pointe, d'autres encore à double entrée, destinés à ses deux orifices quand les chapitres très hot dans lesquels elle est plongée décrivent avec moult détails une double pénétration ou même une simple sodomie de l'héroïne. Une héroïne à laquelle elle aime très souvent s'identifier.

De page en page, la caresse intime de ses doigts se fait plus insistante, plus précise aussi. Après un étirage presque rituel des grandes lèvres, Rebecca écarte alors les petites pour venir titiller son clitoris qui se cachait malicieusement, attendant l'autorisation de bondir comme un diable de sa boîte. La tête penchée en arrière, elle repose vite le livre sur le tabouret placé à côté de la baignoire ou sur le bord du jacuzzi. Yeux mi-clos, Rebecca tire sur son gros bouton tout en se pinçant un mamelon épais, toujours bien bandé au milieu d'une aréole sombre et granuleuse. Déjà, elle soupire, se mordant la lèvre. Son vagin commence à se contracter, il faut aller plus loin. Sur le bord du jacuzzi, ou sur le tabouret, trois beaux phallus attendent d'entrer en scène, le rose, le noir et le blanc. Aujourd'hui, ce sera le grand jeu. Le chapitre qu'elle lisait l'a enfiévrée plus que d'habitude, lui apportant des visions étranges, des images où elle concrétise les scènes pornographiques décrites par son auteur préféré. Alors, elle saisit le noir en silicone, le tâte, passe une langue gourmande sur le gland, le suce une ou deux fois, les joues en feu, avant de le faire disparaître sous la mousse du bain. Écartant les cuisses au maximum, elle appuie délicatement ce gros gland en forme d'obus contre l'entrée de son vagin, le pousse un peu, encore un peu, le tire, le rentre. Flux et reflux, clapotis de l'eau à l'entrée de son sexe devenu grotte sous-marine... Ses longs cheveux blonds flottent à la surface de l'eau, creusant des sillons dans la mousse parfumée, telles des algues fraîches à la surface de la mer. Rebecca laisse venir un premier orgasme, les images qui défilent devant ses yeux deviennent plus nettes, les scènes plus obscènes, plus violentes. Elle enfonce l'imposant sexe noir plus profondément, il faut qu'il passe, qu'il entre tout entier, qu'elle l'engloutisse, l'avale goulûment, même si sa base élargit l'entrée de son con. Ah, voilà... Il doit rester là, la remplir, ne plus bouger. Rebecca respire plus fort, par saccades, aspire l'air tiède et humide de la salle de bains restée dans la pénombre, pas question d'être éblouie par les spots halogènes. Elle veut plus, elle veut tout, son corps réclame un envahissement total. Ses doigts tâtent la base de la grosse queue noire avant de s'arrêter à l'entrée de l'anus. Rebecca appuie plus fort son index contre l'entrée de son rectum, pas assez ouvert. Elle pousse, la première phalange passe. Encore un peu, deux phalanges, c'est mieux, son anus s'élargit. Vite, le majeur, il est plus épais. Ah, le cul s'ouvre, son majeur glisse, pénètre entièrement. Long râle de satisfaction. C'est quand même drôle tout un doigt dans le cul. Ça y est, elle est prête. Le joli et mince phallus blanc qui attendait sagement sur le tabouret peut accomplir son œuvre. Il plonge dans l'eau sans demander son reste pour foncer vers l'autre grotte sous-marine, celle du plaisir interdit. Rebecca soulève son bas-ventre pour aider à la manœuvre. La tête carrément appuyée sur le bord de la baignoire, elle fait coulisser lentement d'une main le bel olisbos blanc dans son cul. Cinq centimètres, six, huit ! Ah, s'il ne fallait pas laisser deux centimètres pour le tenir, tout y passerait. La belle Rebecca halète de plus en plus, les deux phallus factices, le petit soldat blanc et le puissant soldat noir se pressent l'un contre l'autre, seulement séparés par la fine membrane recto-vaginale. Les contractions emplissent son bas-ventre, les grottes sous-marines sont pleines, madame Müller est bien remplie, et le piston blanc continue à coulisser de plus en plus vite dans son rectum élargi. Le feu d'artifice a commencé, il ne manque plus que le bouquet final. De sa main libre, Rebecca pince, étire, griffe son clitoris gorgé de sang à en gémir de douleur. Ça y est ! Alors, la salle de bains résonne de ses cris de plaisir, tout son corps s'agite dans l'eau chaude et mousseuse, ses cuisses se serrent, s'ouvrent, se resserrent, les petits soldats accomplissent leur mission orgasmique à la perfection. Lâchant son clitoris suffisamment torturé, Rebecca saisit les deux phallus pour les faire coulisser tour à tour, ensemble, en même temps, non, l'un après l'autre, elle ne sait plus. Ils vont loin, encore plus loin, les deux petits soldats se donnent l'accolade, s'appuient l'un contre l'autre. Ils font du bien à leur maîtresse. Madame Müller est aux anges. Elle explose, il lui semble n'avoir jamais eu un tel orgasme. Ah, quelle agréable lecture que celle des ouvrages de son pornographe préféré. S'il savait ! Ah, oui, elle devient une véritable experte en masturbation, la belle bourgeoise madame Müller.

Chapitre 2

Souvenir de Drusenheim

Ainsi donc, les livres *spéciaux* de madame Müller se sont accumulés au rythme des absences de son P.-D.G. de mari. Pas seulement les livres, d'ailleurs, les godemichés aussi, commandés bien entendu par Internet. Toujours plus beaux, plus ressemblants aux vraies bites d'hommes, mais surtout plus élaborés techniquement, avec système vibratoire à plusieurs vitesses et même avec éjection de liquide chaud et épais. La belle Rebecca n'a pas encore franchi le pas, celui qui consiste à passer la porte d'entrée d'un sex-shop. Pourtant, ce n'est pas l'envie qui lui manque. Avec son amie, un jour, peut-être.

Outre les joies, les jouissances que lui procure la lecture des romans de Clotilde et de Gil D..., la bourgeoise strasbourgeoise trouve dans les souvenirs une autre source de plaisirs délicieux, ceux où son corps et son esprit exultent de manière absolue, tout en revivant des scènes d'un passé où, déjà, Rebecca avait compris que le sexe serait un élément essentiel de son existence. C'est vrai que, pour une fille de famille noble, son adolescence fut parsemée d'aventures plus paillardes que coquines qui, si elles étaient parvenues aux oreilles de ses père ou mère, lui auraient à coup sûr valu une mise à l'écart, un reniement, voire un enfermement dans un pensionnat d'où elle ne serait sortie que pratiquement lobotomisée.

* * *

C'est donc en ouvrant les tiroirs secrets de ses souvenirs que Rebecca, après avoir lu et relu les ouvrages de ses auteurs favoris, s'offre des moments orgasmiques tout aussi intenses, dans l'attente insupportable de la sortie du prochain livre de Clotilde ou de Gil.

Et parmi ces souvenirs gravés à tout jamais qu'elle retrouve dans son petit journal intime de jeune fille dont elle n'avait noirci que quelques pages, se trouvent bien entendu ceux que toute femme garde précieusement dans un coin caché de son jardin secret, des souvenirs qui, lorsqu'ils surgissent, ou lorsqu'on les lit, font naître soit une sensation d'amertume, un océan de regrets, soit une douce contraction, là, tout au bas du pubis, avec un léger afflux de cyprine à odeur si particulière et enivrante, tant les images qu'ils convoquent sont agréables. Et pour la belle bourgeoise, c'est plutôt cette seconde voie qui lui amène régulièrement des soupirs langoureux.

Ah, qu'il était beau, le cousin Bertrand ! Beau et surtout bien membré, le bougre. C'est avec lui, qu'à quatorze ans bien sonnés, elle avait découvert le pouvoir fascinant que pouvait exercer une poitrine sur un mâle, mais aussi que ce qu'elle avait au bas du ventre, une jolie fente rose encadrée par deux lèvres sensibles au toucher, servait à bien autre chose qu'à expulser un môme porté durant neuf mois. Sans oublier cette petite excroissance de chair qui se gonfle si vite, se gorge de sang lorsqu'elle va la chercher entre deux doigts tout en séchant sur cette affreuse dissertation : « *Les états d'âme d'Alain Fournier à travers l'écriture du Grand Meaulnes* ». Qu'en avait-elle à cirer, de ce roman pour gentils ados ? Elle, elle venait déjà de lire en cachette *Les Contes pervers* de Régine Deforges, dont un film avait été tiré. Ça, c'était quand même autre chose, et son petit bouton de rose avait eu maintes fois l'occasion de prouver sa grande aptitude à bander au cours de cette lecture enivrante. Toujours est-il qu'à quatorze ans, elle attirait les regards des autres ados de son âge, mais aussi des hommes, jeunes et moins jeunes. Il faut dire que si elle n'avait pas encore atteint sa taille adulte, mesurant alors un mètre soixante pour quarante-cinq kilos, ce qui frappait chez elle, c'était le développement précoce de sa poitrine. Et elle n'en était pas peu fière, la jolie petite bourgeoise, de sa poitrine de quatre-vingt-cinq B dont toutes les copines crevaient de jalousie. Pas question de la cacher sous une tonne de pulls comme l'aurait souhaité sa mère ! L'hiver, passe encore, mais alors des pulls bien collants, choisis une taille en dessous. La petite garce, ses formes, elle tenait à ce qu'on les voie, qu'elles accrochent le regard des jeunes mâles qui lui tournaient autour au collège. Et l'été, c'était des T-shirts tout aussi moulants, décolletés même, sous lesquels elle savait déjà quel soutien-gorge choisir pour faire bomber ses seins, quitte à subir les foudres de ses parents qui, évidemment, voyaient là un accident dans la transmission génétique de la noble ascendance. Ajoutez à cela que, les week-ends et les jours de congé, elle avait appris à se maquiller avec l'aide d'une copine. Et en un éclair, la petite bourgeoise de quatorze ans en paraissait bel et bien dix-huit. Pas étonnant dès lors qu'elle commence précocement son apprentissage du sexe.

* *
*

C'est ainsi qu'en cet été de mille neuf cent quatre-vingt-six, son cousin Bertrand était venu passer un week-end dans la propriété de Drusenheim, sur les bords du Rhin. La chaleur estivale incitait à la bonne humeur, à la dégustation du petit blanc de Moselle, au laisser-aller vestimentaire, ou plutôt aux vêtements ultra-légers, ce qui enchantait autant Rebecca que le cousin Bertrand. Côtoyer une cousine aussi ravissante provoquait chez lui des émotions qui se manifestaient autant sur son visage que sous son short. Surtout qu'à vingt-quatre ans il n'était toujours pas fiancé, non enclin à convoler rapidement en justes noces, au grand dam de sa propre famille, bourgeoise elle aussi. Lui, c'était plutôt les copains, surtout les copines à emmener dans sa Ford Mustang rouge décapotable, ou en hors-bord sur le Rhin. Non, il n'était pas près de poser ses valises, le beau blond toujours bronzé par les séances de banc solaire.

Ce samedi-là, au milieu de l'après-midi, sous le

regard arbitral du père de Rebecca, la partie de tennis avait été acharnée. Enfin, disons plutôt que Bertrand, tenant beaucoup à se rendre agréable et à plaire à son aguichante cousine, avait laissé filer avec finesse des points cruciaux afin de perdre deux sets de toute justesse.

— Eh bien, mon cher Bertrand, avait clamé le père Müller du haut de sa chaise d'arbitre, vous semblez bien moins en forme qu'à l'accoutumée.

— Non, non, oncle Charles, avait rétorqué Bertrand, c'est plutôt Rebecca qui progresse de façon incroyable. C'est fou ce qu'elle change... à tous points de vue, d'ailleurs.

La fin de sa phrase, Bertrand l'avait prononcée à mi-voix, comme s'il se parlait à lui-même, en avançant vers le filet pour embrasser la gagnante. Et là, le baiser pour le vaincu laissa déjà s'exhaler un parfum d'érotisme, accompagné qu'il fut par un geste provocateur, non équivoque, et ce de la part des deux protagonistes. En s'approchant du filet, aussi bien Bertrand que Rebecca avaient rapidement jeté un coup d'œil vers le père Müller, occupé à descendre de sa chaise d'arbitre en leur tournant le dos. Sans doute avaient-ils déjà tous deux la même idée en tête. Tandis qu'elle embrassait deux fois son grand cousin sur les joues, en se penchant vers elle (il mesurait un mètre soixante-quinze, soit quinze centimètres de plus qu'elle) il avait attiré contre lui cette jolie poitrine agressive, tendue sous un T-shirt blanc, une poitrine rehaussée par un soutien-gorge pigeonnant de même couleur. Nullement farouche, elle avait accompagné ce geste, pressant elle-même ses jeunes seins si bien galbés contre le torse de

27

Bertrand. Seul le filet de tennis les séparait ; elle n'hésita donc pas, tout en appuyant son second baiser au coin des lèvres de son cousin, à presser aussi son bas-ventre contre celui du beau jeune homme qui venait de la laisser gagner de façon si subtile. C'est ainsi que, pour la première fois, elle avait senti ce que c'était, un homme qui bande. Ah, quelle sensation étrange avait gagné tout son corps d'adolescente ! Quelle chaleur agréable avait envahi ses joues de jeune fille bien plus délurée que ses congénères ! Délurée est un euphémisme. Combien de fois au cours de la partie ne s'était-elle pas penchée excessivement vers l'avant pour ramasser une balle, face à son beau cousin qui avait ainsi eu toutes facilités pour plonger dans le décolleté révélateur. Ou mieux encore, lui tournant le dos, elle s'inclinait sans plier les jambes plutôt que de s'accroupir, lui dévoilant ainsi ses fesses dénudées sous sa jupette blanche et son string en dentelle.

— Rebecca, franchement, tu pourrais t'accroupir pour ramasser ta balle, non ! avait alors hurlé le père Müller du haut de sa chaise.

Maintenant, sentant ce sexe dur contre son bas-ventre, elle avait bel et bien compris l'effet que faisaient sur les hommes une jolie poitrine dénudée et des fesses au galbe ravageur.

Descendu de sa chaise, le père Müller, d'une autorité toute militaire, ordonnait déjà de rassembler toutes les balles et de balayer le terrain en terre battue. Puis, on fila s'offrir un Coca sur la terrasse de la demeure aristocratique. Il faisait un temps délicieux, dix-huit heures à peine, une soirée qui s'annonçait sous les meilleurs auspices, en présence de Bertrand qui devrait venir passer le week-end plus souvent. C'était du moins ce qu'avait laissé entendre Mathilde, la mère de Rebecca. Tandis que le père Müller sirotait son verre de vin blanc, et les jeunes leur Coca, elle s'en tenait à son jus d'orange. La discussion allait bon train, on passait des études de droit de Bertrand, qui se traînaient un peu à vrai dire, au cabinet notarial de son père. Mais on parlait aussi de littérature, sans oublier d'évoquer les prochaines vacances à Saint-Tropez, où les Müller possédaient une villa sur les hauteurs de Ramatuelle. Rebecca ne disait pas grand-chose, Bertrand parlait poliment, toujours avec le sourire. Mais le regard de l'une accrochait bien souvent le regard de l'autre. Pour eux, plus besoin de discours ; les déclarations avaient été faites quelques instants plus tôt par corps interposés.

— Bon ! interrompit Mathilde. Il ne s'agit pas que vous vous refroidissiez, n'est-ce pas, Bertrand. Allez donc prendre une douche avant que nous ne passions à table. J'ai mis quelques serviettes à votre disposition dans la salle de bains attenant à votre chambre.

Charles expliqua alors que depuis la dernière visite de son neveu, certains aménagements avaient été apportés à l'étage de la demeure. Des aménagements de confort, selon lui dignes de son rang. Ainsi, outre la salle de bains réservée à Charles et Mathilde, Rebecca disposait désormais elle aussi de sa propre salle de douche avec cabinet de toilette, tout comme la chambre d'amis mise à la disposition du neveu Bertrand pour le week-end. Désireux d'apporter une touche de modernisme dans cette grande ferme en carré du XVIIe siècle avec grand porche d'entrée, d'y mélanger architecture classique et nouvelle, Charles avait fait appel au meilleur architecte de Strasbourg. Tout ici respirait le luxe ostentatoire et tape-à-l'œil des provinciaux nantis.

— Moi aussi, ajouta Rebecca, je vais prendre une douche. Bertrand m'a fait transpirer comme jamais.

— Charles, comme la bonne a eu son week-end, il ne vous reste plus qu'à m'aider pour le repas et pour dresser la table, ordonna Mathilde avec le sourire tandis que Rebecca devançait son cousin pour filer à l'étage.

* *
*

À peine avait-elle fait quelques pas dans le vestibule donnant accès aux chambres qu'elle s'arrêta net. Bertrand venait de lui poser une main sur l'épaule. Elle se retourna, un long frisson parcourant son échine. Aussitôt, elle passa les bras autour du cou de son cousin, se colla contre lui. Plus besoin de mots, les nombreux échanges de regards avaient parlé pour eux. Bien sûr, elle avait déjà embrassé des garçons, mais ils étaient gauches, empruntés, des apprentis eux aussi en matière de relations amoureuses. Mais avec Bertrand, le baiser prenait une tout autre dimension. Lui, c'était un homme, il avait l'expérience. Et Rebecca, c'était de cette expérience masculine qu'elle voulait profiter pour gravir quatre à quatre les échelons d'une sexualité qui lui travaillait le corps et l'esprit. Les langues se nouaient dans un ballet effréné, tandis que la main de Bertrand pelotait son jeune sein impatient de recevoir enfin une véritable caresse. Pleine de fièvre, Rebecca avait elle-même abaissé en même temps l'encolure de son T-shirt et le bonnet de son soutien-gorge pour sentir son sein nu dans la grande main de son cousin. Ah, quel délice, ce premier vrai pelotage ! Elle sentait son mamelon gonfler dans la paume de Bertrand et, la bouche collée à celle du beau blond, elle gloussait tout en montrant son désir pressant d'aller plus loin dans son enrichissement sexuel. Gardant un bras autour du cou de son cousin, de son autre main elle palpait la braguette bombée de son short. Il ne bandait pas un peu, le cousin Bertrand ! Quelle bite il devait avoir !

— Oh ! Bertrand... apprends-moi... je veux que ce soit toi...

— Pas ici, Rebecca, pas maintenant... c'est trop risqué...

Bertrand fut alors stupéfait d'entendre la réaction de sa jeune cousine, ahuri surtout par le langage de cette jeune bourgeoise, et qui ne seyait guère à la lignée à laquelle elle appartenait.

— Putain ! J' veux être une vraie femme... Sens comme je mouille déjà ! Allez, sens-moi, j' suis plus une gamine, merde !

Sans plus attendre, elle avait elle-même saisi la main de son cousin pour la passer sous sa jupette et son string blancs. Renouant sa bouche à celle de cette cousine fort entreprenante, Bertrand avait alors palpé ce bas-ventre, couvert d'un fin duvet, pour sentir la vulve fraîche, toute mouillée, avec des

grandes lèvres qui s'écartaient sous ses doigts expéri-
mentés, tandis que la main impatiente de l'adolescente avait ouvert sa braguette pour y saisir un sexe
raide comme un manche de pioche sous le tissu du
slip. À quatorze ans, elle semblait vraiment prête, la
cousine. Mais en homme averti, Bertrand avait
stoppé net son geste et sorti de son short la main
de Rebecca pour lui faire comprendre qu'il était
temps de filer prendre leur douche, et qu'à tout
moment sa mère ou son père pouvait faire irruption
à l'étage. Ils étaient toujours là, dans le vestibule.
Tout cela avait été très vite, trois minutes, quatre
peut-être, mais c'était suffisant pour que Bertrand
comprenne les intentions de sa belle, de sa ravissante et provocante cousine. Le visage plein de
fièvre, le sein nu hors du T-shirt, Rebecca colla sa
bouche dans le cou de son cousin pour murmurer :

— Promets-moi que tu m'apprendras... promets-
le, je t'en supplie !

— Je te le promets, avait chuchoté Bertrand,
replaçant délicatement le beau sein de sa cousine
dans le bonnet de son soutien-gorge et refermant la
fermeture Éclair de sa braguette. Mais... je tiens à
pouvoir continuer à venir ici, tu comprends, avait-il
ajouté pour convaincre sa cousine de patienter pour
concrétiser sa requête.

Ils rejoignirent leurs chambres respectives, pas
question de faire attendre trop longtemps Charles
et Mathilde. Sous le jet d'eau chaude de sa douche,
la jeune Rebecca apaisa le feu qui la dévorait. Ce
clitoris qui dardait si facilement sous ses doigts, il
n'était plus question d'attendre encore des lustres,

elle voulait le sentir enfin sucé par une bouche d'homme, un vrai. Quant à Bertrand, tout en se demandant ce qui lui arrivait, il se masturba lui aussi, envoyant ses giclées de sperme sur les parois de verre de sa cabine de douche ultra moderne.

* * *

Charles et Bertrand prirent l'apéritif au salon, tandis que Rebecca aidait sa mère à la cuisine. Le beau blond avait un peu traîné dans sa chambre et n'avait pas vu descendre sa cousine, quelques instants avant lui. Quelle ne fut pas sa surprise quand il la vit arriver avec sa mère afin de prendre elles aussi un Martini Dry et un Pisang sans alcool ! Elle resplendissait, Rebecca, dans son pantalon blanc et son petit top jaune, laissant son nombril à l'air libre. Pantalon et T-shirt moulants à souhait, à tel point qu'il ne fallait pas avoir une vue de lynx pour deviner les sous-vêtements noirs qui se distinguaient facilement par transparence. En outre, la belle cousine s'était maquillée, mais juste ce qu'il fallait pour attirer le regard. Rose à lèvres nacré, cils bleutés, fine ligne bleue au bord de la paupière inférieure, et une légère touche de fard bleu ciel sur la paupière supérieure. Aux oreilles, deux grands anneaux d'or. Rien d'exagéré en somme, mais suffisant pour qu'une gamine de quatorze ans au physique développé en fasse très facilement dix-huit. Et après ce qui s'était passé trois-quarts d'heure plus tôt à l'étage, il ne s'agissait là ni plus ni moins que d'une nouvelle approche féminine pour garder en éveil les sens de ce cher Bertrand et d'une incitation à tenir sa promesse. Attitude pas du tout au goût du père Müller, qui ne se privait pas de prendre son neveu à témoin.

— Vous voyez, mon cher Bertrand, les jeunes filles de maintenant ne savent plus patienter pour devenir des femmes. Parce qu'il leur pousse des seins à douze ans, deux ou trois ans plus tard, elles estiment qu'elles peuvent entrer dans le monde des adultes, s'habillent et se maquillent comme pour aller en boîte. Enfin !

— N'exagère pas, Charles. Et laisse un peu de liberté à notre petite Rebecca. Après tout, tu sais qu'elle ne se permet ce genre de choses que le week-end ou en vacances, n'est-ce pas.

Ce « petite », associé à son prénom, elle l'avalait difficilement, la jolie Rebecca en train d'en jeter plein la vue à son cousin. Celui-ci souriait, ne sachant quel ton adopter pour ne froisser personne. Pardi ! Pour se taper la belle cousine, il fallait continuer à être apprécié par ses parents.

— Oh ! vous savez, oncle Charles, nous autres, les hommes, n'avons-nous pas nous aussi commis quelques... erreurs, disons, dans notre jeunesse ?

La mère et la fille parurent fort satisfaites de cette prise de position de la part du neveu. Un avis qui, heureusement, passa auprès de Charles pour de la démagogie de bon aloi.

— Vous voulez plaire à tout le monde, vous, mon cher neveu, déclara-t-il sur un ton enjoué. Bah ! Vous avez raison, de cette manière, vous ferez plus facilement votre place dans la société. Passons à table, votre partie de tennis m'a donné faim.

Le repas s'éternisa, les sujets de discussion plus variés les uns que les autres. Mais cette immense table en chêne ne permettait nullement des appels du pied pour les convives qui se faisaient face, comme c'était le cas de Rebecca et Bertrand. Elle était à côté de sa mère, tandis que Bertrand avait pris place au côté de Charles. Vers la fin du repas, Rebecca souffla quelques mots dans l'oreille de sa mère.

— C'est vrai, ça, ma chérie, déclara Mathilde que le Pessac-Léognan rendait guillerette. Mais Bertrand a sans doute déjà réservé ses vacances avec ses amis, tu sais.

En quelques mots, Mathilde expliqua à son neveu que s'il le désirait, et s'il était libre bien entendu, il serait leur invité en août prochain à Ramatuelle. Cette proposition de passer quelques jours de vacances dans le golfe de Saint-Tropez en compagnie de ses oncle et tante, et naturellement de sa cousine Rebecca, ne pouvait qu'allécher Bertrand. Déjà, elle mouillait, la belle Rebecca. Elle ressentait la main de son cousin sur son sein, sur sa vulve, sur son jeune minou, elle ressentait sa bite dure contre son bas-ventre, elle imaginait...

— Je ne sais que vous dire... vous êtes sûrs que... enfin, je vous remercie infiniment. Dès mon retour des États-Unis, je vous passerai un coup de fil à Ramatuelle.

— Ah ! Au moins, cette fois, j'aurai un équipier pour le tennis ou pour la pétanque. Avec Bertrand, je ne crains plus d'affronter notre avocat.

Le visage de Rebecca rayonnait, ses yeux brillaient. Se mordant la lèvre inférieure, elle accrocha le regard de son cousin. Elle eut droit à un demi-verre de vin rouge et, se sentant un regain d'énergie aida sa mère à débarrasser la table et à préparer le café tandis que Charles emmenait Bertrand dans le salon pour lui faire goûter son vieil armagnac de vingt ans d'âge.

* *
*

— Mais... ma parole, Rebecca, tu es folle ?

— Caresse-moi... caresse-moi... pour le reste, j'attendrai Ramatuelle.

Cinq heures du matin. Dehors, tout dort, mais déjà le ciel commence à pâlir, la nuit perd ses nuances d'encre bleu acier. Une à une les étoiles s'éteignent, laissant petit à petit la lune à sa triste solitude. Un calme absolu règne sur la propriété des Müller et la campagne environnante. Une douce chaleur a accompagné toute cette nuit de juillet. Silencieuse, féline comme une chatte, Rebecca s'est glissée, complètement nue, sous le drap de soie qui couvre à peine son cousin Bertrand, nu lui aussi. Les sens mis soudain en éveil par cette intrusion vénusienne, le beau jeune homme serre contre lui ce corps nu et chaud de la frêle jeune fille. Déjà, son sexe se raidit, se dresse comme un obélisque, se glisse entre les cuisses blanches de Rebecca qui colle sa bouche contre celle de son cousin. Un fin rai de lumière du jour naissant passe entre les pans mal fermés de la tenture.

— Tu es complètement folle, hein, ma jolie

cousine ! Si ton père ou ta mère arrive, c'en est fini de Ramatuelle ! C'en est fini de notre projet pour toi et moi ! Il faut que tu files, murmure Bertrand, ses lèvres contre celles de Rebecca.

La garce, elle ne s'était pas démaquillée et avait gardé ses anneaux d'or aux oreilles. Ses beaux seins blancs écrasés contre le torse de son cousin, elle bredouille pour le rassurer.

— Mon père... ronfle comme un hussard ivre... et ma mère... met toujours ses boules quiès. Oh ! Bertrand... s'il te plaît...

— Réfléchis, nom de dieu ! Et le sang sur les draps, hein ! Tu peux bien patienter trois semaines, non !

Le beau Bertrand, futur avocat, veut rester maître de la situation, ne pas se laisser emporter par cette diablesse au corps de déesse. Et pourtant, la tentation est là. Le corps de vestale offert en sacrifice. Pas question pour autant de flanquer tout en l'air pour une gamine dévorée par ses hormones. Mais par la chaleur de son corps, par sa poitrine aux mamelons agressifs, les mouvements de son ventre, par son langage même, la garce se fait insistante.

— Mes nichons ne te plaisent pas ? Et mon cul ? Hein ? Tu l'as pourtant bien maté hier après-midi sur le court, non ? Alors, maintenant, caresse-le ! Putain, Bertrand, quelle bite, tu as !

Déjà la langue de sa cousine s'enroule à la sienne tandis qu'elle serre dans sa main son sexe raide, lourd, décidée qu'elle est à ne pas lâcher prise.

— Oh... c'est quoi, ça ? Dis-moi..., demande-t-elle, reprenant un ton de gamine vicieuse tout en pressant dans sa paume le gland décalotté en forme d'obus.

Se prenant à son jeu, Bertrand décide de lui répondre sur le même ton.

— Ça, ma petite, c'est quelque chose qui me permettra de te fourrer plus longtemps, de te ramoner jusqu'à ce que tu n'en puisses plus et de t'envoyer plein de bon jus au fond du con quand tu ne seras plus vierge ! Ça te va comme ça ?

— ... vivement Ramatuelle !

Décidément, cette garce n'est vraiment pas comme les autres. En tout cas, elle n'a rien d'une descendante de famille bourgeoise. Malgré son inexpérience, ses caresses sont précises, elle a un véritable don, « une graine de grande salope », sourit intérieurement Bertrand. De ses longs ongles vernis de rose nacré, Rebecca griffe tendrement la peau des couilles gonflées de son cousin qui empoigne ses fesses dodues, les pétrit, pour descendre lentement le long des cuisses fuselées. Soudain, Bertrand remet son adorable cousine sur le dos pour caresser plus facilement ce corps que les démons du sexe lui apportent sur un plateau d'argent. Pressant toujours la grosse bite dure dans sa fine main, Rebecca ferme les yeux pour mieux apprécier celle qui court sur ses seins, les palpe, pince et tire ses jeunes mamelons semblables aux baies rouges de groseillier. Elle respire par à-coups, ne dit plus rien, joue à la poupée, mais la poupée c'est elle. La main de son cousin descend vers son ventre qui se contracte, les doigts se faufilent entre les poils encore un peu clairsemés, les tirent avant d'écarter ses grandes lèvres en attente. La tête penchée sur la jolie poitrine, Bertrand embouche chaque mamelon tour à tour pour le sucer, le mordiller, ses doigts continuant à pincer et étirer les grandes lèvres de sa jeune cousine qui s'offre sans aucune retenue. Cette fois, la belle poupée pousse des gémissements de plaisir, se mord la lèvre ; elle presse de plus en plus fort le membre tendu dans sa main déjà experte à flatter la virilité du mâle. Bertrand enfonce la première phalange de son index dans le jeune vagin, va un peu plus loin, mais non, il faut s'arrêter. La porte est là, pas question de forcer le sésame de pareille façon ; la petite bourgeoise attendra, et lui aussi. Il ôte rapidement son doigt, se penche pour prendre en bouche toute cette vulve bien fraîche, la mâchonner dans un bruit de succion obscène. Les corps roulent sur le côté, tête bêche. La petite salope a compris, elle aussi embouche le gros gland de son cousin. Pour la première fois, elle a enfin une belle queue entre les lèvres. Elle glousse tant et plus, son cousin a fait surgir son clitoris, menu mais volontaire, se dressant fièrement sous les coups de langue avant d'être étiré lui aussi entre les lèvres expérimentées. Pour la première fois de sa vie de jeune fille, Rebecca sent monter en elle ce trouble intense, ce coup de chaleur fulgurant qui emplit autant son esprit que son corps et qu'on appelle plaisir. Elle a envie de crier, mais elle ne peut pas. Le gland de son cousin au bord des lèvres, tout trempé de salive et coloré de rose nacré, elle aperçoit un mince filet blanchâtre qui s'échappe par le méat de la queue qu'elle vient de sucer et reste collé à sa langue.

— Oh... Bertrand... Bertrand..., lâche-t-elle dans un murmure enfiévré.

Il a compris, lui, que sa petite garce de cousine veut jouer à la pute. Il en a vu d'autres, des plus mûres. Alors, il va lui apprendre, doucement mais sûrement. Puisqu'il ne peut pas la déflorer cette nuit, autant lui apprendre autre chose. Il se redresse aussitôt pour s'asseoir sur la poitrine même de la belle cousine, un genou de chaque côté du tronc.

— Pas question de tacher les draps, hein, Rebecca ! Alors, si tu veux que je m'occupe de toi en vacances... montre-le... sois ma petite pute adorée, docile et amoureuse.

Sans qu'elle ait pu prononcer le moindre mot, Bertrand la saisit par les cheveux et lui fourre sans ménagement son gros gland violacé en bouche.

— Tu vas apprendre ce que c'est que sucer un homme jusqu'à la moelle, petite pute ! Et gare à toi si je vois une goutte sortir de ta belle bouche de petite chienne bourgeoise !

Les yeux écarquillés, les seins écrasés sous les fesses de son cousin, excitée par sa vulgarité, Rebecca sent cette bite raide et épaisse l'envahir jusqu'à sa glotte, les couilles gonflées et dures viennent s'écraser sur son menton. Elle a envie de vomir, elle ne s'attendait pas à pareille intromission de la part de son gentil cousin quand elle s'était glissée sous ses draps, telle une louve démoniaque. La maintenant fermement par les cheveux, Bertrand coulisse une ou deux fois dans cette jolie petite bouche rose, tout en soulevant son cul pour triturer un mamelon. N'y tenant plus, retenant lui aussi ses cris de jouissance, il laisse sa queue gicler contre le palais de cette salope de cousine et se mord les lèvres, ahanant presque silencieusement.

— Tu dois tout avaler... cousine... tout... sinon...

Rebecca glousse, s'étrangle, jamais encore elle n'a reçu de sperme en bouche, c'est sa première fellation menée jusqu'au bout. Ce liquide chaud, épais, gluant, au goût âcre, c'est celui de son cousin, de dix ans plus vieux qu'elle. Mais elle ne veut pas le décevoir, et puis il a promis d'en faire une femme, alors elle avale, encore et encore. Bertrand n'en finit plus d'éjaculer, lui emplissant la bouche de sa semence. D'une main, elle presse les couilles velues qui se ramollissent dans sa jeune paume, de l'autre, elle triture son clitoris. Du plaisir, elle veut en donner mais également en prendre. Dans sa bouche, la queue de son cousin ramollit, mais Rebecca continue à glousser, son gros bouton gorgé de sang entre les doigts demande grâce. La petite bourgeoise a joui, plus spirituellement que physiquement, elle est toujours vierge, mais elle sait maintenant ce que c'est que sucer un homme. Bertrand a sorti son sexe mou de la bouche de sa jolie cousine, le presse entre les seins de la jeune fille pour l'essuyer, en frotte la hampe sur chaque mamelon. Puisqu'elle veut être une poupée salope, elle doit apprendre à assumer. Puis, il se couche sur elle pour l'embrasser à pleine bouche. Elle comprendra ainsi comment un homme peut remercier une femme de l'avoir accueilli de cette manière. Les langues se nouent dans la salive mêlée de sperme, la bite et les couilles ramollies du beau cousin s'écrasent sur le bas-ventre de Rebecca, dans les poils châtain clair de son pubis de petite femme.

— Maintenant, jolie salope, tu files dans ta chambre ! Putain, il est six heures ! Si ton père se lève... !

Le corps chaud mais couvert de frissons, l'esprit un peu embrouillé, les lèvres humides, la belle Rebecca lance à son cousin un regard langoureux et murmure un « merci » à peine audible. De cette chambre à la sienne, il n'y a qu'une dizaine de mètres. Dehors, le jour s'est levé. Dans le ciel bleu pâle, la lune est toujours là, esseulée. L'air goguenard, elle regarde Rebecca et semble même lui faire un clin d'œil. Au loin, le chant d'un coq enroué monte dans l'air humide de rosée. Dormir encore un peu, ce serait bien.

** **

Il était près de neuf heures trente quand Rebecca rejoignit la grande cuisine au décor rustique pour y prendre son petit déjeuner dominical. Ce qu'elle ne savait pas, c'était que Bertrand s'était levé dès sept heures pour filer, avec Charles, jusqu'au village de Drusenheim et y acheter croissants et petits pains au chocolat. Après ça, il avait effectué un court jogging d'une demi-heure avec son oncle dans le parc avant de prendre une douche. Il avait alors pris son petit déjeuner en compagnie des parents de Rebecca, tout heureux de constater que le neveu n'était pas un adepte de la grasse matinée et des petits déjeuners pris pratiquement à l'heure de l'apéritif.

— La vie appartient à ceux qui se lèvent tôt, mon

cher neveu. Vous verrez plus tard que ce sont ceux-là qui se font les meilleures places dans la société.

Ennuyé quand même de manger en l'absence de celle qui avait si bien agrémenté sa nuit, Bertrand demanda à Mathilde si sa gentille cousine n'était pas malade.

— Pensez donc, mon cher Bertrand. Votre cousine adore paresser au lit le dimanche matin. Tenez ! La voilà !

Bertrand, qui achevait son café, leva la tête pour voir arriver cette adorable Rebecca, les cheveux non peignés, le visage heureusement démaquillé, les anneaux décrochés de ses oreilles. Elle avait enfilé un ensemble de training, pantalon bleu ciel et pull blanc à longues manches.

— Eh bien, ma chérie, s'exclama Mathilde, il faudrait que Bertrand vienne plus souvent passer le week-end ! Tu ne traînerais pas au lit le dimanche jusqu'à dix heures.

Bien entendu, les premiers baisers furent pour père et mère, avant de venir embrasser les joues du beau cousin. Mais en se penchant pour l'embrasser, elle n'hésita pas, tournant légèrement le dos à son père, à presser son sein sur le bras de Bertrand. Sous son pull blanc de training, elle n'avait pas mis de soutien-gorge.

*
* *

La journée du dimanche passa à la vitesse d'une météorite. Après une courte matinée passée à écouter les derniers albums d'Indochine, Gainsbourg et Balavoine, après un repas gargantuesque qui dura plus d'une heure, on fila jusqu'à Strasbourg. Le père Müller avait lui aussi un hors-bord amarré à un ponton, sur un bras dévié du Rhin où l'on pouvait pratiquer le ski nautique, dont Bertrand était un fervent adepte. Pour parcourir la vingtaine de kilomètres, Rebecca put prendre place dans la belle Mustang rouge de son cousin. Bien sûr, elle s'était apprêtée comme la veille au soir, sans parler de cette nuit. Il fallait que Bertrand s'entiche tout à fait d'elle avant qu'il reparte, qu'il l'ait dans la peau, qu'il se languisse de la voir à Ramatuelle, que sa bite pense à elle chaque jour, chaque minute qu'il passerait à Baltimore pour ce fichu stage de droit fiscal. Et elle savait s'y prendre, la jolie petite bourgeoise. Pour monter dans la décapotable du cousin, elle avait enfilé une mini-jupe en jean et un chemisier rose, ce genre de chemisier dont on noue les pans juste à hauteur du ventre. Ses cheveux coiffés en queue de cheval lui donnaient un genre nouveau, tout aussi attrayant, fort séduisant.

Pendant le court trajet, hélas ! la voiture des parents précédait la Mustang. Habile, Bertrand avait réussi à laisser une autre voiture se glisser entre les deux, ce qui lui permettait de caresser la cuisse dénudée de Rebecca. Se doutant que son père devait sans cesse jeter un coup d'œil à son rétroviseur, elle n'osait pas passer un bras autour du cou de son cousin amant pour venir lui poser des baisers dans le cou. Néanmoins, elle s'était bien enfoncée dans son siège et pouvait, de sa main gauche, branler avec vice et lenteur la queue qu'elle avait habilement extirpée du jean de son cousin. Cuisses largement ouvertes, elle s'offrait à loisir aux caresses de Bertrand qui fouillait sa petite culotte noire et lui pinçait la vulve déjà toute ouverte.

Après trois quarts d'heure de ski nautique, tiré par le hors-bord du père Müller dans lequel Mathilde et Rebecca avaient pris place, Bertrand offrit le café à la terrasse du Yachting Club. Avant de se quitter, on convint donc une dernière fois que le cousin serait attendu à Saint-Tropez dès le début août, et on s'embrassa.

Il restait à Rebecca à patienter. Elle mit ces quinze jours à profit pour lire en cachette ce qu'on ne lit normalement qu'à l'âge adulte. Régulièrement, elle fila à la FNAC pour s'y procurer, outre un Guy des Cars ou un Somerset Maugham (qu'elle rangeait dans sa bibliothèque sans même y jeter un regard) un ou deux Sade, un Pierre Louÿs, et un Miller, qu'elle dévora, tant de jour que de nuit. Elle ne voulait qu'une chose : être de plus en plus excitée, se masturber de plus en plus, arriver à Ramatuelle dans un état d'intense excitation sexuelle. Elle voulait montrer à son cousin Bertrand qu'elle serait pour lui ce qu'il pensait vraiment qu'elle était : une belle petite bourgeoise salope ! Et l'honorabilité de la famille, basta !

Chapitre 3

De Ramatuelle au chemin des délices

Saint-Tropez. Comme chaque jour que l'été fait, la terrasse de Sénéquier est noire de monde. À une table, Rebecca boit un Coca, en compagnie de ses parents. Cela fait près d'une heure qu'ils sont là, à guetter l'arrivée d'une Mustang rouge qui ne ferait vraiment pas tache à côté des autres Jaguar ou Morgan. Un couple célèbre est pris en photo, attablé lui aussi à la même terrasse, et tous ces paparazzi professionnels ou amateurs bouchent la vue de Rebecca qui s'énerve. Bertrand avait téléphoné de Baltimore pour annoncer que son stage de droit fiscal était prolongé de quatre jours ; dès lors, cela réduisait de beaucoup son temps de vacances en compagnie de ses oncle et tante, et de la sulfureuse cousine. Alors, ce n'était plus l'excitation qui avait envahi la belle petite bourgeoise, mais bien la nervosité, une immense tension nerveuse due à la contrariété. Pensez donc ! Elle voulait devenir femme avant sa quinzième année, ce serait raté ! Bertrand ne passerait qu'une semaine au lieu de deux à

Ramatuelle, et depuis trois jours elle avait quinze ans. Déception pour la gamine qui voulait transgresser un interdit supplémentaire, après la super pipe offerte à son cher cousin. Même si elle avait l'intention de lui cacher cette date anniversaire, sa mère, elle, se ferait sûrement un plaisir d'en informer Bertrand, dans l'intention louable sans doute que celui-ci lui fasse un petit cadeau à Ramatuelle. Si elle savait, cette chère maman... ! Pourvu que son père Charles n'accapare pas le cousin toute la semaine pour ses parties de tennis ou de pétanque !

Ouf ! Le couple se lève et fuit à bord d'une Bentley blanche. Une demi-heure encore. Troisième Coca. Enfin, le voilà ! Un long frisson parcourt le dos de la belle adolescente, un large sourire éclaire son visage déjà bien bronzé, tout comme ses épaules dénudées. Tout sourire, Bertrand annonce qu'il a dû garer sa Mustang sur l'immense parking du Nouveau Port, à six cents mètres de chez Sénéquier.

— Qu'à cela ne tienne, Bertrand. L'essentiel, c'est que vous soyez là ! s'exclame Mathilde.

Embrassades, regards profonds entre Rebecca et le cousin qui s'extasie devant le bronzage de sa cousine et celui de sa mère bien entendu. Charles commande deux bières fraîches et deux Cocas. Mathilde fait remarquer à Rebecca :

— Ma chérie, tu ferais bien de prendre autre chose. Ça fait le quatrième Coca, cette nuit tu ne fermeras pas l'œil. Allez, je te permets un cocktail maison. Ce sera le premier de tes quinze ans !

« Putain ! Elle aurait pu se taire, quand même !

Merde ! » pense l'adolescente. Voilà donc le beau Bertrand mis au parfum. Quant à ne pas fermer l'œil cette nuit, elle s'en fiche, Rebecca, si c'est pour être pelotée par le cousin, lui sucer sa grosse bite, recevoir encore son foutre en pleine bouche avant qu'il se décide enfin à la déflorer. Bon ! Allez ! Elle prend un cocktail, et reçoit quatre baisers brûlants de Bertrand sur les joues, en guise d'acompte sur son cadeau d'anniversaire ! Cette semaine commence quand même sur un ton de bonne humeur.

Malheureusement, elle doit écouter durant trois bons quarts d'heure le compte rendu du stage de droit à Baltimore, exposé avec moult détails au père Müller.

Dix-huit heures. Enfin, on se lève. Il faut quitter Saint-Tropez pour gagner la villa de Gassin. Seulement une douzaine de kilomètres à parcourir, mais à la mi-août, cela prend bien plus qu'une demi-heure. Fort bien, après tout, puisque c'est Rebecca qui accompagnera Bertrand dans sa Mustang pour le guider jusqu'à la villa et exciter son cousin.

* *
*

À peine arrivée sur le parking, Rebecca se jette dans les bras de Bertrand, se pend à son cou, ventouse sa bouche à celle de son cousin. Le beau blond presse la jeune fille contre lui. Il a patienté plus de trois semaines.

— J'espère que tu as pensé à moi, à Baltimore ? Parce que moi, putain, j' te dis pas le nombre de fois que je me suis masturbée en repensant à... cette nuit à la maison. Oh ! pelote-moi...

Bertrand avale sa salive. Lui, l'étudiant en droit, réputé coureur de jupons, n'a jamais été accueilli de pareille façon, encore moins par une cousine, et encore moins par une gamine de quinze ans à peine dont le langage et le comportement font bien plus penser à la Nana de Zola qu'à une fille de bonne famille. Le parking est bondé, ils sont là entre deux rangées de voitures, et Rebecca a pris elle-même la main de son cousin pour la passer sous son T-shirt. Déjà, elle s'était fait rabrouer par son père quand celui-ci avait remarqué que pour aller s'installer à la terrasse de Sénéquier, elle n'avait pas mis de soutien-gorge. Avec la poitrine qu'elle a, ses mamelons pointent sous le fin tissu de façon provocante.

Tout émoustillé, Bertrand pelote ce sein à qui mieux mieux, après tout il lui est offert, pourquoi ne pas en profiter ? Et puis, il n'y a pas à dire, mais cette jeune garce de bourgeoise le fait bander outrageusement. D'ailleurs, Rebecca presse son bas-ventre contre cette bite dure qu'elle a hâte de recevoir ailleurs que dans sa petite bouche rose.

— Alors comme ça, tu as fêté ton anniversaire sans rien me dire ?

— Je voulais le fêter avec toi, et tu sais comment ! Mais ma mère a tout gâché, voilà ! murmure Rebecca, le corps collé contre celui qu'en pensée elle appelle « son homme ».

— N'aie crainte, va ! On les fêtera, tes quinze ans ! Toujours décidée ? demande Bertrand. À moins bien sûr qu'un de ces beaux jeunes mâles bronzés qui doivent te courir après soit déjà passé par...

Rebecca le fait taire en fourrant à nouveau sa langue dans la bouche de son cousin.

— Putain, Bertrand, c'est toi qui feras de moi une vraie femme, je te l'ai dit... et même prouvé à Drusenheim. Ne me dis pas que... tu as changé d'avis ? T'as baisé avec des Amerloches, c'est ça ? Et elles t'ont mieux sucé que moi ? Elles baisent bien, ces fichues « Lindsay, Sharon et compagnie » ? s'insurge la gamine.

— Je n'ai pas baisé avec des Américaines, comme tu le dis si bien, et tu suces divinement. Non ! Je n'ai pas changé d'avis. Et puisque tu veux tout savoir, sache que là-bas, je me suis branlé en pensant à ton corps de diablesse, à ma bite nichée dans ta bouche... et ailleurs ! Alors ? Satisfaite, Mademoiselle Rebecca ?

Le sein emprisonné dans la paume de son cousin, elle esquisse un large sourire de satisfaction. Main dans la main, ils rejoignent la Mustang rouge de Bertrand.

* * *

Dans la décapotable, un bras sur la portière, un foulard rouge noué dans ses cheveux blonds, Rebecca joue les princesses. Le vent chaud lui caresse le visage avec volupté. Maintenant, elle est même un peu plus bronzée que son cousin. Elle sourit, il lui reste une semaine, sept jours pour atteindre ses objectifs. En tout cas, elle en a déjà atteint un : le cousin s'est masturbé aux States en pensant à elle. « Je l' veux tout entier, pense-t-elle. J'veux sentir sa grosse bite dans mon con. J' f'rai celle qui n'a pas mal ! »

Avant de grimper vers Ramatuelle, une fois sorti de Saint-Tropez, il faut traverser Pampelonne par la route des plages. Une merveille. Tandis que Bertrand conduit, Rebecca profite d'un moment où il observe la mer pour se soulever, faire glisser sa petite culotte rouge et l'envoyer loin devant ses pieds, dans cet espace restreint et sombre, non visible du conducteur. Cela ne lui a pris que trois secondes, mais l'arrière de sa jupette en jean ne s'est pas remis sous ses fesses, et elle est cul nu sur le cuir noir. Cul nu, et vulve trempée, car elle mouille, et pas un peu. « Tant pis ! Faut qu'il sente avant qu'on arrive ! » pense-t-elle encore. D'ailleurs, ça ne traîne plus. À croire qu'il attendait, inconsciemment peut-être, ce délicieux moment d'offrande. Une main sur le volant, Bertrand caresse la cuisse de sa cousine, remonte lentement sous la jupe, sent le pli de l'aine, laisse ses doigts filer vers le bas-ventre, dans les poils soyeux. La gamine ne dit pas un mot ; penchée vers lui, elle a posé une main sur la nuque de son cousin, sans oublier de bien écarter les cuisses. Enfin, le voilà !

— Putain ! Ne me dis pas que... tu es venue me chercher ainsi ? Pas de soutif, pas de culotte... t'es une vraie..., balbutie Bertrand.

— Tu n'aimes pas ? J' t'ai dit que je voulais être toute à toi... quand je dis toute, c'est toute...

Le rythme cardiaque de Bertrand s'accélère, contrairement à la voiture obligée de suivre le flot d'automobiles parcourant à la queue leu leu cette route des plages de Pampelonne. L'air chaud lui caresse le visage, ses doigts tripotent la vulve humide, les grandes lèvres qui s'écartent si facilement. Rebecca se mord la lèvre, une phalange s'est introduite à l'entrée de son vagin, mais en ressort aussitôt. La main du cousin se glisse entre le cuir et son pubis, sa vulve s'écrase dans la paume toute chaude. Elle ferme les yeux, savoure, voudrait que ça ne s'arrête jamais, que la route soit longue, longue, longue...

— La prochaine fois, il faudra mettre une serviette éponge sous ton cul, hein, cousine. Ma parole, tu mouilles comme une... femelle en chaleur !

Rebecca jubile, pousse un petit ricanement, son cousin lui tient les propos qu'elle espérait. Est-ce que le beau futur avocat se mettrait à parler comme elle ?

— Et ça te plaît, Bertrand chéri ?

— Et comment ! Bon ! C'est pas tout ça, mais maintenant il faut que tu m'indiques le chemin.

« Et merde ! », pense Rebecca en prenant une grande inspiration.

Après avoir goûté à la moiteur de sa jeune cousine, Bertrand s'extasie devant la beauté du paysage alors que Rebecca n'y prête plus attention, emportée qu'elle est par ses pensées lubriques, ses fantasmes sadiens et autres envies fort peu anodines pour une fille de quinze ans.

Enfin, deux kilomètres avant Gassin, on prend un court chemin de terre qui mène à la propriété estivale des Müller, entourée de quelques chênes-lièges et bouleaux. Une villa en U, avec piscine et toit de tuiles rouges en terre cuite. Sur la façade est de la demeure, une grande terrasse avec barbecue en pierre offre une vue imprenable sur le village de Ramatuelle, qu'on domine d'une trentaine de mètres.

C'est la première fois que Bertrand vient passer une semaine de vacances chez ses oncle et tante. Mais sa surprise est telle qu'une décision est vite prise : il fera tout et encore plus pour y revenir. Et le chemin à parcourir pour atteindre cet objectif ne sera, après tout, tant pour lui que pour Rebecca, qu'un chemin des... délices.

* * *

NDLA : *Comme expliqué plus avant, c'est aussi en plongeant dans son journal intime de jeune fille que Rebecca se donne du plaisir quand elle prend un bain. Ce journal a d'ailleurs toujours sa place à côté de ses super sex-toys, même si, à vrai dire, elle n'y avait pas écrit beaucoup de pages au cours de son adolescence, l'écriture représentant pour elle un trop grand effort cérébral. Néanmoins, ces quelques pages à odeur de soufre renfermaient déjà le ferment de la personnalité profonde de cette gamine issue de la bourgeoisie strasbourgeoise, une personnalité outrageusement imprégnée par tout ce qui concernait les plaisirs sexuels dont, normalement, on ne prend connaissance que bien des années plus tard !*

Drusenheim, le 28 août 1986
Je regrette de ne pas avoir commencé plus tôt la tenue de ce journal intime. Écrire, ce n'est pas ma tasse de thé. Même si je lis pas mal de bouquins, je ne me sens pas

l'âme d'un écrivain. J'ai d'ailleurs pas mal de fil à retordre avec mes fichues dissertations pour le collège. Si je me décide à écrire, c'est juste parce qu'en écrivant je ressens encore du plaisir, je mouille en pensant à ce que j'ai connu avec mon cousin. Alors, ça oui, j'aime bien. Et j'espère que ça ne va pas s'arrêter en si bon chemin. Je suis rentrée de vacances depuis trois jours, et je ne veux pas oublier ce qui s'est passé, c'est pour ça que je me décide à tenir un journal. J'aurais déjà dû écrire une ou deux pages le mois passé, quand j'ai sucé Bertrand « jusqu'à la moelle », comme il dit, et que pour la première fois j'ai avalé du sperme. C'était ma première vraie pipe, et je suis fière de l'avoir réussie à quatorze ans, avec un bel homme dix ans plus âgé que moi, qui a déjà une certaine expérience des femmes. Mais depuis cette nuit-là, je me sentais nerveuse. Chaque soir, en prenant ma douche, je me masturbais en pensant à lui, à sa grosse queue qui me remplissait la bouche de son jus. J'avais hâte de l'avoir ailleurs, hâte de devenir une vraie femme grâce à lui. Mes vacances à Gassin ont été merveilleuses, même si elles ont débuté dans l'attente insupportable de Bertrand, retenu plus longtemps à Baltimore. En l'attendant, je l'imaginais en train de baiser avec des Américaines, ça m'énervait beaucoup, je devenais jalouse. Les jeunes qui m'entouraient sur la plage de Saint-Trop ne m'intéressaient pas. De vrais gamins, et rien d'autre ! Enfin, quand il est arrivé, j'ai été rassurée. J'ai été toute contente quand il m'a dit que là-bas, il s'était masturbé en pensant à moi. Bon ! Je préfère raconter tout de suite ce qui, pour moi, restera le meilleur souvenir de mes vacances.

Il est arrivé un samedi, en fin d'après-midi. Évidemment, comme je m'y attendais, toute la soirée, il a été accaparé par mes parents. Comme il était invité, Bertrand ne pouvait pas les envoyer paître, et la nuit, dans la maison de Gassin, il m'était impossible, vu la disposition des chambres, d'aller le retrouver dans la sienne. Il fallait pour ça que je passe devant celle de mes parents, et c'était trop dangereux. Mais bon ! J'avais mon plan, et mes journées. Et encore, pas toutes ! Mon cher père avait besoin de mon cousin pour le seconder soit au tennis soit à la pétanque. Pas question pour lui de refuser. Heureusement, cette fois, j'ai été bien heureuse de compter sur la complicité de ma mère. C'est vrai qu'elle me fait prendre la pilule depuis que j'ai quatorze ans, parce, comme elle dit, avec le physique que j'ai, les garçons vont me courir après. Ce jour-là, elle avait pris soin de m'expliquer comment ça se passait, comment on devenait femme. « Et c'est bien souvent mal fait ! » avait-elle ajouté sur un ton dépité. Elle avait même ajouté : « L'idéal, c'est d'avoir affaire à un homme expérimenté, mais bon... ! » C'est pour ça que j'ai toujours eu l'impression que ma mère ne voyait pas d'un trop mauvais œil un rapprochement entre Bertrand et moi. Enfin, je me fais peut-être du cinéma, après tout. Mais j'ai quand même constaté qu'en vacances, elle prenait souvent mon parti contre mon père. Enfin, soit !

Le lendemain de son arrivée, le matin, on est bien sûr allés au marché de Saint-Tropez, tous les quatre dans la voiture de Bertrand. Quelle corvée ! Après le repas de midi, ma mère, qui devinait sans doute mon désappointement, a fait remarquer à mon père que je devrais faire découvrir Ramatuelle à Bertrand. Là, elle m'épatait.

— De toute façon, il fait bien trop chaud pour jouer au tennis l'après-midi, n'est-ce pas, Charles ? Sois raisonnable, mon chéri.

En fait de découverte, c'est plutôt Bertrand qui m'a fait découvrir tout le plaisir que je pouvais retirer à bien ouvrir les cuisses, toute la jouissance qu'on pouvait avoir à être bien pénétrée par une grosse tige comme la sienne, une fois bien sûr qu'on n'est plus une gamine et qu'on a enfin la chatte ouverte. Plutôt que d'emmener mon cousin à Ramatuelle, je l'ai conduit vers une petite crique que j'avais repérée à la Pointe Moussure. Il y en a trois, et pour y accéder, c'est à pied. Déjà, en y allant la semaine précédente, j'avais imaginé des tas de choses. Jamais personne, tant l'accès est difficile. Mais six mètres carrés de sable fin pour soi, c'est merveilleux, non ? Et sans être vu !

— Ici, on peut se foutre à poil aussi, ai-je dit en me déshabillant la première.

J'étais pressée, j'avais tellement attendu ! Et pourtant, j'avoue, j'avais un peu peur. Mais je me suis souvenue de ce que m'avait dit ma mère. Sur le sable (pas question de tacher ma grande serviette de bain), Bertrand s'est allongé à côté de moi, à poil lui aussi. Quelle bite il avait, putain ! Dressée vers le ciel, épaisse, avec son gros gland mauve en forme d'obus. Des couilles gonflées et grosses comme des prunes. Tandis qu'il me caressait les nichons, les embrassait, je tenais sa verge dure dans ma main, me demandant quel effet ça allait me faire d'avoir ça dans mon ventre. Bertrand a été très tendre avec moi. Sa bouche s'est posée sur la mienne et nos langues se sont entrecroisées tandis que je pressais toujours dans ma main sa queue toute raide. Malgré ma détermination, et malgré les trente degrés qui régnaient cet après-midi, je frissonnais de peur et d'excitation. Sa main est descendue sur mon bas-ventre, j'ai refermé les cuisses comme une chatte apeurée. Il a souri et tout fait pour me rassurer.

— *Détends-toi, je suis là pour te faire du bien, tu le sais. Tu mouilles beaucoup, ça va aller.*

Il a caressé mes cheveux, je me détendais. Je laissais mes cuisses s'ouvrir, ses doigts jouaient avec mes grandes lèvres. C'est vrai, je mouillais beaucoup. Bertrand a introduit un doigt dans mon vagin. Il me palpait avec douceur, je le sentais tourner son doigt en tous sens, en appuyant légèrement sur mon hymen. Il a chuchoté : « Tu verras, ce ne sera rien. Après, tu seras une femme, une bien belle femme, cousine Rebecca. » Il s'est allongé sur moi et j'ai fermé les yeux pour sentir son membre dur s'insérer entre mes grandes lèvres. Les yeux mi-clos, j'ai dit simplement : « Oui... Bertrand... » Une fois son gland dans l'entrée de ma chatte, il est resté ainsi pour que je me rende compte de l'effet que ça faisait. Puis, il a sorti et rentré plusieurs fois le bout, lentement, sa bouche rivée à la mienne. Enfin, il a poussé plus fort et s'est enfoncé. J'ai gémi, mais plus de surprise que de douleur. J'ai senti une brûlure au fond de moi. Bertrand ne bougeait plus. Je sentais sa queue pulser dans mon ventre. Après quelques instants de silence, la brûlure s'est estompée et j'ai ouvert les yeux. Des larmes coulaient sur mes joues, Bertrand les buvait. « Te voilà femme, maintenant, jolie petite bourgeoise ! » J'ai passé mes bras autour de son cou et l'ai embrassé. Il m'a dit qu'il fallait que je sente la semence d'un homme dans mon ventre et il s'est mis à aller en moi de plus en plus vite. C'était super bon. Je connaissais mon premier plaisir de femme sous la pine de mon cousin Bertrand. Enfin, il a joui, en envoyant son sperme au fond de mon vagin. Je sentais sa queue s'agiter. Quand il s'est dégagé, son sexe était couvert d'un filet de sang.

— *Du sang de vierge, ça porte bonheur, a-t-il dit en riant.*

Il m'a prise dans ses bras et m'a emmenée vers la mer. Il m'a déposée dans les vagues, m'a fait écarter les cuisses pour que mon sexe soit bien baigné par l'eau de mer.

— *Maintenant, tu vas pouvoir baiser comme tu en as envie, petite salope, a-t-il dit en riant.*

J'ai juste répondu :

— *Et comment !*

Puis, nous sommes allés un peu dans la mer, l'eau était chaude, c'était délicieux. J'ai passé mes bras autour du cou de mon cousin, ai pressé ma poitrine nue contre son torse. Je sentais son sexe mou contre mon bas-ventre. J'ai posé mes lèvres salées sur les siennes pour murmurer :

— *Merci, Bertrand.*

J'ai alors ajouté, avec un grand sourire, qu'il faudrait quand même que j'aille lui faire découvrir Ramatuelle.

* * *

Drusenheim, le 29 août 1986

Toute cette semaine-là, je me suis donnée à Bertrand comme une vraie maîtresse. Devenue femme, je n'ai eu qu'une idée en tête : baiser et encore baiser. J'ai d'ailleurs bien l'impression que c'est ce qui va compter le plus dans ma vie, le plaisir, toujours le plaisir. J'ai quinze ans, mais fière de ne plus être une jeune fille comme les autres, surtout de ne plus être une gamine. J'ai un con et moi, je veux qu'il serve. Bertrand me considère comme une bonne maîtresse, il m'a promis que je serais la seule, du moins pour quelques années. Entre les parties de tennis obligatoires avec mon père, j'ai réussi à l'emmener sur la plage des naturistes sans que les parents s'en rendent compte. J'étais follement heureuse de me balader à poil à côté de lui, et de pouvoir me baigner nue parmi tous les autres, nus eux aussi. Mais je ne pouvais pas m'empêcher de sourire, et je me cachais même la tête dans le cou de Bertrand pour rire sans trop d'éclats parce qu'en voyant tous ces types à poil, je pensais à la chanson de Pierre Perret, Le Zizi, qu'on reprenait en chœur avec mes copines de collège à la récré. Putain ! Qu'est-ce que j'en ai vu des bites et des couilles, de toutes tailles, de tous âges, de toutes couleurs. Des p'tits joufflus, des gros touffus, des laids, des beaux, des grands ridés, des monts pelés... J'ai même vu un lever de zizi à mon approche. Intérieurement, j'étais très flattée. Bertrand aussi pouvait se régaler avec les autres nanas à poil. Mais il me rassurait, me disant que c'était moi qu'il préférait, et lui, il parvenait à ne pas bander quand il voyait une nana bien foutue.

— Avoir une pareille maîtresse de quinze ans, avec un corps de dix-huit, c'est le rêve pour tout homme, hein, ma petite pute !

Il m'a invitée au Club 55, le resto de la Jet Set sur la plage de Pampelonne, et aussi au Tahiti Plage. Il ne s'est pas passé un jour sans qu'il me baise, ou que je le suce, ou qu'il suce mon gros clitoris que j'adore sentir entre ses lèvres. Pour ça, on est toujours allés dans cette petite crique où il m'a faite femme. J'adorais quand il me prenait dans l'eau, il faisait coulisser sa bite raide dans mon vagin au rythme lent des vagues, puis, sur la plage, je suçais sa bite salée. Ah ! Quels souvenirs ! Ma mère me regardait avec un étrange sourire, je me suis toujours demandé si elle avait compris, mais je n'ai jamais rien osé lui dire. Parce que je ne crois pas qu'on puisse faire ça avec un cousin. Tant pis ! Comme je prends la pilule, basta ! Je suis bien décidée à ce que Bertrand soit mon amant, mon premier, pour quelque temps. Le problème, c'est que la semaine prochaine, c'est la rentrée pour moi. Et puis, lui, il va faire sa dernière année de droit à Strasbourg. Je ne sais pas quand on va pouvoir se voir. Je sens que les frustrations vont commencer.

*
* *

Drusenheim, le 15 avril 1987

Je suis vraiment paresseuse pour tenir mon journal, ça fait maintenant presque huit mois que je n'ai plus rien écrit. Mais mes études au lycée Fustel-de-Coulanges, à Strasbourg, me prennent beaucoup de temps. À vrai dire, depuis que j'y suis, j'ai souvent séché pour aller retrouver Bertrand du côté de la place d'Athènes, à la fac de Droit, quand ses études lui laissaient un peu de temps libre. Alors, on filait dans sa Mustang, sur une route de campagne, et on baisait dans la voiture. Mais ce n'est pas très confortable. De plus, mes notes de lycée sont atroces, et je subis les foudres paternelles. Bon ! Je vais essayer d'être plus sérieuse. Mes copines de lycée n'ont pas l'air d'être comme moi, elles parlent du sexe mais en blaguant, elles sont même étonnées que je ne sois déjà plus vierge. Et quand je leur dis que j'ai un amant, c'est à peine si elles me croient et ne me rient pas au nez. Faut croire que je suis fort en avance par rapport à elles à ce sujet-là. En outre, je ressens un mal étrange, une impression persistante, fascinante même, d'insatiabilité sexuelle. Je me masturbe de plus en plus, avec tout ce qui me tombe sous la main. Quand je suis seule à la maison, il m'arrive de fouiller dans la cuisine à la recherche d'une courgette ou d'une grosse carotte pour me l'enfoncer dans le con tout en triturant mon clitoris. Alors, quand la courgette coulisse lentement dans mon vagin, qu'elle comprime mes parois, que je commence à haleter, je nous revois, Bertrand et moi, sur cette petite crique près de Pampelonne, et je jouis comme une folle en triturant mon gros bouton, la courgette presque entièrement entrée dans mon con. Faut vite que je cache mon journal, j'entends ma mère arriver.

* *
*

Drusenheim, le 28 août 1987

Comme je m'y attendais, ma première année de lycée a été un échec. Mais je m'en fiche, je ne pense plus qu'à avoir du plaisir. Ah, si je n'appartenais pas à cette famille de bourgeois, pour sûr, avec la gueule et le corps que j'ai, je suivrais des cours de théâtre, juste pour devenir une actrice ! Mais bon ! Au mois de mai, à Strasbourg, Bertrand m'a emmenée voir mon premier film porno. C'était un vendredi après-midi, j'avais encore brossé les cours. Pendant toute la séance, il m'a pelotée et masturbée. Putain ! Le voisin n'arrêtait pas de nous mater, et j'en ai rajouté. J'ai sorti la queue de Bertrand et me suis penchée pour la sucer tandis qu'il gardait mon sein dans sa main. Quand il a juté, j'ai tout avalé pour qu'il n'y ait pas une goutte sur son pantalon. Je gloussais fort pour que mon voisin m'entende. J'ai alors senti une main inconnue se poser sur ma cuisse. Ça m'excitait comme c'était pas possible, car en m'asseyant, j'avais vu que ce type était un Africain. J'avais l'impression que Bertrand ne s'en rendait pas compte. Tout en continuant à pomper mon cousin pour aspirer les dernières gouttes de foutre, je sentais les doigts du Noir s'insérer sous ma petite culotte et tripoter ma vulve. Je mouillais comme jamais. C'était la première fois que je jouissais dans un cinéma. Je suçais un homme et j'étais masturbée par un autre, et d'une autre race en plus. Quand on est sortis, Bertrand m'a embrassée à pleine bouche en disant qu'il était très content d'avoir une maîtresse aussi salope. Mais je n'ai jamais su s'il avait vu pourquoi j'avais joui, je ne lui ai jamais demandé. Moi, en tout cas, ça m'a marquée, et quand je suis rentrée à la maison, je suis vite allée prendre une douche pour bien laver mon minou et m'envoyer les jets chauds de la douche dans le vagin. Je me culpabilisais quand même un peu, et je me suis dit qu'à quinze ans j'exagérais. D'ailleurs, on n'est plus allés au cinéma, mais il faut dire aussi qu'on arrivait au mois de juin, la période des examens, tant pour Bertrand que pour moi.

Et merde, j'entends mon père qui monte ! Il respecte mon intimité, mais s'il savait que je tiens un journal, je suis sûre qu'il ferait tout pour le trouver. À demain.

*
* *

Drusenheim, le 29 août 1987 – 8 h 30
En juillet, Bertrand est reparti aux States. J'étais fort triste quand il nous a raconté, à mes parents et à moi, qu'il avait l'intention d'exercer là-bas. Ayant obtenu son diplôme avec la plus grande distinction, le bureau d'avocats dans lequel il a effectué un stage l'an passé

63

était prêt à l'engager. Mon père l'a bien sûr félicité chaleureusement, ma mère aussi, mais en y mettant moins d'emphase ; elle voyait bien ma peine. J'ai d'ailleurs été surprise quand elle a insisté pour que Bertrand vienne passer quinze jours en août à Gassin, comme l'an dernier.

— Ce seront peut-être vos dernières vacances sur la côte d'Azur, mon cher Bertrand. L'an prochain, vous les passerez sans doute à Malibu. Je serais ravie si vous pouviez être là pour les seize ans de Rebecca, et elle aussi j'en suis sûre.

Il voyait bien à quel point j'étais dépitée, lui qui m'avait promis de rester mon amant durant plusieurs années. Mais je dois comprendre, sa carrière va prendre son envol. Moi, je vais seulement avoir seize ans. Il a bien sûr accepté de revenir à Ramatuelle pour dix jours en août, me promettant une surprise pour mon anniversaire.

— Tu sais, mon départ, je le prépare depuis quelques mois déjà, m'a-t-il dit. Mais de toute façon, j'ai prévu aussi quelque chose d'autre pour toi, ma petite salope adorée. N'aie crainte, tu ne seras pas abandonnée comme ça, tu verras.

Il n'a pas voulu m'en dire plus, et le 2 juillet il s'est envolé pour Baltimore. Il ne me restait que mes yeux pour pleurer. Mes premières larmes de femme délaissée, en somme. Et j'ai attendu patiemment que les jours passent, qu'on file en août à Gassin.

Bon ! J'achèverai demain. Je dois aller faire des achats avec ma mère pour recommencer cette fichue année de lycée.

* *
*

64

Drusenheim, le 29 août 1987 – 15 h
Mes seize ans.

Quelle fête ! Je ne parle pas du champagne, ni du gâteau, ni des cadeaux que j'ai reçus pour mes seize ans à Ramatuelle. Ni des embrassades reçues à la terrasse de Sénéquier, à Saint-Trop, des amis de mes parents et aussi du patron et de ses garçons. C'était une chouette soirée, il est vrai, agrémentée en plus d'un petit concert par trois guitaristes manouches. Bertrand était arrivé la veille de Baltimore, j'étais nerveuse car à part m'embrasser il ne m'avait pas touchée de toute cette journée dédiée à mes seize ans. Il avait prétexté un rendez-vous d'affaires important et s'était absenté tout l'après-midi. Je m'étais dit qu'il fallait absolument que je m'habitue à me passer de lui, puisque je ne le verrais bientôt pratiquement plus jamais. Le lendemain, alors que je pensais qu'on allait enfin baiser dans notre petite crique, il a demandé à mes parents s'il pouvait m'emmener à l'anniversaire d'un ami de la fac de droit, en vacances à La Croix Valmer. Bertrand a rassuré mes parents et leur a promis notre retour pour minuit. Je me suis dit : « Il va enfin s'occuper de moi. » J'étais déjà bien bronzée, et dans sa voiture je me suis maquillée pour un après-midi de fête. J'avais enfilé une mini-jupe en jean et un T-shirt jaune, avec les dessous noirs qu'il préfère : string transparent et soutien-gorge pigeonnant. Il faut dire aussi qu'en un an, mes seins s'étaient encore un peu développés et attiraient de plus en plus les regards. Sur le trajet, il me caressait la cuisse, me palpait la vulve par-dessus mon string. Je mouillais beaucoup, j'avais hâte que cette soirée d'anniversaire soit terminée, car j'avais vraiment besoin d'autre chose, de me retrouver enfin seule avec lui, de sentir sa grosse pine envahir mon vagin, de jouir et le faire jouir.

J'ai été étonnée quand il m'a annoncé qu'on allait retrouver ses amis au club de tennis de La Croix Valmer.

— D'ailleurs, à l'heure qu'il est, ils sont déjà en train de jouer... ça doit bagarrer ferme...

Je lui ai demandé pourquoi il ne jouait pas. Il m'a regardée en souriant, et m'a répondu qu'il voulait rester à mes côtés.

— Tu sais, je t'avais promis une véritable surprise pour ton anniversaire. Tu vas l'avoir.

Comme on se garait sur le parking du Tennis Club, très select avec club house, vestiaires et douches, Bertrand m'a observée des pieds à la tête.

— Tu es parfaite, ma petite salope ! Une vraie bombe sexy de vingt ou vingt-cinq ans ! Tu vas les exciter, c'est sûr.

Bien sûr, j'étais fière des propos tenus par mon cousin, et déjà je me redressais, bombais ma poitrine qui apparaissait par mon décolleté, jetais un dernier regard à mon maquillage dans le rétroviseur de ma portière. On s'est dirigés vers le court où jouaient ses amis. Ils étaient trois, mais l'un d'eux était sur la chaise d'arbitre. Quand ils nous ont vus arriver, ils se sont mis à siffler, à déclarer qu'ils ne s'attendaient pas à une telle visite.

— Putain ! Bertrand, tu ne t'emmerdes pas avant d'aller aux States !

Je souriais, ne sachant que dire. Ceux qui échangeaient des balles avaient l'âge de Bertrand. De bien beaux mecs, un blond à longue tignasse, avec un serre-tête, et un autre blond à cheveux ondulés. Des types bien bâtis, tout en muscles, mais avec quand même une intelligence d'avocats. Quant à celui qui jouait le rôle d'arbitre, il devait avoir plus de trente ans, avec des cheveux châtain clair. Lui, il était greffier dans un tribunal de Strasbourg. Je me sentais donc entourée de gens d'excellente compagnie.

J'ai alors demandé à Bertrand lequel de ses trois amis fêtait son anniversaire. Je suis restée muette en l'entendant me répondre :

— Mais... aucun, Rebecca. Ce sont tes seize ans qu'on va fêter ! C'est ça ta surprise, petite vicieuse !

Ils se sont arrêtés de jouer et tous trois sont venus m'embrasser à tour de rôle. On a fait les présentations : Gonzague, le blond à cheveux longs, Pierre-Yves, l'autre blond à cheveux courts et bouclés, tous deux avocats, et Olivier, le greffier. On est partis ensuite dans les vestiaires pour hommes. Comme il n'y avait personne à part eux, on m'a fait entrer.

— On va boire le champagne ! s'est exclamé Gonzague, le blond à longs cheveux.

Au bras de Bertrand, j'affichais un large sourire, me disant que j'avais quand même de la chance d'être accueillie dans un tel milieu. Assis sur des bancs à lattes, Olivier a ouvert un frigo-box pour en sortir deux bouteilles de Moët et Chandon et des flûtes. On parlait des études, surtout de leur boulot, de la foule de plus en plus nombreuse sur la côte d'Azur.

— Trop de ringards, se plaignait Gonzague. C'est moche.

Après deux ou trois verres, j'étais guillerette. J'ai dit à Bertrand que ses amis étaient vraiment gentils et que je ne savais pas comment les remercier.

— Oh ! mais ça, ce n'est pas difficile, petite ! Fous-toi à poil ! Fais-leur admirer ta plastique, ils ont hâte de voir tes nichons et ton minou.

Un pareil strip-tease devant quatre hommes, j'hésitais

67

quand même. Pourtant, en moi, je ressentais une drôle d'excitation.

— À poil ! À poil ! se sont-ils mis à crier en chœur.

— Allez ! Vas-y ! m'a soufflé Bertrand. Un corps comme le tien, tu dois en être fière et l'exhiber.

Alors, je me suis exécutée, lentement. Quand je n'ai plus eu sur moi que mon string et mon soutien-gorge, Bertrand s'est mis debout derrière moi et m'a dit à l'oreille :

— Laisse-moi t'enlever le reste... comme si je leur offrais un beau cadeau...

Pendant qu'il me parlait, Pierre-Yves m'a tendu sa flûte de champagne et j'ai bu une grande gorgée. Bertrand a alors défait l'agrafe de mon soutien-gorge et l'a lancé au greffier.

— Putain ! Quels beaux nichons elle a pour ses seize ans, ta cousine ! On peut toucher ? a demandé Gonzague.

— Bien sûr ! C'est une petite bourgeoise salope ! Vous allez voir comme elle mouille !

Le champagne me rendait de plus en plus joyeuse sans être saoule, et les propos que Bertrand tenait à mon sujet, plutôt que me vexer, ne faisaient qu'accroître mon excitation. Je comprenais que mon cousin m'offrait à ses copains comme une belle marchandise. À partir de ce moment-là, tout a été très vite. Déjà, Gonzague me pelotait vicieusement, en me regardant dans les yeux, tandis que mon cousin abaissait mon string qu'il a lancé à Olivier, le greffier. Il l'a reniflé en déclarant :

— Ça sent vraiment la mouille de salope, y'a pas à dire.

Bertrand, toujours debout derrière moi, m'a chuchoté à l'oreille :

— Ne me déçois pas, hein, cousine. Je leur ai dit qu'il

n'y avait pas deux petites bourgeoises salopes comme toi dans tout l'hexagone.

Alors, tout s'est accéléré. Je n'ai plus vu Bertrand. Les yeux fermés, j'embrassais Gonzague à pleine bouche. Je sentais sa longue bite, raide mais assez fine, s'insérer entre mes cuisses, sous ma vulve trempée, tandis que nos langues se nouaient dans un ballet effréné. Puis, il m'a lâchée et m'a fait mettre à quatre pattes sur le carrelage du vestiaire. Me tenant par les cheveux, il m'a fait avancer ainsi vers Olivier, resté assis.

— Allez, petite, viens me montrer ton talent de suceuse ! Que je vérifie les dires de ton cousin, dit-il en riant.

J'ai juste eu le temps de voir que les trois hommes étaient bel et bien à poil, trois bites dressées comme des obélisques, avec des glands volumineux et mauves, et trois sacs de couilles gonflées qui ressemblaient à des grosses pêches couvertes de poils. Celle d'Olivier était épaisse, parcourue de veinules bleuâtres, avec un gland en forme d'obus, émergeant d'une forêt noire et touffue. Il m'a saisi le visage à deux mains et a fourré sa bite dans ma bouche jusqu'à la garde. J'ai écarquillé les yeux, je manquais d'étouffer, sa grosse pine me distendait les lèvres et le gland cognait contre le fond de mon palais. Puis, il s'est mis à coulisser, sa bite entrait et sortait, toute mouillée de ma salive et de traces de mon rouge à lèvres.

— C'est vrai que tu as une belle bouche de pute, petite bourgeoise. Tu devrais être contente qu'on s'occupe de toi à trois pour tes seize ans !

Tout mon corps était parcouru de frissons, mon esprit naviguait entre inquiétude et excitation, entre la peur et l'envie de connaître un plaisir que les autres de mon âge ne connaissaient sûrement pas. Alors, j'ai décidé de me donner à fond, de montrer qu'effectivement mon cher cousin avait raison, que j'étais une belle petite bourgeoise salope. Et je dois dire que j'en ai eu pour mon compte. Toujours à quatre pattes devant Olivier, sa queue en train de coulisser dans ma bouche, deux mains m'ont saisie aux hanches :

— Écarte plus tes cuisses, jolie pute !

J'avais mal aux genoux, mais je me suis exécutée. Aussitôt, je me suis cambrée et j'ai gloussé très fort. Une autre bite venait de me pénétrer à fond, d'un seul coup, venant buter contre mon utérus. Je ne voyais pas qui me possédait, Gonzague ou Pierre-Yves.

— Regarde-moi, Rebecca ! a ordonné Olivier en me tenant par les cheveux.

Alors, cette bite qui m'avait prise aussi brutalement s'est mise à effectuer ses mouvements de va et vient, plus fort, plus vite ; je sentais les couilles cogner mon entre-jambe, j'entendais le chuintement obscène provoqué par les entrées et sorties de cette queue épaisse entre mes grandes lèvres. Je couinais de plus en plus, j'étais de plus en plus excitée. Prise par deux bites en même temps, une première ! Et j'ai joui d'une façon intense quand les deux queues ont craché leur purée ensemble, l'une dans ma bouche, l'autre dans mon con. J'étais secouée comme un vulgaire sac de patates, et dans mon vagin je sentais les secousses de cette lance qui crachait, encore et encore, tandis que ma bouche se remplissait du sperme d'Olivier. Tout à coup, d'autres mains ont empoigné mes seins, les ont pelotés, étiré mes bouts. Je n'étais plus moi-même, juste un paquet de chair qu'on manipulait à sa guise, qu'on emplissait de foutre, mais qui éprouvait aussi un plaisir incroyable à être traité comme tel. Une queue en bouche, une dans le con, et d'autres mains qui me pelotaient. Je n'avais jamais imaginé ça. Tout à coup, Olivier s'est retiré. Ouf ! Je pouvais mieux respirer, du sperme coulait à la commissure de mes lèvres, je n'avais pas pu tout avaler. J'essayais de reprendre haleine, pensant que c'était fini.

— Putain ! s'est exclamé Olivier, je n'ai jamais été sucé ainsi, par une aussi jolie pute... et de seize ans en plus...

C'est alors que Gonzague s'est assis devant moi, à la place d'Olivier et m'a aussitôt enfoncé son membre raidi dans la bouche.

— Moi aussi, petite, j'ai droit à mon plaisir ! Et comme tu as l'air très douée, ça devrait te plaire.

Mon cœur cognait dans mes tempes, j'étais pleine de transpiration, j'avais mal aux genoux. Mais Gonzague était beau, il me plaisait, je ne voulais pas le décevoir. Alors, je l'ai sucé comme j'avais sucé Olivier. Tout à coup, tandis que Gonzague coulissait dans ma bouche noyée de salive et du sperme d'Olivier, une main s'est glissée sous mon ventre pour me palper la vulve. Des doigts m'ont pénétrée, me faisant glousser à nouveau.

— Quel con elle a, cette gamine !

J'ai reconnu la voix d'Olivier, et j'entendais aussi le bruit d'une douche. J'ai compris alors que c'était Pierre-Yves, l'autre jeune avocat à cheveux blonds qui m'avait prise et fait jouir. Soudain, les doigts d'Olivier ont saisi mon clitoris, l'ont pincé et étiré fortement. La bouche pleine de la queue de Gonzague, je gémissais de douleur, de plaisir aussi. D'une main, Olivier a continué à triturer mon gros bouton, de l'autre il a appuyé un doigt sur mon anus.

71

— Elle a un beau petit trou du cul, la gamine. Faudra que je m'en occupe !

J'étais pleine de fièvre en entendant ces propos-là, apeurée et excitée. Je ne savais plus quoi. Enfin, Olivier a retiré son doigt de mon cul, tandis que Gonzague jouissait déjà dans ma bouche, m'envoyant son flot de semence chaude et âcre. Et j'ai recommencé à jouir d'une façon incroyable, mon clitoris torturé par Olivier et Gonzague éjaculant tant et plus dans ma bouche.

Enfin, tout s'est arrêté. La queue de Gonzague, toute molle, est sortie de ma bouche qui débordait de sperme. J'étais là, à quatre pattes, épuisée, dans le vestiaire d'un club de tennis. Je haletais d'une drôle de façon, du sperme tombait de ma bouche sur le sol. Pour la première fois, je venais de connaître plusieurs orgasmes avec trois hommes. Alors, Olivier m'a aidée à me relever, j'avais les genoux douloureux. Il m'a servi un verre de champagne.

— Tiens, Rebecca ! Tu l'as bien mérité.

Je l'ai bu lentement, savourant chaque gorgée. Le breuvage coulait dans ma gorge, entraînant en même temps le sperme qui m'inondait encore la bouche. Gonzague et Pierre-Yves chantonnaient sous la douche : « Happy Birthday to you, Rebecca ! » Olivier, plus mûr, m'a prise dans ses bras, m'a caressé le dos et les fesses. À seize ans, j'étais là, nue, dans les bras d'un homme de trente-cinq ans, nu lui aussi, que j'avais sucé et qui m'avait fait jouir. Il m'a entraînée sous la douche avec lui. C'était la première fois que je prenais ma douche avec un homme. Bertrand avait disparu, mais à ce moment-là, je reconnais que je ne m'en suis pas souciée. Sous le jet d'eau chaude, Olivier m'a lavée entièrement, me disant que j'étais une fille superbe.

— Et en plus, une adorable salope ! a-t-il ajouté en riant.

On s'est embrassés à pleine bouche, et il s'est remis à bander. C'est moi qui lui ai dit alors de me prendre, que je voulais le sentir lui aussi dans mon con.

— Ma parole, tu es insatiable, toi, petite bourgeoise, a-t-il chuchoté en souriant.

Aussitôt, sa queue est entrée toute seule dans mon vagin. Il m'a serrée fort contre lui, est resté sans bouger. Je sentais sa verge raide battre dans mon con, mes seins écrasés contre son torse. J'étais bien.

— Écoute, Rebecca, tu as seize ans, mais, putain, quelle femme tu es ! Ton cousin, il s'en va. Alors, je voudrais que tu acceptes d'être ma maîtresse à Strasbourg. Je m'occuperai bien de toi, ça, tu peux en être sûre.

Mes lèvres contre les siennes, j'ai répondu « Oui, Olivier », sans penser un seul instant jusqu'où cet engagement allait m'entraîner. Je me suis pendue à son cou pour mieux sentir sa bite coulisser dans mon vagin déjà bien trempé et encore plein du sperme de Pierre-Yves. Olivier et moi, on a de nouveau joui, ensemble, mais pas longtemps. Puis, on s'est essuyés et on a filé vers le Club House. Pierre-Yves, Gonzague et Bertrand nous attendaient. Ils nous ont regardés avec un large sourire. Bien sûr, je me suis assise à côté de mon cher cousin, et j'ai bu deux cafés. Bertrand venait de m'offrir le plus cadeau d'anniversaire qui soit.

Toute la semaine qui a suivi, je lui ai appartenu comme une brave et bonne maîtresse, sans reparler de mon anniversaire. Tout ce que je lui ai dit, c'est que j'avais accepté de devenir la maîtresse d'Olivier, greffier au Tribunal de Strasbourg.

— *C'est très bien, jolie cousine. Je peux partir tran-*
quille aux States. Tu es en de bonnes mains.

Je pense que ces vacances-ci resteront gravées à jamais
dans ma mémoire, et aussi dans mon petit journal
intime.

Chapitre 4

Période bleue, période grise

Ainsi donc, à seize ans, Rebecca devient la maîtresse d'un homme de trente-cinq, marié, greffier au Tribunal de Première Instance de Strasbourg. Changement de statut, changement de classe sociale, fini les randonnées en Mustang. Maintenant, c'est dans une Passat qu'on file sur les routes de campagne, avec arrêts fréquents pour se faire sucer le clitoris, se faire peloter les nichons, sentir ses mamelons grossir dans la bouche d'Olivier, ou lui sucer sa grosse verge, avec son gland en forme d'obus et sa petite perle de rosée au bout du méat. À vrai dire, elle y perd en luxe mais pas en confort, du moins en ce qui concerne la voiture. La banquette arrière est bien plus spacieuse que celle de la Mustang de Bertrand.

Mais Olivier est un homme mûr, ayant le sens des responsabilités. Il est évidemment très heureux d'avoir, à son âge, une maîtresse de dix-neuf ans plus jeune, avec un corps à faire rêver toutes les lycéennes. Néanmoins, conscient qu'il ne pourra la garder très longtemps, il tient aussi à ce que Rebecca ne sacrifie pas entièrement ses études sur l'autel du plaisir, du sexe à tout va. Pour lui, chaque relation sexuelle avec sa jeune maîtresse doit être une fête, un moment où chacun pourra donner libre cours à ses envies, exprimer librement à l'autre tout ce qu'il ou elle attend, se donner sans retenue pour assouvir les fantasmes cachés mais enfin avoués, et par la même occasion récolter le fruit de son attente, autant spirituelle que physique.

Olivier incite donc Rebecca à s'appliquer un peu plus sérieusement au lycée afin de réussir son année, lui promettant en retour de la combler, de lui faire découvrir d'autres facettes de la sexualité, de l'initier à l'art du kama-sutra.

— Je veux faire de toi une femme experte dans l'art de faire jouir un homme et d'en jouir elle-même. Tu sais, un peu comme les geishas au Japon. Ainsi, tu te souviendras toujours de moi, ajoute-t-il avec un grand sourire.

Un tel discours agrée à la jolie petite bourgeoise qui trouve en Olivier l'amant idéal. Il joue le rôle de père, mais un drôle de père quand même qui baise sa fille quand elle obtient de bonnes notes. Et plus les notes s'améliorent, plus elle a droit à un nouvel apprentissage dans le domaine du sexe.

À Drusenheim, les parents de Rebecca se trouvent enchantés de voir enfin leur fille consacrer un peu plus de temps à ses études qu'auparavant. Tout ce petit monde est donc gagnant dans cette aventure perverse. Pourtant, Mathilde, la mère de Rebecca, curieuse comme une mère désireuse de savoir où en est sa fille sur le plan sexuel, a profité d'un moment où elles se trouvaient seules ensemble, un samedi matin pour poser les questions qui lui brûlaient la langue depuis le départ de Bertrand pour les États-Unis.

— Est-ce le départ de cousin Bertrand qui t'incite enfin à étudier sérieusement, ma chérie ?

— euh... ben... oui, sans doute, mère..., répond Rebecca, le rouge aux joues.

— Quel dommage qu'il soit parti si loin ! Tu t'entendais fort bien avec lui, surtout en vacances. Tu sais, s'il t'a un peu courtisée, tu peux franchement me le dire, n'est-ce pas, mon ange. Une fille peut confier ce genre de choses à sa mère.

Fort étonnée par une telle indiscrétion de la part de sa mère, dont elle appréciait néanmoins la complicité depuis quelque temps déjà, Rebecca sent la fièvre l'envahir un peu plus. D'une part, elle n'a pas envie de lui mentir, d'autre part elle ne peut quand même pas lui révéler l'aventure de débauche dans laquelle son cher cousin l'a emmenée pour fêter ses seize ans. Le pauvre, il serait banni de sa famille, tout comme elle, à n'en pas douter. Encore moins lui révéler qu'actuellement elle couche au moins une fois par semaine avec un greffier à Strasbourg, un homme marié de trente-cinq ans. Elle ne comprendrait pas, cette chère Mathilde, que c'est plutôt grâce à cet homme que ses études semblent enfin avoir pris bonne tournure. Et puis, voyons, une bourgeoise avec un greffier, ça ne se fait pas, n'est-ce pas ! Alors, dans sa tête, tout va très vite. Elle sait ce qu'elle confiera à sa mère afin que celle-ci continue à croire qu'elle est sa complice, ce dont toutes les mères rêvent toujours vis-à-vis de leur fille.

— Eh bien, puisque tu me le demandes, mère, je vais te répondre.

Rien que cette petite phrase fait naître sur le visage de Mathilde, un sourire radieux de satisfaction, comme si d'ailleurs elle avait tout deviné depuis longtemps sans jamais le déclarer ouvertement.

— Voilà, mère... c'est pas facile à dire, mais bon... puisque tu insistes... eh bien, c'est avec Bertrand que... je suis devenue femme. Voilà ! C'est dit !

Un court silence tombe sur la cuisine, où Rebecca et sa mère préparent une quiche lorraine en l'absence de la cuisinière. Rebecca ne sait pas à quoi s'attendre, son cœur cogne dans ses tempes, elle n'ose pas relever la tête, le regard dans la platine en fer qu'elle est en train de graisser. Mathilde saisit son verre de porto, avale une gorgée, prend délicatement le menton de sa fille pour tourner son visage vers elle, et lui dit :

— Va donc te servir un petit verre de porto, ma fille. Je suis ravie que tu m'aies fait cette confidence. Sache que je suis contente pour toi.

Rebecca n'en revient pas d'une telle réaction, elle tombe dans les bras de sa mère, heureuse de cet aveu.

— Tu avais pris ta pilule, au moins ? s'enquiert Mathilde.

Qu'un tel rapport incestueux se soit produit entre sa fille et le fils de sa sœur, passe encore. Ces relations-là ne sont jamais faites pour durer étant donné l'interdit, tant moral que religieux, qui règne sur elles. Donc pas question qu'il en résulte une naissance promise à une tare invivable. Pas question d'avoir un Lautrec dans la famille ! Évidemment, Rebecca rassure sa mère à ce sujet, et va se servir un porto. Mais maintenant que cet aveu est tombé, il faut en rester là. Mathilde, elle, pourtant a envie d'en savoir plus. Serait-elle donc elle aussi portée sur les choses du sexe, sujet d'ordinaire tabou dans les familles de haute lignée ?

— J'espère qu'en homme un peu plus mûr, il t'a fait ça convenablement, ma chérie. Et qu'il ne t'a pas fait trop souffrir.

— Juste un tout petit peu, mère. Mais rassure-toi, il s'est montré très charmant, très doux. Et puis, on est allés dans la mer tout de suite.

— Ah, tant mieux, va ! Au moins, toi, tu pourras garder un bon souvenir de ta perte de virginité, ma pet... non, ma grande, maintenant, conclut-elle en riant.

L'atmosphère est détendue dans la cuisine, ce samedi matin, et la complicité entre Rebecca et sa mère semble gravir un échelon supplémentaire. Mais de là à raconter la suite, il y a un pas que Rebecca ne franchira jamais. Elle a pris conscience que sa vie de jeune bourgeoise n'est pas du tout représentative du rang auquel elle appartient. Pas question donc d'anéantir tout le plaisir qu'elle vient de procurer à sa mère, qui, décidément, insiste encore un peu.

— Mais, dis-moi, ma chérie, après ça, je parie que vous n'en êtes pas restés là, n'est-ce pas ?

Alors, pour que sa mère cesse ses indiscrétions, sans pour autant la brusquer, Rebecca décide de la jouer sur le ton de l'humour. Elle approche sa bouche de l'oreille de sa mère et lui souffle :

— Bien sûr que non, ma petite maman, on a baisé tous les jours dans une petite crique. Et on a même fait ça dans l'eau. Putain, que c'était bon !

— Ho ! Rebecca, je t'en prie. Surveille un peu ton langage, bon dieu ! Tu n'es pas une roturière, n'est-ce pas.

— Et puisque tu veux tout savoir, eh bien, on est même allés tout nus sur la plage de Pampelonne. Je crois que j'ai vu plus de bites que je n'en verrai plus jamais, renchérit Rebecca en riant, sans tenir compte un seul instant de la remarque de sa mère.

Mathilde prend une grande respiration. Cette fois, sa fille s'attend à un orage, avec éclairs multiples et chutes de foudre à répétition. Parbleu ! Un autre interdit a été transgressé : la plage naturiste de Pampelonne, c'est pour les dévergondés, les vicieux et personne d'autre ! Eh bien, non, pas du tout. Sur un ton tristement monocorde, fort empreint d'une déception inattendue, c'est Mathilde qui, à son tour, se confie à sa fille.

— Bah ! Après tout, vous avez eu raison, Bertrand et toi. Moi aussi, tu vois, j'aurais aimé y aller sur cette plage de nudistes, il y a bien des années. Mais que veux-tu, j'étais rentrée dans la famille aristocratique de ton père, alors, courir nu sur une plage... ç'eut été une attitude honteuse, indigne du rang de pareille famille. Tu sais, le sexe restera toujours un sujet tabou ici. Mais bon ! Je m'y suis faite, et voilà. Maintenant, il faut que tu réussisses tes études, n'est-ce pas, ma chérie.

Ouf ! Le sujet semblait clos. Pas question de le

prolonger par des révélations beaucoup trop sca-
breuses. Rebecca promit donc de tout faire pour
satisfaire ses parents sur ce plan. Mais cet aveu de sa
propre mère lui faisait comprendre bien des choses.
Au fond, en agissant comme elle le faisait, en ayant
un tel attrait pour tout ce qui concerne la sexualité,
en adorant le plaisir sous toutes ses formes, même
à seize ans, Rebecca ne faisait que réaliser les
propres désirs refoulés dont sa chère mère avait
souffert dans sa jeunesse. Alors, après tout, pourquoi
ne pas continuer ? Et surtout, plus question de
culpabiliser. Grâce à Olivier, elle allait pouvoir jouir
et encore jouir, tout en mettant tout en œuvre pour
réussir ses études. Finalement, en devenant la maîtresse d'un homme comme Olivier, elle joignait
l'utile à l'agréable.

*
* *

Depuis septembre de cette année, Rebecca se
partage entre ses études et ses rendez-vous avec
Olivier. Mais pas avec un égal bonheur. Autant elle
se montre affamée du sexe de son amant, lui montrant à quel point elle adore le sucer, recevoir sa
semence dans sa bouche et dans son con, autant
elle doit faire preuve de volonté, de détermination
pour venir à bout de ses travaux scolaires ô combien
ardus. Mais l'assouvissement de son insatiabilité
sexuelle est à ce prix, elle s'acharne donc sur ses
devoirs de lycéenne afin de pouvoir, chaque vendredi, se conduire en maîtresse modèle pour son
amant greffier.

Afin de jouir d'une certaine tranquillité pour

assouvir leurs fantasmes, ils disposent durant deux ou trois heures d'un petit appartement qui leur est fort aimablement prêté par un collègue célibataire d'Olivier, dans le centre de Strasbourg. Le greffier a donc fort adroitement arrangé son horaire de travail en fonction de ses rendez-vous galants avec sa jeune maîtresse. Et comme il le lui a promis, il l'initie, à vrai dire ils s'initient plutôt ensemble, aux différentes positions amoureuses du Kama-Sutra. Bientôt, les positions dites « Pressée, du Congrès Suspendu, du Congrès de la Vache, du Congrès Appuyé, du Lotus, de la Jument », et bien d'autres n'ont plus de secret pour la jeune bourgeoise de seize ans qui devient ainsi sans doute la plus jeune experte dans l'art de jouir et de faire jouir. Ah, quels vendredis après-midi de plaisirs ils passent, ces amants un peu spéciaux, dans l'appartement mis à leur disposition ! Et quelles jouissances d'une intensité rare ils apprennent à obtenir et à prolonger, ensemble, soudés l'un à l'autre dans des positions bien peu communes ! Rebecca connaît littéralement le nirvana quand Olivier la prend dans la position du Crabe, ses genoux repliés sur sa poitrine et bien écartés. À genoux fort écartés, ses cuisses contre les fesses de sa maîtresse, Olivier coulisse longtemps, très longtemps dans son vagin qui se trempe de plus en plus tout en pressant son membre raidi. Yeux mi-clos, elle respire par à-coups, au rythme des lents coups de boutoir de son amant chéri, émet ses petits cris de plaisir d'une voix encore frêle, savourant autant les longues pénétrations du pieu que le bruit émis par le claquement des bourses grosses et rouges comme des pommes d'amour contre la chair blanche de son entrecuisse. Mais elle aime aussi se suspendre à son cou quand ils prennent leur douche. Une main sous chaque cuisse, Olivier la soulève et elle s'empale avec délices sur cette queue raide et épaisse qui remplit son jeune vagin. Sous les jets d'eau chaude, elle monte et descend comme au manège des chevaux de bois, leurs bouches se collent l'une à l'autre pour nouer leurs langues, tandis que les lentes glissades sur le sexe d'Olivier provoquent des chuintements obscènes, des flic floc un peu sourds rappelant le bruit du ressac. L'excitation s'accroît, lentement mais sans s'interrompre, et amène à pas lents un orgasme intense et simultané chez ces amants dont le divin marquis lui-même aurait pu s'inspirer. Sa bouche toujours collée à celle de son Pygmalion, Rebecca glousse, émet des sons encore aigus comme ceux d'une fille de seize ans, presse ses mamelons gonflés contre le torse d'Olivier, sentant la bite éjaculer avec puissance au fond de son fourreau affamé et déjà si expérimenté.

Mais un de ces après-midi restera gravé lui aussi dans la mémoire de Rebecca, celui où Olivier l'a amenée à un plaisir nouveau pour elle. Une révélation explosive d'ailleurs, qui s'était terminée par la découverte de son plaisir anal, qu'elle était loin d'imaginer aussi intense. D'une intensité telle qu'elle en devenait friande, avide, bien plus encore que de sentir une bite dans son con. Par la suite, Olivier s'était montré fort heureux de constater à quel point sa petite salope de bourgeoise adorait se faire enculer après lui avoir sucé le sexe et griffé les bourses qu'avec humour il désignait lui-même par

83

le sobriquet de *bourgeoises généreuses*. Pour relater cet après-midi-là, Rebecca, qui n'en avait pratiquement plus le temps, avait décidé de rouvrir son journal intime et de raconter ainsi de quelle manière son cher Olivier l'avait prise avec bonheur par la voie interdite, que certains désignent aussi par entrée des artistes.

* * *

Drusenheim, le 10 octobre 1987

J'ouvre à nouveau mon cher journal que je croyais rangé définitivement. Mais ce que j'ai connu hier a pour moi autant d'importance que ma défloration par mon cousin Bertrand. Depuis un peu plus d'un mois donc, je suis devenue la maîtresse d'Olivier, et je n'en suis pas peu fière. Chaque vendredi, dans le petit appartement prêté par un de ses collègues que je ne connais pas, je me fais belle et sexy pour mon prince charmant, et je me donne à lui sans retenue. Olivier s'extasie devant mes poils qui poussent de plus en plus, il me lèche la grosse figue toute juteuse, la prend en bouche, la mâchonne à m'en faire haleter de plaisir tandis que je presse ses couilles gonflées d'une main tout en embouchant sa grosse bite pour la sucer longuement, passer ma langue sur le bout de son gland luisant. Alors, je la fais pointue pour lui ouvrir le méat et sentir la première goutte de sperme qui vient montrer sa blancheur opaque et exhaler son parfum de vinaigre chaud. Puis, quand on sent qu'on ne tiendra plus longtemps, je me mets à quatre pattes comme une brave chienne pour présenter ma croupe à mon mâle. Alors, Olivier me saisit par les hanches, et je ferme les yeux pour sentir son gland glisser entre mes grandes lèvres trempées et s'enfoncer lentement dans mon fourreau encore étroit. Il adore sentir sa bite pressée entre les parois de mon vagin, et je frémis sous ses battements. Je me cambre, gémis, halète de plus en plus fort quand elle coulisse de plus en plus vite, vient buter contre mon utérus. Ses burettes enflammées et dures qui viennent s'écraser contre l'intérieur de mes cuisses résonnent dans la chambre, me rappellent le bruit des voiles qui claquent dans le port sous l'effet du mistral ou de la tramontane. Mon esprit se laisse emporter par le plaisir qui envahit tout mon corps. Olivier me secoue et me dit des insanités qui nous excitent tous les deux, me traite de sale pute, de bourgeoise dévergondée. Penché sur mon dos, il m'empoigne les nichons, les malaxe tout en m'envoyant son foutre au fond du con, tandis que je me triture le clitoris et que je crie ma jouissance en lui disant qu'il est bien meilleur mâle que mon cousin Bertrand et que ses copains de tennis qui m'avaient prise pour mes seize ans. Mais je m'écarte du sujet pour lequel j'ai rouvert mon journal.

Hier donc, pour notre rendez-vous, Olivier m'avait demandé de me maquiller un peu plus que d'habitude.

— Je te veux en pute pour passer aux choses sérieuses, m'avait-il dit mercredi sur son portable.

Ce n'est donc pas à la sortie du lycée qu'il est venu me chercher, mais bien à la terrasse d'une brasserie. J'avais emporté dans mon sac de gym une micro jupe en cuir et un T-shirt fort décolleté, laissant mon nombril à l'air, sous lesquels j'avais enfilé un string noir transparent et un soutien-gorge balconnet. Quand je suis sortie des toilettes de la brasserie ainsi vêtue, et maquillée de manière prononcée, rose à lèvres brillant, yeux soulignés d'une ligne bleue, fard fuchsia sur les paupières, aussi bien le patron de la brasserie que les clients n'ont pas cessé de me reluquer tandis que je sirotais un café en attendant l'arrivée d'Olivier. Heureusement, il n'a pas traîné car je sentais bien qu'on me prenait réellement pour une pute. En m'apportant un café, le serveur n'a pas arrêté de plonger dans mon décolleté et de me gratifier de larges sourires. Enfin, mon chéri est arrivé. Il m'a regardée d'un air admiratif et a déposé un furtif baiser sur mes lèvres, me chuchotant que j'étais superbe. Alors que je croyais qu'on allait filer tout de suite à l'appartement, il s'est assis et a commandé une bière, un café et un sandwich.

— Toi, tu mangeras plus tard, m'a-t-il dit sur un ton autoritaire. Et pas question de rouspétance, hein, sinon...

J'ai écarquillé les yeux, me demandant pour quelle raison j'étais ainsi privée de déjeuner. J'avais hâte qu'il en finisse avec son sandwich et sa bière et qu'on file. Dans la voiture, je ne disais pas un mot, j'avais la gorge nouée. Olivier me caressait la cuisse, remontait jusqu'à mon string, me pinçait la vulve tout humide.

— Tu verras, ma petite pute, te connaissant, je suis sûr que ça va te plaire.

Zut ! Faut que j' m'arrête. J'entends ma mère qui m'appelle. À demain.

*
* *

Drusenheim, le 11 octobre 1987. (Je continue donc où j'en étais arrivée hier.)

Enfin arrivés à l'appart, il m'a ordonné :

— Allez, ma salope, enlève ces beaux atours qui ont fait croire au garçon de la brasserie et aux clients que tu en étais une et que j'étais ton mac.

J'ai donc ôté ma belle micro jupe de cuir et mon

86

T-shirt. Olivier m'a regardée un instant, je n'avais plus que mon string transparent et mon soutien-gorge pigeonnant.

— C'est vrai que tu ferais une pute superbe, toi, jolie bourgeoise. Mais aujourd'hui, je te veux à poil.

Il s'est approché, a enlevé lui-même mes sous-vêtements, et m'a pelotée un long moment, trituré mes bouts pour me faire gémir. Il sait que j'adore ça. Puis, il m'a murmuré à l'oreille :

— Ma petite, il est temps que je te prenne enfin par le cul, n'est-ce pas. Je te l'avais promis à La Croix Valmer, tu te souviens ?

Bien sûr que je m'en souvenais. Alors, tout mon corps s'est couvert de frissons. J'étais morte de trouille et en même temps j'avais envie de savoir ce que ça faisait. Mais je ne m'attendais pas à d'aussi longs préparatifs. Olivier m'a emmenée dans la salle de bains et m'a fait mettre à quatre pattes dans la baignoire.

— Pour que je te fourre ma bite dans le cul, faut qu' tu sois propre, hein, ma petite pute !

J'ai ouvert les yeux en grand quand je l'ai vu sortir d'une petite pochette de supermarché une poire à lavement, de la taille d'une grosse pomme. J'ai voulu protester, disant que je n'avais vraiment pas envie d'avoir ça dans le derrière.

— Allons, allons ! Ça ne te fera aucun mal, et ainsi tu auras un fondement prêt à m'accueillir. Faut ce qu'il faut, et j'ai dit que je ferai de toi la plus salope des lycéennes de Strasbourg.

Tout en parlant, Olivier remplissait le lavabo d'eau tiède et y mélangeait un peu de savon aseptisant. Mon rythme cardiaque s'est accéléré quand je l'ai vu écraser la poire dans la paume de sa main et tremper la longue canule dans l'eau pour qu'elle se remplisse. Après quelques secondes, elle était de nouveau toute gonflée et Olivier la tenait en me la présentant comme une sorte de trophée. Il a alors trempé la canule dans un verre rempli d'huile de table qu'il avait préparé sur le rebord de la baignoire, juste devant mon visage. À quatre pattes, j'étais pleine de fièvre, mais c'était autant d'angoisse que d'excitation. J'imaginais ce fin tube s'enfoncer dans mon anus, ma gorge se nouait.

— Tu vas connaître de nouvelles sensations, m'a-t-il dit en souriant. Tu en redemanderas. Allez, tends bien ton petit cul vers moi.

D'une main, Olivier m'a écarté une fesse pour faire apparaître ma rosette. Je me suis cambrée et j'ai pris une longue aspiration en sentant qu'il enfonçait la canule dans mon petit trou. Je sentais le caoutchouc tiède de la poire appuyer sur les contours de mon anus. Je respirais déjà bruyamment.

— Bon ! Maintenant, tu ne bouges pas, ma chérie. Si tu n'as jamais eu de lavement, ça va te paraître tout drôle, mais après tu te sentiras plus légère.

Aussitôt, j'ai poussé un long râle, mais c'était bien plus de surprise que de douleur. Mon ventre se remplissait d'eau tiède, la sensation était fort étrange, pas très agréable. Je sentais l'eau parcourir mes entrailles en émettant un bruit bizarre. En plus, elle me remplissait d'une douce chaleur.

— Voilà ! a murmuré Olivier en retirant la canule. Je vais te travailler un peu, tu aimeras.

Il s'est agenouillé à côté de la baignoire, a posé des baisers tendres sur ma joue en me pelotant un sein. Mais pas longtemps. D'une main, il a alors réussi à resserrer mes fesses l'une contre l'autre tandis que de l'autre il me malaxait le bas-ventre de plus en plus fort, comme s'il pétrissait un boulot de pâte. Je poussais des « ...ooh... ooh... Olivier... c'est... » À vrai dire, je ne pouvais décrire ce qui se passait. Mon ventre me faisait l'effet d'une lessiveuse dont le tambour tourne une fois dans un sens, une fois dans l'autre, avec le contenu qui se retourne et se retourne encore. Soudain, j'ai crié :

— Olivier... vite...

Aussitôt, il m'a saisie sous les aisselles pour me redresser et me faire sortir de la baignoire dare-dare, juste le temps de m'asseoir sur la cuvette du W.-C. jouxtant la baignoire. Alors, j'ai expulsé toute l'eau savonneuse que j'avais reçue dans mes entrailles, une eau brunâtre d'abord, puis plus claire, et faisant quelques bulles de savon en tombant dans l'eau du W.-C. J'étais pendue au cou de mon amant qui continuait à me malaxer le bas-ventre pour me faire expulser jusqu'à la dernière goutte. Enfin, plus rien n'est sorti de mon cul. Je me sentais vide, mes intestins émettaient encore des bruits bizarres, comme des bruits de plomberie, j'expulsais aussi de l'air, comme un pneu qui se dégonfle.

— Alors, ma chérie ? Tu te sens plus légère, non ?

— Comme un papillon, ai-je répondu en souriant.

— Maintenant, ma petite, tu es prête.

Olivier m'a serrée très fort contre lui, m'a embrassée à pleine bouche, et nous sommes allés dans la chambre.

*
* *

Il faisait bien chaud dans l'appartement, ce qui ne m'empêchait pas d'avoir la chair de poule. En position tête-bêche, Olivier m'a sucé divinement le clito, enfonçant un doigt puis deux dans mon vagin déjà fort trempé. Ma

89

bouche montait et descendait sur la hampe rigide de sa bite, la couvrant de traces de rose à lèvres, et de mes longs ongles vernis je griffais la peau de ses couilles tendue à l'extrême. La bouche pleine de son pieu, je gloussais, sentais mon gros bouton gonfler entre ses lèvres. Mais Olivier s'est retiré et m'a fait mettre à quatre pattes. J'avais le visage en feu.

— *Allez ! Assez joué ! a-t-il déclaré.*

Écartant mes fesses à deux mains, il s'est mis à poser des baisers tout autour de mon petit trou, puis a commencé à le lécher, encore et encore. C'était vraiment délicieux. Et puis, je me disais : « Un homme me lèche le cul ! », ça me flattait. Je me suis légèrement cambrée quand j'ai senti le bout de sa langue me pénétrer, tandis qu'à deux mains il écartait plus fort encore mes chairs. Pour la première fois, j'avais une langue dans le cul. C'était divin.

— *Décidément, on dirait que tu es faite pour ça, toi ! Tu t'ouvres aussi facilement que les portes à battants d'un saloon.*

Olivier a saisi un tube qu'il gardait à portée de main, en a appliqué l'embout froid sur mon anus, l'a pressé pour en faire sortir la graisse et je me suis cambrée à nouveau en sentant la vaseline froide me remplir le rectum. Alors, avec son doigt, il en a étalé tout doucement sur les contours de mon trou du cul. Je respirais de plus en plus fort. Tout à coup, son doigt s'est enfoncé dans mon anus, lentement.

— *Oh... oh... Olivier...*

— *Tu as mal ?*

— *Non... j'aime... c'est bon...*

Olivier a fait tourner son doigt de gauche à droite, je

le sentais appuyer sur les parois de mon rectum. Et mon cul s'ouvrait de manière étrange.

— Putain ! Tu as un cul qui appelle au crime, toi !

Retirant son doigt, Olivier m'a saisie par les hanches et a appuyé son gland contre mon entrée dilatée. Il a poussé un peu et s'est arrêté. J'ai redressé la tête, me suis fortement cambrée pour pousser un cri rauque. Ça me brûlait, j'avais de nouveau peur.

— Attends un peu, ma chérie, tu vas voir, tu vas t'ouvrir encore plus...

Dans le silence de la chambre, on n'entendait que mes halètements, le bruit de ma respiration saccadée. Tout mon corps frissonnait.

— Oh ! Olivier, j' pourrai pas... je t'en supplie...

— Allons, allons, tu es déjà une belle salope, tu dois aller plus loin, laisse-toi aller. Pour moi, pour notre plaisir à tous deux... détends-toi...

Tout à coup, j'ai senti mon rectum s'élargir, s'ouvrir encore plus pour céder le passage. Et Olivier s'est enfoncé d'un seul coup dans mes entrailles. Je venais d'engloutir toute sa bite et ses couilles dures s'écrasaient contre mes fesses.

— Eh bien, voilà ! Tu vois ? Te voilà une vraie salope, maintenant !

On est restés ainsi un moment sans bouger. Mon cœur cognait ferme dans mes tempes, je respirais de plus en plus vite. Je sentais la bite d'Olivier battre contre les parois de mon rectum élargi. Pour la première fois, j'étais enculée, et je m'en trouvais bien, fort bien même. Toute ma peur a disparu pour faire place à une nouvelle excitation. Olivier s'est mis à coulisser, lentement, me tenant fermement par les hanches. Je prenais connaissance d'un plaisir nouveau, des sensations inconnues jusqu'alors et qui étaient loin de me déplaire. Tout en me limant de plus en plus vite, Olivier m'a insultée, traitée de tous les noms, de traînée de bas étage, de putain de la pire espère, de salope juste bonne à donner aux chiens en rut de ses collègues. (Il sait que je suis fort excitée quand il me tient de pareils propos.) Il me secouait comme une vulgaire poupée de chiffon, sa bite entrait et sortait de mon cul à un rythme effréné, ses couilles cognaient bruyamment contre mes fesses, j'étais en transpiration, je haletais comme une dingue, en proie à un orgasme d'un nouveau genre. Enfin, il a éjaculé et m'a envoyé tout son foutre au fond du rectum en ahanant au-dessus de mon dos. Et j'ai joui encore plus fort, en même temps que lui, tandis qu'il m'empoignait les globes (en ce qui me concerne, on peut vraiment parler de globes tant mes nichons sont bien ronds et bien fermes) et étirait mes mamelons à m'en faire gémir. J'ai ainsi connu ma première jouissance par le cul. Mais quelle jouissance !

On s'est ensuite affalés sur le lit, Olivier m'a prise dans ses bras pour me cajoler, me couvrir de baisers et de caresses. Mais on ne pouvait plus traîner, on a vite pris une douche ensemble. Je lui ai dit que j'étais follement heureuse que ce soit lui qui m'ait initiée à la sodomie, et que je ne pourrais plus m'en passer. Puis, il m'a reconduite à la gare où j'avais mon semi-direct pour Drusenheim. En écrivant tout cela, mon ventre se remplit de contractions, je me triture le clito, et je sens aussi le trou de mon cul qui a envie de s'ouvrir. Je mouille bien plus que d'habitude.

On est dimanche. J'ai hâte de retrouver Olivier vendredi prochain. Maintenant, je sais que je serai une bonne et vraie salope. Une « bonne bourgeoise salope »

comme il prend plaisir à le dire. Quant à l'honneur de
la famille, basta !

* * *

Ainsi donc, Rebecca fait les beaux jours d'Olivier. Pour elle, il lui arrive de prester quelques heures supplémentaires au greffe du tribunal afin de la combler de cadeaux. Le problème, c'est qu'il s'agit presque toujours de lingerie sexy, et qu'elle doit la cacher au fond d'une étagère de sa garde-robe. Quand elle part le vendredi matin pour le lycée, elle l'emballe soigneusement et l'enfouit dans son petit sac contenant maillot et chaussures de gymnastique. Durant des mois, la jeune fille et son amant vivent une période bleue, bleue par bien des côtés. Même si ce bleu est loin de refléter des sentiments d'un grand romantisme à la Musset, Chopin ou George Sand. Non, ce bleu est plutôt une teinte vive, lumineuse, éblouissante par l'intensité des plaisirs plus que par la profondeur des sentiments. Pas question d'être amoureux, mais seulement de satisfaire les souhaits de l'un et de l'autre sur le plan sexuel, quels qu'ils soient. Étrange félicité que celle-là.

C'est ainsi qu'un vendredi de décembre, le dernier avant les congés de Noël pour Rebecca, Olivier ne doit pas insister beaucoup pour que sa jeune maîtresse accepte de recevoir le collègue qui leur prête si aimablement son appartement.

— Mais... et toi, alors ? Je ne te verrai pas ? Mais, putain, Olivier, c'était notre après-midi de Noël... tu sais qu'on ne se verra plus avant trois semaines... Tu me largues ou quoi, merde ?!

Malgré les efforts d'Olivier pour qu'elle adopte un langage un peu plus châtié, plus conforme à sa situation familiale, la petite bourgeoise rechigne à abandonner ce qui pour elle représente une forme de liberté, de rejet aristocratique. Pour elle, il faut appeler un chat un chat, faire l'amour c'est baiser, et honorer d'une fellation c'est tailler une pipe, merde ! Olivier lui explique donc qu'exceptionnellement, il est retenu au tribunal par le juge pour régler un dossier important. Il fera tout ce qu'il pourra pour venir à l'appartement avant qu'elle s'en aille.

Elle s'y rend en taxi. À son arrivée, quelle n'est pas sa surprise de constater que le collègue n'est pas seul. Olivier est là, lui aussi.

— Je veux qu'on fête Noël avant l'heure, dit-il en embrassant sa maîtresse. Je voulais te faire la surprise.

Et c'est de la façon la plus originale qui soit que, cet après-midi-là, Rebecca, Olivier et son collègue, fêtent Noël bien avant la date festive. La belle petite bourgeoise gratifie son amant d'une fellation complète tandis que le collègue, un homme d'une cinquantaine d'années, assez rustre et un peu bedonnant, la prend en levrette et lui envoie lui aussi toute sa semence au fond du vagin. Mais la jolie Rebecca sait que son amant attend d'elle qu'elle démontre tout son talent dans l'art d'amener un homme, et même plusieurs, à répéter l'acte sexuel pour en retirer des plaisirs tant spirituels que physiques. Elle suce donc ses deux amants, se fait prendre en levrette, les suce à nouveau pour qu'ils reprennent vigueur et la sodomisent chacun à leur tour. La chambre résonne des ahanements des uns, des halètements de l'autre. Rebecca aussi se laisse emporter par la jouissance, une jouissance répétée plusieurs fois et d'une telle intensité que la belle déesse aux mœurs douteuses reste quelques moments allongée sur le lit, épuisée mais follement heureuse. Bien avant tout le monde, la jolie lycéenne a reçu ses cadeaux de Noël.

*
* *

Mais tout cela serait bien trop beau si aucun grain de sable ne venait se glisser dans cet engrenage si bien huilé, si aucun obstacle ne venait se dresser sur la voie du vice suivie avec un tel bonheur par deux êtres à qui on donnerait le bon Dieu sans confession. Bonheur coupable diront certains. Et début avril de l'année mille neuf cent quatre-vingt-huit, le bleu vire brutalement au gris sombre pour cette jeune bourgeoise, pour qui les plaisirs de la vie ne peuvent être autres que sexuels. Olivier, son merveilleux amant, l'homme qui lui a appris tant de choses dans le domaine de la sexualité, qui a fait d'elle ce qu'il désirait, à savoir faire d'une jeune lycéenne issue de la bourgeoisie une salope de la pire espèce, sachant jouir autant par le con que par le cul et flatter la virilité d'un mâle par sa bouche experte, Olivier donc se tue dans un accident de voiture en rentrant chez lui après sa journée de travail.

Pour Rebecca, c'est la période la plus triste de sa vie de jeune femme. Personne à qui confier son chagrin, aucune épaule sur laquelle trouver un peu de réconfort. Pas question de revoir ce collègue d'Olivier. Trop rustre, trop empâté, pas son style quoi, même si elle s'est donnée à lui pour satisfaire le plaisir pervers de son amant. Quant à la vie à Drusenheim, elle est pénible pour la jeune fille. Pas question qu'on devine le moindre chagrin sur son visage, il faut faire bonne figure, se montrer tout aussi enjouée qu'auparavant. Bien sûr, elle sait que sa mère a été sa complice en ce qui concerne l'épisode vécu avec Bertrand, mais cette fois ce serait beaucoup trop risqué d'aller confier une telle histoire, révéler à sa chère maman que durant sept mois elle a été la maîtresse d'un greffier du tribunal tout en faisant ses études au lycée Fustel-de-Coulanges. Elle comprend alors que le seul remède consiste à se plonger encore davantage dans ses études, afin d'oublier, si tant est que cela fût possible, cette période tumultueuse, sulfureuse même, de sa vie de jeune fille de milieu bourgeois. Un milieu qu'elle avait rejeté sans doute un peu trop hâtivement, rongée qu'elle était par l'attrait puissant des relations sexuelles qui faisaient naître en son esprit des rêves indignes d'une fille de son rang.

Chapitre 5

La confidente

Ainsi donc, mue par des sentiments nobles plus en adéquation avec ceux de sa chère famille, Rebecca mène ses études avec une telle assiduité que chaque année se passe sans encombre, sans aucun échec. Bien sûr, quand elle est en vacances à Gassin, près de Ramatuelle, elle s'octroie l'une ou l'autre petites aventures avec les jeunes étudiants qui la draguent à Saint-Tropez. Il faut bien que le corps exulte. Cette fois, elle n'hésite même plus à se balader nue sur la plage de Pampelonne, attirant moult regards admiratifs sur son anatomie ainsi exposée aux yeux de tous, jeunes et moins jeunes. Mais ces relations sexuelles passagères ne lui apportent décidément plus autant de plaisir, tant spirituel que physique, que tous les plaisirs qu'elle a connus avec le cher cousin Bertrand, installé définitivement aux States, et avec Olivier, trop tôt disparu. Rebecca prend conscience de ce manque de satisfaction sexuelle mais elle avait fait une promesse à Olivier, et pour honorer sa mémoire, elle veut la tenir, quitte à ne se satisfaire que de masturbations de plus en plus souvent répétées sous la douche ou dans le bain.

À vingt-deux ans, elle obtient une maîtrise en sciences sociales et communication dans le domaine de l'informatique, un diplôme qui satisfait enfin toute la famille. Elle aussi bien sûr, mais pour Rebecca, désormais, il faut rattraper le temps perdu sur le plan de sa sexualité qu'elle avait volontairement et pratiquement anesthésiée pour mener à bien ces stupides études. Quant à trouver l'homme idéal, celui qui répond parfaitement à tout ce qu'elle attend, comme l'était Olivier en somme, on ne lui en laisse même pas le temps. Dans les familles de haut rang, on ne se marie pas, on n'épouse pas, on marie ou on fait épouser. Question d'honneur.

C'est ainsi qu'au cours d'une grande réception, Rebecca est présentée à Édouard de la Molinière. Jeune aristocrate qui a réussi brillamment H.E.C et Sciences Politiques, jeune loup aux dents longues, reconnu dans son milieu comme appelé à un brillant avenir dans le domaine de la finance. C'est vrai qu'il est assez bel homme, cheveux châtain clair, fine moustache, d'allure sportive, un franc-parler agrémenté d'une certaine aptitude à glisser quelques traits d'humour dans ses conversations. Il rappelle par certains côtés le cousin Bertrand. Le contact s'établit donc facilement entre Édouard et Rebecca. Un an de fiançailles, puis le mariage en grande pompe dans un château loué pour la cérémonie sur les bords du Rhin.

Les premières années de mariage se passent honorablement (terme employé couramment dans la bourgeoisie et qui permet de ne pas s'étendre sur des choses qui *ne nous regardent pas*, comme on dit là-bas). La pierre d'achoppement, car il y en a une, c'est bel et bien la sexualité. Si au début l'entente est bonne, sans être parfaite, Rebecca se rend rapidement compte que pour son cher mari le sexe passe au second plan, et encore ! Bien loin après son désir d'ascension au sein de la banque luxembourgeoise, bien loin après ses voyages d'affaires, ses entretiens primordiaux avec tel ou tel financier. Et quand il lui arrive d'avoir un excès de désir sexuel, l'affaire est vite réglée. Couche-toi là, ouvre bien les cuisses, je me couche sur toi, et voilà ! Rebecca trouve donc un exutoire dans le fitness, la natation, les instituts de beauté, et la lecture.

* *
*

Au centre de fitness qu'elle fréquente à Strasbourg, Rebecca a retrouvé une amie de lycée, Clotilde Meysieux. C'était la seule à n'avoir pas ri de Rebecca quand celle-ci lui avait confié ses frasques avec son cousin Bertrand et ses rendez-vous hebdomadaires avec un greffier du tribunal. Au contraire, Clotilde l'écoutait d'une oreille attentive, intéressée même. Ironie du sort, le destin a voulu que cette chère amie Clotilde devienne une écrivaine érotique, ce qui, bien entendu, intéresse son amie au plus haut point. Rebecca lit donc les productions de Clotilde, en devient friande, mais devient surtout grande admiratrice d'un autre auteur qu'elle a découvert grâce à Internet, et dont elle a acheté tous les bouquins. Celui-là, un certain Gil D..., écrit des

ouvrages dans lesquels l'héroïne connaît des relations sexuelles pour le moins sulfureuses, sortant
régulièrement des sentiers battus. Ce qui n'est pas
sans rappeler l'adolescence mouvementée de Rebecca.
Plus elle s'adonne à ces lectures, plus elle sent se
raviver en elle cette flamme mise longtemps en veil-
leuse ; elle sent grandir à nouveau sa soif de
sexualité, de rapports fréquents dans lesquels elle
peut se livrer sans retenue, ce qui, hélas ! n'a jamais
été le cas avec ce cher Édouard. Ah, il est bien loin
le temps où son cousin Bertrand lui avait appris à
bien sucer un homme, à recueillir sa semence en
bouche, puis lui avait fait connaître les premiers
plaisirs de l'amour en la prenant dans une petite
crique de Saint-Tropez ! Ah, il est bien loin aussi le
temps où Olivier lui avait fait prendre goût à la
sodomie (terme qu'il ne fallait même pas prononcer
devant Édouard, il aurait risqué une attaque d'apo-
plexie !) et s'était initié avec elle aux différentes
positions du kama-sutra ! Maintenant, tout ce dont
Rebecca doit se contenter, ce sont ses fantasmes et
ses lectures de journal intime qui l'aident à devenir
experte dans l'art de la masturbation. Mais heureusement, il y a aussi Clotilde, devenue au fil des jours
une amie intime. L'amie à qui l'on peut confier son
bonheur, ses chagrins.

Comme à l'époque du lycée, Clotilde écoute
toujours, avec autant d'attention. Oh ! elle n'a pas
le physique de mannequin de Rebecca, Clotilde,
non. Mais pas pour autant désagréable à regarder.
Cheveux noirs, courts et un peu bouclés, elle a un
joli visage de poupée qu'elle sait maquiller avec soin
elle aussi. Pour le reste, elle est un peu enveloppée,

bien en chair dirons-nous, avec une poitrine de quatre-vingt-quinze bonnets C, un beau gros cul (« *mon cul de belle cochonne* » comme elle aime à le définir elle-même), et pèse environ soixante-dix kilos pour un mètre soixante-douze.

À cette chère Clotilde, Rebecca confie donc le manque d'intérêt d'Édouard pour le sexe, elle confie aussi qu'elle pallie ce manque par des masturbations régulières dans son bain en lisant les bouquins de son amie et ceux de cet auteur sulfureux. Clotilde écarquille les yeux en voyant le nombre de sex-toys que renferme l'armoire personnelle de son amie dans la salle de bains.

— Tiens, tu devrais essayer celui-là, ajoute Rebecca en riant et en tendant à son amie le gros gode noir avec fonction vibratoire à deux vitesses. Tu verras, ma chérie, avec lui, on est vraiment bien remplie, et quand tu enclenches la deuxième vitesse, waouh, j' te dis pas, tu te trémousses, tu cries, tu pars dans un orgasme démentiel. Putain ! Je me demande si ça existe, une bite pareille.

Clotilde pouffe de rire et accepte le prêt d'un aussi bel engin sans discussion. Puis, elles se retrouvent toutes deux soit dans la piscine, soit dans le salon à siroter un porto, à raconter encore et encore l'une ses fantasmes anciens et nouveaux provoqués par ses passionnantes lectures, l'autre les façons dont son mari la baise régulièrement en la traitant « d'écrivaine perverse » ou de « grosse cochonne ».

— J'ai la chance d'avoir un mari qui adore ce que je fais, affirme Clotilde, et qui aime mon corps comme il est. C'est lui qui m'a dit un jour, alors qu'il me prenait en levrette, que j'avais un cul de grosse cochonne qui incite à la saillie. Ce que ça m'a excitée d'entendre ça, je ne te dis pas !

Tout ouïe, Rebecca écoute son amie lui raconter comment son mari lui suce le clitoris très développé après lui avoir mâchonné les grandes lèvres dans un bruit de succion obscène.

— Quand il me suce le clito, ajoute encore Clotilde, il enfonce un doigt dans mon anus et je me pince les bouts de seins à m'en faire gémir de douleur. Bernard sait à quel point je suis friande de ça, et je me tortille sur le lit en sentant mon clitoris gonfler dans sa bouche et son doigt tourner de plus en plus vite dans mon cul.

— Et sa bite, elle est comment à ton cher mari ?

— Pas mal du tout. Comme il a été circoncis, son gland est toujours sorti, tout rose. C'est vraiment fort agréable à sucer, et j'aime aussi quand je reçois tout son foutre en bouche. Après, on s'embrasse et on mélange nos salives dans un long baiser fougueux. On est cochons, mais on s'adore comme ça.

Mais Clotilde voit bien, dans ces moments de bonne humeur, que son amie en a gros sur le cœur. Ses frustrations sexuelles la rendent quelque peu maussade, et les masturbations, même répétées à une cadence effrénée, ne suffisent pas à étancher sa soif. Les fantasmes de Rebecca deviennent trop nombreux, trop élaborés même.

— Tu es trop jeune pour rester ainsi, Rebecca. Tu dois voir du monde, prendre un amant. Au moins, ça calmera tes tensions. C'est courant, tu sais, dans ta classe sociale. Ton cher Édouard n'en saura rien, si tu fais attention. Et le calme reviendra dans ton couple. Tu seras tranquille.

— Bof ! Maintenant, avec tous les fantasmes que je me suis construits en lisant tes bouquins et ceux de ce... Gil je ne sais plus comment... je me demande si un amant m'apaiserait vraiment.

Intéressée, Clotilde demande à voir ces ouvrages en question dont Rebecca a oublié le nom de l'auteur mais pas le prénom.

— Ah, ben ça alors ! s'exclame-t-elle en voyant les livres apportés par Rebecca. C'est donc avec lui que tu t'envoies en l'air dans ton bain. Façon de parler, bien sûr, ricane Clotilde. Eh bien, figure-toi que je le connais bien... enfin, quand je dis bien...

Clotilde explique à son amie que cet auteur réside dans la même commune qu'elle, à Obernai, à une vingtaine de kilomètres au sud de Strasbourg. Mais elle le connaît aussi pour l'avoir fréquenté à plusieurs reprises dans des salons littéraires où ils dédicaçaient tous les deux.

— À le voir, on ne dirait jamais que ce gars-là est un auteur sulfureux. C'est vrai que l'habit ne fait pas le moine ! précise-t-elle avec un large sourire.

— Ah bon ? Il est comment, physiquement ? demande Rebecca soudain fort intéressée.

— Oh ! il n'a vraiment rien du play-boy, mais enfin... on pourrait dire qu'il soigne quand même son apparence. Et je dois dire que franchement il ne fait pas son âge.

Comme une gamine, le rouge aux joues, les yeux pétillant de curiosité, Rebecca veut en savoir plus sur son auteur préféré, à cause de qui, ou plutôt grâce à qui, elle se masturbe autant en se créant chaque fois de nouveaux fantasmes.

— Il est si vieux que ça ? demande-t-elle.

— Il passe la cinquantaine, ça c'est sûr. Des cheveux châtain clair, abondants et bouclés, une moustache, des lunettes à monture métallique. Pas très grand, une taille moyenne en somme. Et dans le quartier, bizarrement, je le vois toujours entrer ou sortir seul de chez lui... Étrange pour un écrivain porno.

Après un court silence, Clotilde feuillette un ou deux livres de son rival littéraire.

— C'est une écriture bien moins fine que la tienne, n'est-ce pas, Clotilde. Toi, c'est la plume érotique d'une main féminine, lui c'est plutôt la pornographie pour faire tout de suite mouiller, ou bander, c'est selon. Toi, je dirais que tu fais dans le fantasme édulcoré, le rêve érotique de femme décrit avec finesse, tandis que lui écrit avec force détails des situations perverses hors-norme.

— Je vois, je vois, conclut Clotilde en souriant. En fin de compte, en lisant cet auteur, tu retrouves un peu tes frasques d'adolescente, et maintenant tu rêves de frasques de femme mûre, je parie.

— Ben oui ! C'est ça, ma chérie. Souvent, je m'imagine à la place de l'héroïne, voilà ! Que veux-tu ? Avec le mari que j'ai...

La discussion s'achève là. On prend une dernière tasse de café, un dernier petit biscuit, et Clotilde repart chez elle, à Obernai, en promettant de revenir la semaine suivante, comme chaque mercredi. Une fois la grille refermée derrière la Peugeot de son amie, Rebecca reste l'esprit rêveur, un bon moment, en achevant sa tasse de café et son porto. Quel drôle de hasard quand même ! Son amie intime, auteure érotique, habite dans le même village que son auteur porno préféré.

Dans sa voiture, Clotilde aussi pense qu'il s'agit là d'une bien étrange coïncidence. « Le hasard existe-t-il donc vraiment ? Ou le destin est-il bel et bien tracé pour chacun d'entre nous ? » se demande-t-elle.

Chapitre 6

La rencontre

Clotilde est bien décidée à sortir Rebecca du marasme psychologique dans lequel elle se trouve plongée bien malgré elle. Une détresse due à une trop grande frustration sexuelle. Bien au fait du passé tumultueux de son amie, un lointain passé certes, elle se doute que la moindre petite étincelle suffirait à mettre le feu aux poudres, à réveiller l'eau qui dort. Mais Clotilde sait aussi que son amie est maintenant une femme mûre, réfléchie, mariée à un homme issu de la riche bourgeoisie, tout comme elle. Si Édouard n'est pas à la hauteur des exigences de sa chère épouse, celle-ci prendra sans doute un amant, comme elle le lui a conseillé. Mais pas de danger que Rebecca prenne le risque de faire éclater deux familles bourgeoises pour lesquelles tout ne va pas si mal après tout.

Édouard en voyage d'affaires aux États-Unis pour la banque dont il est le P.-D.G., Clotilde en profite pour inviter Rebecca au salon littéraire de Dijon, où elle restera deux jours pour dédicacer son dernier ouvrage.

— Ça te changera les idées, Rebecca. Tu verras du monde, tu discuteras avec d'autres personnes que celles que tu vois toujours au centre de fitness.

Mais Clotilde a une autre idée en tête, qu'elle garde bien sûr secrète pour en faire la surprise à son amie le moment venu. Vers la fin de la soirée, au moment où petit à petit les badauds commencent à quitter la salle dans laquelle les écrivains sont alignés en rangs d'oignons pour dédicacer leurs bouquins (un peu à la façon des putes exposées en vitrine dans les bordels belges), Clotilde se lève de table et entraîne Rebecca, restée à côté d'elle tout l'après-midi. Elles se dirigent toutes deux vers le bar où discutent déjà quelques écrivains libérés de leurs agréables obligations. Seul sur un haut tabouret, occupé à boire tranquillement une bière blonde, un homme observe les deux femmes qui semblent s'approcher de lui. Il reconnaît Clotilde, avec qui il a déjà discuté au cours de salons littéraires précédents. Au moment où elle fait les présentations, Rebecca reste bouche bée, muette, tant la surprise est grande.

— Rebecca, je te présente ton auteur favori. Gil, voici une de tes admiratrices qui possède tous tes bouquins.

Clotilde esquisse un large sourire, elle savait l'effet que sa surprise allait créer tant chez l'un que chez l'autre.

— Ça alors ! s'exclame l'auteur en question.

Par habitude sans doute, il observe le visage de Rebecca mais a vite fait également de la déshabiller

d'un seul regard. Ce qui semble quelque peu désta-
biliser la belle bourgeoise qui ne s'attendait pas à se
trouver ainsi face à face avec celui qui la fait tant
fantasmer par ses écrits.

— Je manque vraiment à tous mes devoirs,
s'exclame-t-il encore en appelant le serveur du bar.

On prend les boissons et on s'installe à une petite
table qui vient de se libérer. On enrichit donc un
peu plus les présentations de l'un et de l'autre.
Gil D... se dit bien évidemment flatté d'apprendre
à quel point Rebecca dévore ses ouvrages autant
que ceux de son amie Clotilde, mais au fond de
lui-même il ne peut s'empêcher de se demander
comment une bourgeoise à l'allure aussi distinguée
peut ainsi passer son temps à lire des bouquins érotiques et pornos plutôt que jouer au bridge et au
tennis avec ses amies, comme c'est souvent le cas
dans cette branche de la société. Il reste même ébahi
quand il entend Rebecca lui citer le nom de la
plupart des héroïnes de ses ouvrages, y compris
d'ouvrages datant de quelques années déjà. À son
tour, Rebecca fait renouveler les boissons. Atmosphère plus détendue, l'auteur s'absente un moment
vers les toilettes. Clotilde glisse alors dans l'oreille
de Rebecca que son auteur préféré ne refuserait pas
une invitation à dîner au Petit Vatel, une des bonnes
tables dijonnaises où l'on sert une cuisine du terroir
dans deux petites salles aux tables espacées, ce qui
laisse assez d'intimité aux clients.

— Mais, Clotilde..., d'habitude, c'est l'homme
qui invite, non ? réplique Rebecca, étonnée que son
amie lui propose un tel geste.

— Écoute, ma chérie, ici, tu te trouves dans le

monde étrange de la littérature marginale. Alors, oublie tes habitudes de *bonne fille bien élevée*, si je peux dire. Dans notre milieu, tout est marginal, y compris une invitation à dîner.

Après tout, pourquoi pas, pense Rebecca. Dès le retour de Gil, on continue à consommer les cafés et la bière, en parlant de tout, de rien, et surtout de littérature. À un moment, l'auteur porno regarde sa montre. Clotilde écarquille les yeux en croisant le regard de son amie, qui comprend le rappel.

— Monsieur D..., déclare Rebecca, je suis tellement heureuse de vous rencontrer qu'il me serait agréable de poursuivre notre conversation autour d'une bonne table. Accepteriez-vous que je vous invite à dîner ? À moins bien sûr que vous ne soyez déjà retenu...

Décontenancé par cette proposition qu'à vrai dire aucune femme ne lui a jamais faite, Gil jette un regard vers Clotilde qui lui fait un rapide clin d'œil.

— Non... enfin, je veux dire... non, je ne suis retenu nulle part, mais je ne sais si je peux...

— Oh ! je vous en prie, monsieur D..., j'en serais vraiment ravie !

— Puisque vous insistez...

Clotilde elle-même paraît fort surprise, non pas de la proposition qu'elle a elle-même suggérée, mais bien par le ton et le langage employés par Rebecca, qui ne sont vraiment pas les siens d'ordinaire.

* * *

Rebecca, Clotilde et Gil se retrouvent donc au Petit Vatel. Les deux petites salles sont remplies, non seulement de touristes en cette période de congés de Pâques, mais aussi de nombreux écrivains venus de toutes les régions de France. Comme les tables sont bien séparées, cela ne crée effectivement aucun problème pour les conversations dont les sujets peuvent paraître parfois étonnants et interpeller quelques oreilles indiscrètes. Pendant l'apéritif, Gil rappelle aux deux charmantes dames qui lui tiennent compagnie que Vatel fut maître d'hôtel du Grand Condé, et que sa mort tragique a été rendue célèbre par Madame de Sévigné.

— Si vous descendez un de ces jours en Provence, je vous invite à visiter le château de la marquise à Grignan. Il en vaut vraiment la peine, ajoute-t-il.

Quelle n'est pas sa surprise d'entendre Rebecca répondre :

— Oh ! mais si je vais en Provence, j'espère surtout visiter le château du marquis de Sade !

Aussitôt, l'auteur part dans un grand éclat de rire, disant que celui-là n'est pas près d'être visité.

— L'endroit est charmant, il est vrai. Lacoste est un petit village typiquement provençal, avec un très bon petit resto, en plein cœur du Luberon. Mais pour ce qui est du château du divin marquis, ce ne sont que des ruines, des vieilles pierres... Un grand couturier parisien est d'ailleurs sur le point de le racheter pour le restaurer... Qui sait ? Peut-être vivrons-nous assez longtemps pour voir son château restauré, à ce cher Donatien-Alphonse.

Le repas se poursuit dans la bonne humeur, Pouilly-Fuissé sur saumon cru, Hautes-Côtes de Nuit sur magret de canard rendent aux trois convives l'esprit guilleret, désinhibent de plus en plus Rebecca, fort honorée par ailleurs par la proposition de tutoiement venant de son auteur adoré. Celui-ci et Clotilde plaisantent tout en approuvant le bien-fondé des comparaisons de style établies par Rebecca à propos de leurs ouvrages respectifs.

— Tu es vraiment une très bonne lectrice, Rebecca. Franchement, quelle analyse bien fouillée ! affirme l'auteur.

— Oh ! je dois reconnaître que ça se limite à la littérature érotique et pornographique ! Pour le reste, tu sais, je n'ai lu que les auteurs programmés au lycée.

— Je te l'ai dit, Gil, intervient Clotilde, à ce sujet-là, elle en connaît un rayon.

De verre en verre, Rebecca confie les lectures qui ont meublé son adolescence, les auteurs qui l'avaient le plus marquée à l'époque, tels Sade, Miller, Deforges, et autres Louÿs. Quand arrive le moment du café et du pousse-café, Clotilde se retire pour rentrer à son hôtel, prétextant une légère fatigue afin de laisser Rebecca et Gil faire plus ample connaissance. Satisfaite dans son for intérieur de l'effet de la surprise réservée à son amie, tout autant qu'à son collègue écrivain, elle est loin d'imaginer le genre de suite que cette rencontre quelque peu impromptue va engendrer.

La soirée se prolonge donc au Petit Vatel pour Rebecca et Gil D..., et de pousse-café en pousse-café, cognac pour l'un, amaretto sur glace pour l'autre, de café en café, on va de confidences intimes en secrets d'alcôve de plus en plus épicés. Gil est tout ouïe en entendant Rebecca lui confier sa triste vie sexuelle de femme mariée à un P.-D.G. de banque luxembourgeoise, trop souvent absent, tandis que lui-même avoue vivre seul depuis pas mal de temps et qui, contrairement à ce qu'on pourrait croire pour un auteur porno, ne collectionne pas les maîtresses.

— Gil, je ne suis pas une bourgeoise comme les autres, tu l'as déjà remarqué, n'est-ce pas. Moi, j'aime parler crûment, appeler un chat un chat, une bite une bite, ça ne t'ennuie pas, j'espère, que je parle un peu comme dans... tes livres.

— Bien sûr que non, je t'avouerai d'ailleurs qu'à ce sujet-là je suis très heureux de tomber enfin sur une femme comme toi. Les gens sont tellement coincés qu'on dirait que prononcer les mots couilles, cul et bite, ça va leur arracher la langue.

Malgré le vin blanc, le rouge et les trois cognacs, Gil reste quand même stupéfait en entendant Rebecca lui confier, dans les moindres détails, ses frasques d'adolescente, sa défloration à quinze ans par un cousin germain après l'avoir sucé plus d'une fois et bu son sperme avec délices, sa petite partouze dans un club de tennis pour son seizième anniversaire, son apprentissage du kama-sutra et de la sodomie avec un greffier du tribunal de Strasbourg, alors qu'elle n'avait que dix-sept ans. Non, franchement, jamais Gil D..., auteur porno depuis belle lurette, ne se serait attendu à de pareils aveux, surtout de la part d'une femme issue et vivant toujours dans la haute bourgeoisie. En outre, cette bourgeoise raconte son passé dans un langage qui ne sied guère aux gens de son rang, mais ça, Gil ne s'en soucie pas le moins du monde. Il attrape son verre de cognac et vide le fond d'un trait. Il a en face de lui une femme très spéciale, fort portée sur la sexualité. Mais une femme qui souffre dans sa chair, au plus profond de son intimité. D'ailleurs, dans un moment de lucidité, la fièvre aux joues, elle murmure :

— Je me demande vraiment pourquoi je te raconte tout ça, Gil. Tu dois me prendre pour une affreuse... dévergondée, malgré mon rang social, n'est-ce pas ?

Gil rassure sa charmante interlocutrice, ce n'est quand même pas chose courante d'être ainsi invité à dîner par une ardente admiratrice, bourgeoise par-dessus le marché. Cela fait deux bonnes raisons pour ne pas la décevoir. Et comme au fond de lui-même, il est sincèrement ravi d'entendre de pareils propos sortant de la bouche d'une belle nana de trente-sept ans, il y va de quelques mots bien pensés.

— Ne va surtout pas te culpabiliser de me raconter un passé aussi... riche, n'est-ce pas, Rebecca, déclare l'auteur avec un large sourire. Tu sais, j'écris tellement d'histoires plus salaces les unes que les autres... Alors, entendre une femme aussi... distinguée me raconter qu'elle aime les histoires de cul et me confier d'une telle façon celles qu'elle a déjà vécues, ça me ravit, tu dois t'en douter. Tu sais, si je pouvais, je te raconterais mes fantasmes, mais...

— Oh ! mais Gil, tu peux... tout ce que je souhaite, c'est... disons devenir ta confidente privilégiée, comme tu l'es pour moi...

Un court silence tombe sur la petite salle de restaurant où seule une autre table est encore occupée par deux hommes. L'auteur jette un coup d'œil à sa montre. Déjà minuit trente. Allez, un dernier café sera bien nécessaire pour faire passer tout ça. Mais ni l'un ni l'autre ne disent plus grand-chose, fatigués sans doute, l'esprit embué par les vapeurs d'alcool. Rebecca appelle le serveur pour régler la note et faire appeler un taxi.

— Non, non, Rebecca. J'ai été trop heureux de...

— Ah, non, Gil, pas question ! C'est moi qui t'ai invité avec mon amie Clotilde. Toi, eh bien, j'espère que... ce sera pour une prochaine fois, non ? ajoute-t-elle le regard plein de malice.

— Bien sûr, bien sûr... ce serait trop moche d'en rester là, n'est-ce pas. Dès demain matin, je prends le train pour Genève, au bord du lac Léman. J'y passerai une semaine chez ma sœur avant de rentrer à Obernai.

— Quelle chance pour vous ! Et quel dommage pour moi ! Clotilde et moi ne repartons qu'après-demain.

Chacun glisse à l'autre sa carte de visite, et surtout, on promet de s'écrire. On a tant de choses encore à se dire.

— Nous n'habitons pas loin l'un de l'autre, c'est vrai, affirme Gil. Obernai n'est qu'à vingt-cinq kilomètres de Strasbourg. Mais je suis persuadé que cela nous ferait beaucoup de bien à tous deux d'échanger nos confidences par écrit. Qu'en penses-tu ?

Elle est ravie, sous le charme, la belle madame Müller. On s'embrasse, sur la joue, mais Rebecca ne résiste pas à presser sa poitrine contre le torse de Gil. Le baiser est appuyé au coin de la bouche, mais Gil s'écarte. Simplement parce qu'il ne bande pas. Trop d'alcool sur une soirée. Il est donc trop tôt pour transformer la relation amicale en relation charnelle. Et puis, dans l'état d'ébriété où ils sont tous deux, qu'en retireraient-ils ? Rien. Il a sommeil, il sent bien qu'il ne banderait pas suffisamment longtemps pour amener la belle bourgeoise au septième ciel. Quant à elle, encore un peu plus saoule que lui, pour sûr, elle s'endormirait à peine allongée. Le taxi appelé pour Rebecca est déjà là de toute façon, elle s'y engouffre. Tandis que l'auteur n'a qu'une centaine de mètres à parcourir pour être à son hôtel. Ça lui rafraîchira sûrement les idées.

* * *

De retour à l'hôtel, Rebecca ne résiste pas à l'envie de prendre une douche, histoire de faire passer ces vapeurs d'alcool qui la rendraient malade si elle se couchait dans l'immédiat. Sous les jets d'eau chaude, des tas de scènes lubriques défilent dans son esprit, des scènes dans lesquelles intervient cette fois son auteur favori, que dès à présent elle appelle *son auteur chéri*. La voilà à nouveau l'héroïne d'un roman écrit par Gil D..., mais maintenant elle le connaît, elle lui a parlé, elle s'est confiée à lui, ils vont s'écrire. Ah, quel plaisir ! Elle va partager des secrets d'alcôve avec un écrivain porno. C'est vrai qu'il est bien plus âgé qu'elle, plus de vingt ans de différence, ça compte, certes. Mais il ne paraît pas son âge. « *Et puis, il m'a dit qu'il avait plein de fantasmes pervers ! Waouh ! Qu'est-ce qu'il doit être vicieux ! Qu'est-ce que j'aimerais les satisfaire, tes fantasmes, putain ! Gil !* » pense-t-elle. L'insatiabilité sexuelle de la belle bourgeoise refait surface, surgit comme un diable de sa boîte. Au fond, Olivier aussi était bien plus âgé qu'elle. Et qu'est-ce qu'elle s'est éclatée avec lui, le pauvre greffier du tribunal qui avait été le premier à l'enculer. « *Putain ! Qu'est-ce que ça me manque d'avoir une bite dans le cul ! Quel con, cet Édouard ! Il ne saura jamais ce qu'il rate, ce P.-D.G. de mari !* » Toujours sous la douche bienfaisante, elle se savonne les seins, yeux mi-clos, se pince et étire ses gros mamelons. Sa main descend vers son bas-ventre, savonne la toison blonde finement taillée à l'Iroquois, ouvre sa vulve fort épaisse. Rebecca se mord la lèvre en s'enfonçant un doigt dans le vagin. Puis, ses longs doigts fins et manucurés de bourgeoise distinguée vont chercher le clitoris, l'incitent à sortir de sa cachette, l'étirent, le pincent. Rebecca jouit, glousse à n'en plus finir. Elle veut se masturber jusqu'à ce qu'il n'y ait plus suffisamment d'eau chaude pour rester là. Des tas d'images salaces défilent devant ses yeux, Gil est son maître ès-sexe, son marquis de Sade. Elle se savonne l'anus, y enfonce son index tout en étirant plus fort encore son gros bouton gorgé de sang. Ah, si elle avait la bite de Gil en bouche, elle le viderait comme elle sait si bien le faire. Elle laisse éclater sa jouissance et crie à en réveiller tout l'hôtel.

L'eau n'est plus assez chaude, les vapeurs d'alcool semblent avoir quitté son cerveau. Il est près de deux heures du matin. Il faudrait dormir un peu. Clotilde l'attend pour le petit déjeuner à huit heures trente dans la salle à manger du même hôtel. Merde ! Clotilde occupe la chambre voisine ! Pourvu que...

Chapitre 7

Correspondance passionnée

Rebecca passe la semaine suivante dans un état inhabituel d'impatience mêlée d'excitation, son esprit rêvasse du matin au soir. Elle qui n'aimait pas écrire lorsqu'elle était adolescente, qui avait éprouvé pas mal de difficultés même pour remplir les pages de son journal intime, abandonné d'ailleurs après la mort tragique d'Olivier, elle va écrire à un écrivain. Et ça, pour elle, ce n'est pas une mince affaire. Comment va-t-il juger son écriture, ce Gil D..., lui le pro de l'écriture ? Alors, enfermée dans son bureau, elle écrit brouillon de lettre sur brouillon de lettre, des tas de papiers chiffonnés jonchent la corbeille. Zut ! Ils ne peuvent pas rester là, ces témoins de sa relation épistolaire avec un auteur porno. Sa corbeille sous le bras, elle file dans un coin du parc pour brûler tout ça. Elle a gardé le bon brouillon qu'elle va recopier et puis elle le brûlera à son tour. Mais elle est décidée, Gil doit recevoir sa première lettre dès qu'il rentrera du lac

Léman. Pas question qu'il pense que cette rencontre à Dijon n'était qu'une simple rencontre comme en font tous les écrivains lors de salons littéraires, une rencontre sans lendemain. Pour elle, cette rencontre si bien arrangée par son amie Clotilde (« *Pas oublier de la remercier, celle-là, tiens !* »), doit marquer le début d'une nouvelle vie. Une vie endormie depuis trop d'années, une vie dans laquelle son sexe se mourait d'ennui, même si elle lui apportait régulièrement quelque pitance sous forme d'ersatz de grosses bites bien longues et raides. Et son cul, bordel ! Son cul aussi a faim, merde ! Il en a marre de se satisfaire de jolis doigts de bourgeoise ou aussi d'autres ersatz de bites plus fines et plus longues. Elle rêve, elle imagine, puis elle se rend compte qu'elle ne peut pas brusquer les choses dans un premier courrier. Il faut finasser, mais ça, c'est pas son truc, à Rebecca. Elle fera donc un effort, dans la mesure de ses possibilités. Après tout, n'a-t-il pas dit qu'il n'était nullement choqué par le langage qu'elle employait, même pour une bourgeoise ? Après tout, n'écrit-il pas comme ça, lui aussi, dans ses bouquins pornos qui la font tant jouir dans son bain ou sous la douche ? Alors, elle recopie tranquillement, mais d'une main tremblante cette première lettre. Celle d'une grande admiratrice à son auteur favori, qu'elle a quand même invité à dîner et qui a partagé avec elle certaines confidences.

* *
*

Cher Monsieur D...,
Cher Gil,

Jamais vous, non, comme vous me l'avez si aimablement permis, j'écris donc TU, voilà. Je recommence en te prévenant que je n'ai hélas ! pas le don de l'écriture, il faudra donc, cher Gil, que tu te montres fort indulgent dans ce domaine. Tout le monde ne peut pas être écrivain, n'est-ce pas. D'ailleurs, je t'avouerai (ne ris pas trop, hein) que toute cette semaine, pendant que tu profitais du climat et des paysages merveilleux autour du lac Léman, j'ai passé mon temps à faire des tas de brouillons pour cette lettre. C'est te dire à quel point je considère notre relation comme importante. Cette rencontre avec toi a été comme un déclic, si je puis dire. Tout ce que je souhaite du fond du cœur, c'est que tu ne penses pas qu'elle n'a été que la rencontre d'un soir, comme tu as dû en faire beaucoup au cours des salons littéraires où tu as dédicacé. Pour moi, pouvoir enfin parler de tout ce qui concerne le sexe avec quelqu'un d'autre que mon amie Clotilde, m'est apparu comme un soulagement. Tu t'es rendu compte, surtout lorsque nous étions seuls, à quel point j'aime parler de ces choses. Alors, en parler avec un homme qui écoute, et qui, par pur bonheur, est un écrivain porno dont j'ai lu, et relis même, tous les livres, cela représente pour moi quelque chose d'indéfinissable. Je te le dis tout net, Gil, quand nous sommes sortis du restaurant, j'étais persuadée que tu allais m'emmener dans ta chambre pour me baiser, j'attendais ça avec une impatience folle. Mais tu as eu raison de ne pas le faire, après tout ce que nous avions bu, nous n'aurions pu faire les choses qu'à moitié, et encore. Et nous aurions été déçus, chacun de son côté. Tu as donc eu l'attitude qu'il fallait vis-à-vis de cette petite bourgeoise qui t'avait confié ses aventures sulfureuses d'adolescente dévergondée. D'ailleurs, figure-toi qu'avant d'aller me coucher, j'ai pris une douche pour faire passer les vapeurs d'alcool qui étaient sur le point de me rendre malade. Je n'aurais pas pu me coucher dans cet état. Et une longue douche bien chaude m'a toujours été bénéfique sur ce plan. Seulement voilà ! (J' te dis tout, hein, puisqu'on s'est promis de tout se dire.) Sous la douche, j'ai commencé à me caresser les nichons en pensant à toi, à tirer sur mes bouts de seins, puis comme ça allait mieux tout doucement, je me suis mise à fantasmer de plus en plus, à recréer les scènes de ton dernier livre, et je me suis bien masturbée en imaginant des tas de trucs. J'ai joué tant et plus avec mon clitoris gonflé. J'ai même crié un peu fort sous la douche, et j'ai bien eu peur qu'on m'entende car figure-toi que Clotilde occupait la chambre d'à côté. Le lendemain, au petit déjeuner, elle ne m'a rien dit et n'a fait aucune allusion. Ouf !

J'espère que tu as passé une bonne semaine chez ta sœur à Genève. C'est un endroit que je ne connais pas. D'après ce qu'on m'en a rapporté quand j'étais encore ado, c'est un endroit sublime. Bon ! Je ne vais pas être trop longue pour un premier courrier, sinon tu te lasseras vite de moi, et je n'y tiens absolument pas. Cette correspondance avec toi me fait enfin revivre, je vais enfin pouvoir écrire ma détresse sexuelle à un écrivain porno qui me comprend. C'est avec une grande impatience que j'attends ta première lettre, tu t'en doutes. Je t'embrasse.

Rebecca, la drôle de bourgeoise

Chère Rebecca,

J'ai été très touché de trouver ta lettre dès mon retour de Genève, je ne m'attendais pas à une réaction aussi rapide. Mais tu as bien fait, attendre nous aurait sans doute un peu refroidis tous deux dans notre élan. Ne dit-on pas qu'il faut battre le fer tant qu'il est chaud ? Tu vois, j'ai écrit « nous... » et aussi « notre élan ». Tu comprends donc que moi aussi je considère cette nouvelle relation comme fort importante, et qui pourra, j'en suis persuadé, nous aider tous deux à mieux vivre. Je commencerai par te dire que tu n'as aucune crainte à avoir au sujet de ta façon d'écrire, ce n'est bien sûr pas moi qui vais me mettre à la critiquer, au contraire. Surtout, reste toi-même en écrivant, ne change rien à cette femme que tu es, à cette « adolescente dévergondée » (c'est toi qui le dis) devenue femme amoureuse du sexe bien avant « l'âge prévu pour ça » ! Ah, quelle sottise, que cette façon d'empêcher les filles et les garçons d'approcher la sexualité à leur façon et quand ils en ressentent le besoin. Donc, continue à écrire avec tes mots, ceux que tu aimes employer, et qui sont d'ailleurs ceux que j'emploie dans mes bouquins. Je pense que c'est de cette façon que nous nous entendrons et que nous nous comprendrons le mieux.

Moi aussi, sache que je suis vraiment très heureux d'avoir fait la connaissance d'une admiratrice qui se masturbe en me lisant. Je reconnais qu'au premier abord, j'ai été un peu décontenancé par le fait que cette façon de me parler soit celle d'une bien jolie femme, très distinguée, appartenant à la bourgeoisie. Mais après coup, cela m'a réellement ravi. « Tiens, me suis-je dit, voilà

*une bourgeoise qui aime les histoires de cul et de fesses,
et qui ose le dire ! Une femme rare, en somme ! » Si, si,
je suis sincère, Rebecca, c'est ce que je me suis dit à ton
sujet. Quant à l'envie que tu avais que je te baise ce soir-
là, sache qu'en bon auteur porno, (enfin, « bon », c'est
moi le qui le dis, mais comme j'ai un fan-club constitué
de femmes, hum, c'est que je ne suis pas si mauvais que
ça), et n'étant pas aveugle, je l'avais bien remarqué. Te
sentir presser tes nichons contre mon torse était un signe
d'invitation, sans oublier ce baiser appuyé au coin de ma
bouche. Ah, si seulement, on avait moins bu ! (Et avant
le resto, j'avais déjà descendu quelques chopes de bière
au bar du salon littéraire !). Je me suis donc écarté un
peu de toi car malgré toute ta beauté, toute la sensualité
que tu dégageais, eh bien, figure-toi que mon sexe n'était
pas de marbre (ah, s'il l'avait été !) mais plutôt de pâte
à modeler ! J'aurais donc été bougrement gêné, honteux
même vis-à-vis d'une aussi belle femme, aussi libérée
surtout. C'eût été un affront à ta féminité. Tu as donc
raison de penser que c'eût été aussi une réelle déconvenue
pour notre première rencontre. (Je suis d'ailleurs tombé
endormi dès que mon corps a touché le matelas.) Et puis,
il me semble que notre objectif premier n'est pas de baiser
ainsi dès la première approche, mais bien d'abord de se
confier l'un à l'autre, de nous dévoiler sans la moindre
retenue, d'oser nous avouer ce que nous gardons en nous
et qui nous fait tant souffrir. Car sache que moi aussi,
chère Rebecca, je souffre de certaines frustrations qu'il
faudra que je couche sur papier.*

*Bon ! Moi non plus, je ne veux pas te paraître trop
ennuyeux pour ce premier courrier, et deuxième échange en
somme (surtout sans avoir bu !). Gageons que notre relation
épistolaire sera pleine d'aveux ô combien enrichissants, tant*

pour l'un que pour l'autre. Moi aussi, j'attends avec impatience tes confidences, les confidences de l'admiratrice d'un auteur porno. Je salue d'ailleurs cette franchise que tu as eue de me dire que tu te masturbais en me lisant. De mon côté, j'attends donc que tu me racontes avec moult détails ta défloration à quinze ans et ta première sodomie à dix-sept pour me branler à mon tour. Tu vois, voilà une première confidence, belle bourgeoise.

Je t'embrasse.

Gil, ton auteur fétiche

* *
*

Dans sa lettre du huit mai, Rebecca remercie chaleureusement Gil de partager ainsi pleinement leurs prochaines confidences. Elle répond à la demande de l'auteur en lui racontant sa première fellation offerte à son cousin Bertrand, alors qu'elle n'avait que quatorze ans, la façon dont il l'avait déflorée à quinze ans dans une petite crique près de Pampelonne, sa fameuse première partouze pour son seizième anniversaire avec des amis du club de tennis de La Croix Valmer. Bien sûr, elle avait déjà évoqué ces faits lors de leur dîner à Dijon, mais sans entrer dans des détails sulfureux qui auraient pu atteindre les oreilles d'autres clients du restaurant. Par jeu sans doute, ou plutôt par attente d'une véritable réciprocité, elle finit sa lettre en promettant qu'elle racontera prochainement sa première sodomie avec le greffier du tribunal de Strasbourg, mais qu'elle attend elle aussi quelques réelles confidences de la part de *son auteur chéri.*

Ma chère Rebecca,

Avec toi, et j'en suis réellement heureux, sache-le, je crois que je vais aller de surprise en surprise. Quelle « belle adolescence » tu as eue ! Si, si, je le pense. Toi, au moins, tu as su très tôt ce que signifiait sucer un homme jusqu'à la moelle. Être une femme à quinze ans, moi, je trouve ça fort bien. J'ai adoré lire le compte-rendu de la petite fête qui t'avait été réservée au club de tennis de La Croix Valmer. Ça me fait bougrement regretter de ne pas m'être mis au tennis, et surtout de ne pas avoir fait partie de ce club. Ah, dis donc ! En te lisant, je m'imaginais à la place d'un de ces tennismen enfonçant sa grosse bite dans ta jolie bouche de jeune fille délurée et sexy, et je te l'avoue, de ligne en ligne, chère Rebecca, je bandais de plus en plus fermement. Ça te plaît, d'imaginer ton auteur chéri en train de bander, hein ? Avoue ! (Autre chose aussi, peut-être ?)

Quant à des confidences sur ma propre vie sexuelle, elles ne seront jamais aussi riches que les tiennes. En effet, j'ai été marié plus de quinze ans avant de m'échapper. Je dis m'échapper car à l'époque je m'étais découvert un goût pour les lectures érotiques (tout comme toi), et devais les cacher sous peine de subir les foudres d'une épouse élevée religieusement de manière fort rigoriste. Vivant seul par la suite, je m'étais essayé à l'écriture, et c'est ainsi que j'ai découvert ce don, cette facilité plutôt pour l'écriture pornographique. J'ai eu de toutes petites aventures avec l'une ou l'autre femmes, mais tout cela est resté sans suite. Pourtant, à toi, je peux le dire, l'une d'elles, une infirmière, passait pour une véritable experte en relations amoureuses, tant elle collectionnait les amants comme certains les timbres-poste. Étrangement, cette femme me faisait peur, tu comprends. Elle avait eu tellement d'amants que je ne voyais pas comment être au-dessus du lot. Elle avait un vagin étrange, qui s'élargissait quand on y enfonçait deux doigts, puis trois, au point qu'on pouvait carrément y mettre toute la main. Et elle voulait toujours qu'on lui pince les mamelons de plus en plus fort afin qu'elle gémisse de douleur. Ça la mettait dans de drôles d'états. Il m'est arrivé de la revoir pour lui offrir mes bouquins dédicacés qu'elle dévore, elle aussi, mais elle est loin d'avoir ta classe, ta beauté, ton allure sexy. Je te le dis tout net, elle n'avait pas sur moi un effet semblable au tien. Cela fait bien quatre ou cinq ans que je ne l'ai plus vue. Elle s'est remariée avec un commissaire de police et sa santé est plutôt déficiente. Trop de tabac, trop d'alcool. Alors, si je peux me per-mettre un conseil, si tu veux mener une vie sexuelle tambour battant, être toujours une belle femme sexy et attirante, ne bois pas trop et ne fume pas. Quant à moi, désormais, je vis seul, d'écriture, de fantasmes pervers, tu t'en doutes, encore plus pervers depuis que je t'ai ren-contrée, ma chère Rebecca. Heureusement, mes pulsions, je peux les faire passer par ma plume. Dans mon pro-chain courrier, je te raconterai tout ce que j'imagine pour faire de notre relation une relation qui soit, disons, hors-norme. Je parie que ça te plaît aussi, ça, non ? Il faudra que tu me racontes comment tu te masturbes, avec tous tes petits jouets spéciaux dont tu m'as dévoilé l'existence. Allez ! Je t'embrasse, en attendant tes autres « petites his-toires cochonnes et bandantes ». Tu vois, même si ton style n'est pas celui d'un écrivain, tu parviens à faire passer tes sentiments, tes sensations, et surtout à me faire

bander. J'ai hâte de lire ta première sodomie, et j'ai envie
de t'appeler « ma petite bourgeoise salope ».

Gil, que tu mets dans un drôle d'état.

Plutôt que répondre par écrit, cette fois Rebecca
prend le téléphone, espérant que Gil est chez lui. Sa
gorge se noue en entendant la voix de son auteur
au bout du fil.

— Alors, on ne m'écrit plus, jolie bourgeoise ?
demande aussitôt Gil.

— Tu vois, tu oublies déjà une promesse faite
dans ta lettre ? répond aussitôt Rebecca.

— Ah, bon ? Laquelle, donc ?

— Tu avais dit que tu m'appellerais « ta petite
bourgeoise salope ». Tu viens d'oublier le dernier
mot..., mon Gil chéri.

Mais la conversation ne dure pas longtemps, Gil
insiste pour que Rebecca lui écrive encore une ou
deux lettres, il fera de même bien sûr. Mais Rebecca
insiste sur un point :

— J'aimerais que tu m'écrives comme dans tes
bouquins, tu comprends. Moi, quand je te raconte
comment Bertrand m'a déflorée, j'ai tout écrit pour
toi, dans les détails, je t'ai parlé de sa bite dans mon
con, de son sperme que j'adorais avaler. Je t'ai dit ce
que ça m'avait fait d'en sucer trois dans les vestiaires
du club de tennis, de recevoir deux bites de suite
dans le vagin. Je veux bien encore te raconter
comment Olivier m'a enculée la première fois, mais
je veux que tu me racontes ce que tu imagines
depuis qu'on s'est rencontrés, et que tu me donnes

des précisions sur notre relation que tu voudrais hors-norme. Voilà ! Tu promets ? Moi aussi, je fantasme sur notre relation, Gil.

Gil accède à la promesse de sa bourgeoise et raccroche le combiné.

Dès le lendemain, Rebecca reprend la plume pour raconter avec force détails sa première sodomie avec Olivier, son apprentissage du kama-sutra, et son drôle de cadeau de Noël quand elle avait reçu Olivier et son collègue du tribunal durant tout un après-midi, les recevant chacun dans sa bouche, dans son con et dans son cul. « *Et je n'avais encore que dix-sept ans à l'époque, je te le rappelle, mon cher Gil. Tu vois, j'aurais pu être une des jeunes maîtresses du divin marquis, non ? Mais laquelle ? Justine, Faustine, ou encore… ? À toi de choisir, mon chéri.* » Elle lui raconte aussi ses multiples façons de se masturber dans son bain avec ses sex-toys dont elle donne même une description précise. Et signe sa lettre : *Rebecca, ta bourgeoise salope.*

*
* *

Obernai, le 10 juin 2007

Rebecca,

Ah, ce que femme veut, elle l'obtient. Mais aujourd'hui, j'écrirai un peu moins, manque de temps, tu comprends. Mon dernier roman n'avance pas. Notre relation et les fantasmes qu'elle engendre viennent se mêler de façon intempestive à l'histoire que je dois écrire. Pense donc ! Me voilà en présence d'une femme qui, effectivement, aurait été un modèle pour Sade, c'est vrai.

129

Mais tu n'aurais été ni Justine, ni Faustine, ni Madame de Saint-Ange, tu aurais bel et bien été Rebecca de la Molinière, cela aurait mieux sonné dans ses ouvrages que Müller. Le maître aurait été ravi d'avoir aussi à faire à une fille de dix-sept ans avec un corps aussi attirant de femme mûre, qui lui aurait offert ses seins dénudés avec ses gros tétons, ouvert sa vulve et son cul à l'envi. Et je me dois de reconnaître que celui qui fut ton amant trop peu de temps, ce greffier du tribunal de Strasbourg, savait y faire pour te faire aimer la sodomie. D'autre part, t'imaginer dans ton bain en train de t'enfoncer ton gros gode noir dans le con et le fin blanc dans le cul m'a donné la fièvre. Une fois de plus, chère petite bourgeoise salope, je me suis bien branlé en lisant tes confidences. Moi aussi, grâce à toi, je me sens revivre, je me branle bien plus qu'avant. J'ai même failli inonder mon clavier d'ordinateur, si tu veux le savoir.

Tu voulais des confidences, je viens de t'en faire. Mais voici ce qui devient une véritable obsession : j'imagine que je te fais vivre ce que vivent mes héroïnes, que je suis ton maître et que tu m'obéis au doigt et à l'œil. Tu t'ouvres sur mon ordre, tu montres et offres ton sexe et ton cul à qui je veux, tu es « la bourgeoise salope de Gil D... ». Si je t'écris cela, c'est parce que tu m'as confié que pour t'envoyer en l'air avec tes sex-toys, tu t'imagines toi-même dans la peau de mes jolies héroïnes que j'avilis, qui se laissent avilir pour mieux en jouir, qui savent que le chemin du plaisir est bien souvent parsemé de ronces et qui connaissent de cette manière des jouissances exceptionnelles. Bien sûr, cela restera à l'état de fantasme, sinon nous formerions un couple plutôt diabolique, non ? Notre relation épistolaire me fait un peu penser à celle qu'ont eue, dans les années trente et quarante du siècle passé, Henry Miller et Anaïs Nin. Des auteurs que tu dois connaître, d'ailleurs tu m'as confié que tu avais ce cher Miller dans tes bouquins, parmi ceux de Sade et de Louÿs, entre autres. Mais leur correspondance était bien plus « classe » que la nôtre, il me semble. Je pense que nous, c'est juste pour nous confier nos frustrations sexuelles, nous raconter nos histoires de cul. Qui sait ? Un jour parlera-t-on peut-être de la relation étrange entre une bourgeoise dévergondée et un écrivain porno ? À ce propos, quelque chose me préoccupe quand même : cela ne te dérange donc pas, chère Rebecca, que j'aie vingt-deux ans de plus que toi ?

Gil. Le futur maître d'une bourgeoise salope ?

Strasbourg, le 18 juin 2007

Gil, mon maître,

Ta dernière lettre m'a mise dans tous mes états, autant te le dire tout de suite, je l'ai lue et relue, dans mon bain ! Tu comprends ce que ça veut dire, hein, Gil. Tous mes sex-toys ont servi trois jours de suite. Et je vais te dire ce qui me fait le plus jouir (je sais que tu n'attends que ça, mon beau salaud d'écrivain porno) : c'est de penser que ton fantasme à notre sujet se réalise bel et bien. En imaginant que je t'obéissais, à poil ou en sous-vêtements sexy, en imaginant tout ce que tu m'ordonnais de faire, je me triturais le gros bouton, et je m'étais enfoncé mon gode à double pénétration, la grosse branche dans le con et la fine dans le cul ! T'es content ? Putain, j'ai rarement joui ainsi.

Bien sûr que je sais que Henry Miller et Anaïs Nin ont

131

entretenu une longue correspondance, et que ces lettres-là ne contenaient pas des propos comme les nôtres. Ben oui ! D'accord ! Ils étaient plus classe ! Mais eux, ils se voyaient, merde ! Eux, ils étaient amants ! Et nous, hein ? Je me fous que tu aies vingt-deux ans de plus que moi. Toi, au moins, la sexualité, tu sais ce que c'est, sauf que comme moi tu vis de frustrations et rien d'autre. Tu ne crois pas qu'il serait temps que tu viennes enfin me faire goûter ton braquemart autrement que par papier à lettres interposé, tu ne crois pas qu'il serait temps que tu me pelotes réellement les nichons, que j'ai hâte de sentir mes gros bouts gonfler dans la paume de tes mains d'écrivain, de sentir mon clitoris être aspiré par tes lèvres, de sentir ta bite s'enfoncer dans mon cul, merde ! Dis, on va attendre encore longtemps, hein ? Par ailleurs, je vais te dire, il s'est produit quelque chose de nouveau dans mon couple, avec mon idiot de mari P.-D.G. de cette grande banque à Luxembourg. Je ne sais pas ce qui m'a prise, un coup de folie sans doute, que j'ai même envie de répéter suite à ses réactions fort bizarres. Je ne m'attendais vraiment pas à ce qu'il réagisse ainsi. J' te raconte : un soir qu'il se disait une fois de plus trop fatigué pour me baiser, je lui avais dit tout de go que j'allais prendre un amant. Il m'avait répondu : « N'hésite pas ! Comme ça, tu seras calmée... et moi par la même occasion. Mais le pauvre, je le plains ! » ça m'avait enragée, j' te dis pas. Alors, le lendemain, pendant que j'étais dans mon bain, je lui ai téléphoné à sa banque pour lui dire que j'étais en train de me faire baiser par un écrivain porno. Je suis restée stupéfaite en l'entendant à l'autre bout du fil me demander de lui expliquer comment ça se passait. Je n'ai jamais dit ton nom, n'aie crainte, mais j'ai inventé comment je t'avais longtemps *sucé, et comment tu étais en train de me prendre à quatre pattes en me traitant de « bourgeoise salope » et en me pelotant les nichons comme lui ne l'avait jamais fait. En racontant ça, je t'assure, je me masturbais dans l'eau chaude du bain mousse et je haletais vraiment. Il m'a même demandé : « Et il te fait bien jouir, au moins, ce pornographe ? » Évidemment, j'ai répondu que je n'avais jamais joui autant, et il a raccroché. À ce moment, moi aussi, j'ai joui follement dans le bain en m'enfonçant mon plus gros jouet. Ce soir-là, quand il est rentré, il m'a embrassée comme si de rien n'était. On a parlé de tout et de rien, de son boulot à la banque, de ma séance de natation avec Clotilde, mais de rien d'autre. Il avait l'air détendu, d'une humeur agréable. Aucun reproche, rien ! Aucune allusion même à ce que je lui avais raconté au téléphone. Alors, je me suis dit que je recommencerais à lui raconter une autre histoire un de ces prochains jours. Faudra que j'invente un autre amant, pour voir s'il réagira. Enfin, voilà où j'en suis, mon Gil. Ta petite bourgeoise salope attend impatiemment que tu viennes enfin lui ramoner le con et le cul. J' n'en peux plus, moi. Je t'embrasse.*

Ta Rebecca

* * *

Une telle lettre fait largement sourire Gil. Mais c'est loin d'être un sourire de moquerie, pas du tout. Plutôt celui d'un homme amplement satisfait. Pensez donc, c'est la première fois dans sa vie qu'il échange un tel courrier, de telles confidences avec une femme prête à tout pour satisfaire leur sexualité à tous les deux. Lui, l'écrivain porno qui n'a jamais

133

fait qu'inventer des histoires torrides, dans lesquelles le sexe est vécu d'une manière excessivement sulfureuse, le voilà en passe d'en vivre une. Jamais encore une femme ne lui avait écrit pour lui demander de venir la baiser, d'une part, et d'autre part en employant des mots aussi crus. Cette bourgeoise doit être une véritable femelle en chaleur, pour demander ainsi qu'on la baise, qu'on lui suce le clitoris, qu'on la pelote, qu'on la bourre autant par la grande entrée que par la petite. Putain ! ça doit être rare, ça, non ? Dès sa lecture terminée, il se sert un whisky, allume un cigare, et file s'asseoir sur la terrasse arrière de sa jolie maison, un peu en surplomb du jardin où il cultive quelques fleurs. Pas le temps de se consacrer à un potager, avec ses deux boulots. Cette première journée de l'été est fort agréable, il a fait soleil sur toute l'Alsace, et la température a avoisiné les vingt-deux degrés. Il est dix-huit heures. Sa journée de travail en tant que secrétaire de mairie ne s'est pas trop mal passée. Car un écrivain porno ne vit pas de sa plume, et de plus, à la mairie, pas question qu'on découvre son second métier. Quel scandale à Obernai ! Il a souvent imaginé les titres dans la presse locale : « Le secrétaire de mairie est un pornographe notoire ! », ou « Un drôle de secrétaire à la mairie d'Obernai ». Enfin, jusque maintenant, il a toujours su garder le secret, et tout se passe pour le mieux dans le meilleur des mondes.

En sirotant son whisky, il relit cette lettre. Les rosiers du jardin resplendissent sous les premiers rayons du soleil estival, le chat est couché sur le rebord de la terrasse, observant tranquillement les moineaux qui passent au-dessus de sa tête avec des airs arrogants et provocateurs. Provocateurs ! Voilà, c'est ça ! C'est exactement ce qu'il faut pour cette relation avec Rebecca, pour qu'elle soit une relation vraiment hors-norme : de la provocation, du soufre et encore du soufre. Au fond, en agissant comme elle l'a fait avec son cher Édouard, elle l'a bien compris, la bourgeoise. Elle a anticipé sur la provocation ! Pas bête, la garce !

Ce soir, avant de poursuivre l'écriture de son quinzième roman, il va rédiger une dernière lettre, très courte. Plus la peine d'en faire des tonnes.

Obernai, le 21 juin 2007

Bonjour, Rebecca,

Merveilleuse, cette lettre. Si, si, franchement. Tout y est, tes attentes, tes sensations, tes sentiments, ta sexualité, la mienne, tout quoi. Je me rends compte que j'avais oublié de te signaler une chose fort importante, une situation qui m'a empêché de venir te voir plus tôt pour te baiser et te prendre à quatre pattes, comme tu l'as si bien dit à ton cher mari. Et ton amie Clotilde ne doit pas t'en avoir informée non plus : c'est que je travaille pour vivre, moi. N'ayant pas hérité d'une fortune de famille, je suis secrétaire de mairie. Et le soir et le week-end, j'écris. Mais avec l'été, les horaires de boulot s'allègent, et on dispose de plus de temps les après-midi. Ça tombe bien, n'est-ce pas ? Ça correspond au moment où ton sexe n'en peut plus d'attendre, de m'attendre.

En ce qui concerne ce qui vient de se passer dans ton couple, je suis ravi d'apprendre que ton cher Édouard semble apprécier les incartades que tu inventes. Moi même, je suis très heureux que tu te sois masturbée en pensant à moi tout en lui parlant au téléphone. Ça vous flatte un homme, ça, madame ! Je ne tournerai pas autour du pot et te pose franchement la question : POURQUOI LES INVENTER, ces incartades ?

Voilà ! Je n'irai pas plus loin aujourd'hui. J'ajouterai simplement que la semaine prochaine, je serai en congé. Nous sommes mardi, tu recevras cette lettre jeudi. Lundi matin, je te téléphonerai. Si en décrochant tu prononces seulement le mot OUI, je serai là dans l'heure qui suit. Si ce n'est pas possible, tu me l'expliqueras et on s'arrangera pour un autre jour. Cette fois, tu as raison, il est temps que je t'enfile au bout de ma bite, ma petite bourgeoise salope.

Gil

* * *

Le lundi suivant, sur le coup de dix heures, Rebecca ouvre la grille d'entrée commandée électroniquement afin qu'une Citroën C5 puisse pénétrer dans l'allée du parc et s'arrêter devant le perron de la demeure. Elle ouvre la porte à l'homme qui se présente, un gros bouquet de roses à la main et lui dit :

— J'ai donné congé à la bonne. J'ai une nouvelle incartade à m'inventer... monsieur.

Avec un large sourire complice, il répond :

— Pourquoi donc les inventer, ces incartades, belle madame Müller ?

136

Chapitre 8

Sexualité retrouvée

La grande chambre richement meublée, où deux toiles de maîtres contemporains représentant le dieu Amour et une déesse de la mythologie grecque ornent les murs, résonne des halètements saccadés de la belle bourgeoise et des ahanements rauques de son amant. Sur le grand lit circulaire, Gil, les mains tenant fermement les hanches de Rebecca, prend son admiratrice en levrette. Depuis plus d'une heure, la jolie madame Müller montre à son *auteur chéri* à quel point sa faim de sexe était immense. Pour le recevoir, elle s'est finement maquillée et parée de sa plus belle lingerie sexy qu'elle ne mettait plus depuis des lustres. Après un long baiser passionné dans le hall de la demeure, une fois la porte d'entrée refermée, Rebecca, n'a eu qu'un mot à dire :

— Viens !

*
* *

Elle a emmené Gil en silence à l'étage, dans la chambre où, enfin, elle entame sa liaison charnelle avec celui grâce à qui elle se masturbe depuis tant de temps. Là, en moins de temps qu'il ne faut pour l'écrire, il s'est retrouvé nu, le sexe dressé comme un obélisque, face à Rebecca dont il a arraché la petite robe noire, fendue sur les côtés et décolletée à souhait pour laisser apparaître ses seins fortement bombés par une demi-guêpière à lacets serrés exagérément. Superbe madame Müller, resplendissant dans toute la beauté de ses trente-sept ans. Lentement, un à un, Gil a défait les quatre lacets de cette petite guêpière rouge en dentelle pour la laisser tomber sur le sol. Rebecca est là, devant lui, seins nus, mamelons gonflés au milieu d'aréoles larges et granuleuses, en string rouge transparent sous lequel on distingue facilement sa toison pubienne taillée à l'Iroquois, en porte-jarretelles et bas rouges à coutures. Ses cheveux blonds lui tombent sur les épaules comme la Vénus de Botticelli. Véritable tentation à laquelle il est impossible de ne pas succomber. À genoux devant cette beauté étrange et fascinante, Gil descend lentement le string pour faire apparaître la vulve épaisse, toute humide et parfumée de jasmin. Rebecca presse la tête de son amant contre son sexe qui mouille de plus en plus. Les mains accrochées aux fesses dodues de sa belle maîtresse, Gil prend les grandes lèvres en bouche, les mâchonne dans un bruit de succion obscène. Rebecca aspire l'air tiède de la chambre bruyamment, sa poitrine se soulève en cadence. Instinctivement, affamée de baisers sur cette partie intime de son anatomie, elle presse plus fort encore la bouche de son amant contre son sexe trempé.

— Oh ! Gil... Gil... si tu savais...

Aussitôt, il introduit le bout de sa langue à l'entrée du vagin dégoulinant, arrachant un long soupir d'extase à la belle bourgeoise. Lâchant les fesses de sa maîtresse, Gil écarte les petites lèvres pour titiller le clitoris et le faire gonfler dans sa bouche. Toujours à genoux devant sa diablesse blonde, il aspire entre ses lèvres le gros bouton gorgé de sang, les mains empoignant les seins de Rebecca qui halète déjà, en proie à un premier orgasme qui la couvre de frissons.

— Viens... je veux avoir ta bite en bouche avant que tu me ramones le con, mon chéri...

Son cœur cogne dans ses tempes, à ce brave auteur porno qui s'attendait pourtant à pareille réception. Il s'allonge sur le lit, et Rebecca, toujours en porte-jarretelles et bas rouges, s'installe à genoux entre les jambes écartées de son amant pour emboucher cette bite raide, épaisse, parcourue de veinules bleuâtres. D'une main, elle presse fermement la hampe rigide tandis qu'elle prend entre ses lèvres carminées et brillantes le gland oblong, légèrement violacé. De ses longs ongles vernissés de la même teinte que son rouge à lèvres, elle griffe la peau tendue des couilles gonflées de Gil D... Ah ! Enfin, le voilà, son *auteur chéri*, le voilà dans sa bouche, le voilà qui devient son amant. Elle va lui montrer toutes ses capacités, à cet auteur porno. Il va voir qu'elle aussi est capable des pires cochonneries, tout comme les héroïnes de ses bouquins. Ses lèvres montent et descendent sur la tige qui lui emplit la bouche et se colore de son rouge carminé couvert de gloss. Yeux mi-clos, Gil savoure, il pousse des grognements de plaisir, il ne savait plus ce que c'était depuis longtemps qu'être sucé de pareille façon. Pour sûr, il est tombé sur une bourgeoise bien cochonne. Soudain, elle le lâche.

— J'en peux plus, Gil... j'te veux dans mon con... viens... mon sexe a faim...

Elle se met aussitôt à quatre pattes, Gil à genoux entre ses cuisses écartées. Il appuie son gland entre les grandes lèvres trempées et saisit son amante par les hanches. D'un seul coup, sa verge épaisse s'enfonce dans le vagin dégoulinant, ses couilles viennent buter contre l'entrecuisse. Rebecca se cambre, redresse la tête, pousse un long soupir de satisfaction.

— Enfin, te voilà... aah... Gil... je suis toute à toi...

— Tu veux vraiment devenir MA bourgeoise salope ?

— Oui... oui... c'est mon plus cher désir... tu feras de moi ce que tu veux... tu réveilles enfin mes sens... tous mes sens endormis depuis si longtemps...

Gil coulisse de plus en plus vite dans ce con qui l'attendait, les entrées et sorties de sa verge émettent des chuintements obscènes, tout aussi obscènes que les propos qu'il tient à la belle madame Müller qui se dévergonde en compagnie de *son auteur chéri*. Sous les coups de boutoir de son amant, Rebecca glousse, halète de plus en plus fort, couine, telle une femelle prise par son mâle.

— Ça te plairait que je fasse de toi une vraie chienne, qui ne pense qu'à sucer et à donner son con et son cul, hein ? Dis-le !

L'excitation de Rebecca s'accroît au fur et à mesure que son amant lui tient pareil langage, tout en la limant et la secouant comme une vulgaire poupée de chiffon.

— Oui... oui... je serai ta chienne... ta salope... oh... Gil...

Rebecca laisse éclater sa jouissance, elle crie dans la chambre son plaisir d'être enfin prise après une trop longue abstinence. Mais surtout, elle connaît une jouissance intense d'être baisée par celui à qui elle avait une folle envie d'appartenir, son auteur porno préféré. Sans plus se retenir, Gil lui envoie tout son foutre au fond du con, jouit intensément lui aussi. Pensez donc, il baise une bourgeoise salope qui se masturbe en lisant ses bouquins ! Quel auteur ne serait pas aux anges de vivre pareille aventure ? Il se penche sur le dos de sa belle Vénus, lui saisit les nichons à deux mains, les pétrit, étire les mamelons jusqu'à en arracher des gémissements de douleur au milieu des cris de jouissance de cette étrange madame Müller.

Sa bite ramollit et sort du vagin de Rebecca. Un instant, il reste ainsi couché sur le dos de sa maîtresse, qui halète encore, essaie de reprendre haleine. Enfin, il la retourne pour la coucher sur le dos.

— Je vais voir, ma petite salope de bourgeoise, si tu es logique avec toi-même, si tu es capable de faire ce que font mes héroïnes...

Sans qu'elle ait le temps de réagir et de prononcer le moindre mot, Gil s'assied sur la poitrine imposante de Rebecca, la saisit par les cheveux et lui fourre en bouche sa bite molle, toute couverte de sperme et de sécrétions vaginales.

— Allez, jolie pute... suce ! Fais-moi bander à nouveau !

Yeux écarquillés, retenant son envie de vomir, Rebecca suce cette bite flasque et gluante qui vient de la prendre. Son amant pèse de tout son poids sur ses seins, mais peu importe. Elle veut lui montrer que les désirs dont elle a fait mention dans ses lettres n'étaient pas de vains mots. La bouche pleine de la bite de Gil, elle lèche le gland, la collerette, mordille de temps à autre, tout en pressant dans sa paume les burnes ramollies elles aussi. Elle veut qu'il bande, que ses couilles se remplissent à nouveau. Elle les griffe délicatement de ses longs ongles rouges de diablesse tandis que de l'autre main elle caresse les fesses rebondies de son amant. Et Gil reprend vigueur, sa bite raidit dans la bouche de son amante, ses couilles gonflent contre le menton tout humide de Rebecca. C'est le moment que Gil choisit pour tenir à nouveau des propos, non plus obscènes, mais à connotation perverse qui recommencent à les exciter tous les deux. Sa queue enfoncée jusqu'à la glotte, la tête de Rebecca fermement maintenue, il n'effectue aucun mouvement mais déclare :

— Si tu veux être une bourgeoise salope... comme l'ado dévergondée que tu as été... si tu veux vraiment vivre comme une héroïne de mes romans... tu dois m'accepter comme ton maître... tu devras m'obéir ; accomplir ce que je te dirai de faire... en ma présence... ou tu acceptes ou... je m'en vais et tu ne me vois plus.

Yeux grands ouverts, respirant difficilement par le nez, la bouche pleine du sexe tendu de *son auteur chéri* qui pèse de tout son poids sur ses seins aplatis, Rebecca ne sait comment lui répondre. Tout ce qu'il vient de lui dire l'excite au plus haut point, rejoint ses fantasmes les plus secrets. Pour satisfaire son insatiable sexualité, pour retrouver le piment de ses frasques d'adolescente, elle est prête à tout, prête à satisfaire les vices de son amant, même s'ils sont d'une perversité démesurée. Après tout, elle sait ce qu'il écrit, elle se masturbe en lisant les humiliations auxquelles il soumet ses héroïnes. Alors, maintenant qu'il est enfin devenu son amant, elle ne va pas reculer. Surtout si avec lui, ou grâce à lui, elle connaît des jouissances de plus en plus intenses, comme celle qu'elle vient déjà d'avoir en le recevant dans son con. Du regard, elle l'implore, elle n'attend qu'une chose, recevoir son foutre, qu'il lui emplisse la bouche de sa semence qu'elle avalera comme elle sait si bien le faire.

Gil sort lentement sa queue raide de la bouche de Rebecca en insistant :

— Alors ? Que décides-tu ?

Après une grande aspiration, les yeux pétillant de désir, le visage enfiévré et les lèvres humides, Rebecca murmure :

— Oui... tu le sais bien... oui, je ferai tout ce que tu veux... remplis-moi encore...

Gil maintient toujours Rebecca par les cheveux, d'une poigne ferme et décidée. Sa bite tendue s'est redressée vers le plafond, ses couilles viennent à nouveau de se remplir. D'une main, il abaisse son sexe luisant de salive et de traces de rouge à lèvres vers la bouche de son amante et l'enfonce, glisse le long du palais strié. D'une main, la belle bourgeoise palpe les bourses gonflées, de l'autre elle se triture le clitoris. Du plaisir, elle sait en donner mais aussi en prendre. D'une main sûre, Gil imprime à la tête de Rebecca un lent mouvement de va-et-vient, regarde sa bite entrer et sortir dans la bouche de cette admiratrice prête à devenir une véritable esclave. Elle glousse, manque d'étrangler au moment où la bite de Gil gicle au fond de sa gorge. À nouveau, il ahane au-dessus du visage couvert de transpiration et de coulées de Rimmel. Rebecca avale le sperme de son amant, jouit une fois de plus, le clitoris torturé entre ses doigts. Soudain, désireux de lui montrer qu'elle devra lui être entièrement soumise, Gil sort son sexe gluant de la bouche de Rebecca et, sur les joues et les yeux de sa maîtresse, il promène son gland d'où coulent encore quelques gouttes blanchâtres et fort odorantes. Yeux fermés, Rebecca respire lentement, laissant à son amant toute liberté d'accomplir sur son corps tout ce qu'il désire, lui apportant ainsi son entier consentement à ses souhaits pervers. Ses joues enflammées sont couvertes de Rimmel et de sperme, ses paupières restent collées par le foutre de son amant, mais depuis son mariage, elle n'a jamais été aussi bien.

*
* *

Sous les jets d'eau chaude de la douche, les amants insatiables s'embrassent à pleine bouche. Rebecca se pend au cou de Gil, presse sa poitrine contre le torse de son amant, dont le sexe mou s'écrase dans la toison châtain de la belle bourgeoise. Nul besoin de se dire le moindre mot, ces deux-là se comprennent d'un seul regard, se sont déjà compris à vrai dire. Lentement, elle lui tourne le dos et Gil passe les doigts dans la raie fessière dégoulinante de mousse, tâte furtivement la petite entrée. Il passe un bras sous l'aisselle de Rebecca, lui saisit un sein, et pousse son index pour enfoncer la première phalange dans l'anus de son amante. Yeux fermés, elle penche la tête en arrière, pousse un long soupir de plaisir en sentant le doigt de Gil lui pénétrer entièrement le rectum.

— Oh... Gil... tu me prends toute...

— Deux fois de suite, tu m'as complètement vidé les couilles, ma petite bourgeoise salope... aujourd'hui, tu n'auras donc que mon doigt dans ton cul... mais tu ne perds rien pour attendre...

Tout en pinçant et étirant le mamelon épais de Rebecca, Gil imprime à son index un mouvement circulaire, caresse les parois du fourreau chaud qui s'élargit, l'anus s'ouvre sous la pénétration amoureuse mais décidée. Aussitôt, l'index est accompagné du majeur. Les deux doigts s'en donnent à cœur joie dans le cul de cette bourgeoise qui râle, glousse, se mord la lèvre. Cette première relation charnelle avec *son auteur chéri* est une réussite. Gardant ses deux doigts dans le cul de sa maîtresse, Gil lâche le mamelon qu'il torturait pour descendre à la vulve, la presser dans sa paume. Sans plus attendre, il enfonce deux doigts dans le con encore rempli de son foutre. Rebecca est en extase, elle saisit elle-même ses nichons, les presse l'un contre l'autre, s'étire les bouts de seins. Elle est empalée sur les doigts de son amant, par devant et par derrière. Des doigts qui se pressent les uns contre les autres, seulement séparés par la fine cloison recto-vaginale. Ça y est ! Elle éclate à nouveau dans une jouissance plus intense encore, une jouissance sans doute bien plus spirituelle que physique. Au bord de l'évanouissement, elle se laisse aller en arrière contre son amant qui, depuis plus d'une heure, la possède de toutes les façons possibles et imaginables. Sauf qu'il ne bande plus, le bel auteur chéri. Elle l'a bel et bien épuisé, sa garce de bourgeoise.

*
* *

Dans sa grande cuisine aménagée à la façon de celle du peintre Monet dans sa maison de Giverny, Rebecca a réchauffé deux pizzas et ouvert une bouteille de rosé frais. Gil n'a pas le temps de trop s'attarder auprès de son admiratrice qui vient pourtant de lui faire une véritable démonstration de ses talents de baiseuse hors catégorie. Mais il a un boulot énorme, l'auteur chéri, il est en retard dans l'écriture de son prochain roman et son éditeur le talonne. On parle un peu de tout, du temps merveilleux qu'il fait en ce début d'été. Mais surtout, on parle des vacances, de cette période qui va séparer ces nouveaux amants alors même qu'ils viennent juste de se découvrir, d'entamer une relation charnelle et profonde, une relation qu'ils veulent l'un comme l'autre autrement profonde qu'une simple liaison extra-conjugale.

— Comme chaque année, précise Rebecca, nous irons à Ramatuelle. Édouard et moi, nous occupons la villa en juillet, tandis que mes parents n'y viennent qu'en août.

— Et avec ton cher Édouard, tu peux te balader à poil sur la plage de Pampelonne ? demande Gil en riant.

— Penses-tu ! Je me retrouve dans la même situation que ma mère quand elle a épousé mon père. Un vrai pisse-vinaigre, un pisse-froid, un... oh ! qu'il aille au diable ! Mais parfois, j'y vais quand même, je profite qu'il fait un tennis avec l'un ou l'autre... Alors, je vais m'allonger une petite demi-heure, nue sur le sable, je nage un peu... et je me promène, le corps dégoulinant d'eau de mer, entre tous ces gros sacs de couilles et ces bites à l'air, qui rougissent comme des homards... parfois même, j'en vois qui ont envie de se dresser sur mon passage... surtout les jeunes verges des ados pas encore habitués... ça me fait sourire et ça me flatte, tu penses... c'est que mon corps leur plaît, à ces minots...

On achève la bouteille de rosé, et avant de le laisser rentrer à Obernai, Rebecca fait faire le tour du propriétaire à son amant, lui faisant découvrir ainsi le hammam et la piscine.

— Faudra qu' tu te libères plus longtemps la prochaine fois, hein, mon chéri. Tu verras comme c'est délicieux de nager à poil... je rêve que tu me prennes dans le hammam...

Avant de filer, Gil insiste pour que Rebecca lui écrive une lettre avant son départ en vacances. Comme elle ne part que dans dix jours, il lui reste assez de temps.

— Je veux que tu m'écrives tes sensations, tes sentiments, et surtout tes souhaits profonds. D'accord ? J'y répondrai rapidement afin que tu reçoives ma lettre avant de partir. De mon côté, je pars les deux dernières semaines du mois d'août aux Baléares. On pourra donc se voir dès ton retour, si tu le désires.

— Quelle question ! Je veux que tu aies l'occasion de baiser ta maîtresse toute bronzée, mon chéri. Mais avoue que c'est moche, hein ! Nous voilà amants, et déjà séparés par ces mois de vacances ! Ah, j'enrage !

Sur le perron de l'entrée de sa demeure aristocratique, Rebecca se pend une dernière fois au cou de Gil :

— Je t'écrirai aussi de Ramatuelle, chaque semaine. Ah, si tu pouvais venir là-bas... Mes souhaits profonds, je vais vite te les écrire, je veux qu'ils se gravent autant dans ton esprit que dans le mien...

À quatorze heures, la C5 Citroën de Gil quitte la propriété des la Molinière-Müller. Il faut traverser Strasbourg avant de filer sur Obernai.

* *

— Alors, chère Rebecca, de quelle nouvelle incartade t'es-tu donc rendue coupable, aujourd'hui ?

Le fait est assez rare pour être souligné, mais ce jour-même, Édouard est rentré plus tôt du Luxembourg. Son jet privé l'a ramené vers dix-huit heures à l'aéroport de Strasbourg, où il a repris sa Range Rover pour rentrer à la propriété. Cet été commence décidément de la plus belle façon qui soit, ciel bleu et soleil toute la journée. Après l'apéritif pris sur la terrasse arrière donnant sur le parc, les époux la Molinière-Müller profitent de cette douceur estivale pour dîner également à l'extérieur. Comme Édouard avait téléphoné de la banque dans le milieu de l'après-midi pour prévenir de son retour hâtif, Rebecca a préparé le grand barbecue en pierre du Gard. Une fois n'est pas coutume, il lui arrive de cuisiner, surtout que ce jour, pour recevoir son amant, elle a donné congé à la bonne. Elle a donc mis la main à la pâte, de toute façon l'été ne demande jamais de mets lourds et copieux. Alors, une salade de tomates, une laitue, trois ou quatre pommes de terre en chemise, des côtes d'agneau marinées dans l'huile d'olive avec quelques gousses d'ail, et le tour est joué. Pour la suite, il y a toujours au Frigidaire deux ou trois fromages, et dans le congélateur du sorbet aux poires ou au citron. Et puis, un barbecue, ça engendre de la bonne humeur, ça incite à prendre l'apéritif, à boire un peu plus que d'ordinaire. Et ce soir, Rebecca a non seulement envie de boire un petit coup, mais surtout de partager sa joie retrouvée, une joie tout intérieure, née il est vrai de ce rapport délictueux commis dans la matinée. Son sexe recommence même à mouiller rien qu'en y repensant.

Déjà, en voyant les sarments de vigne prêts dans l'âtre, Édouard a esquissé un large sourire. À lui non plus, il ne déplaît pas de temps à autre de déroger à ces principes de la haute bourgeoisie, qu'il ne trouve néanmoins pas surannés et qui veulent que le dîner se prenne toujours dans la grande salle à manger, en chemise cravate pour l'homme, en robe stricte pour l'épouse, et ce quelle que soit la saison ou le temps qu'il fait dehors. Ce soir, il retrouve pour quelques moments ses gestes d'adolescent qui adorait s'occuper du feu lors de ses camps scouts. Il s'apprête donc à enflammer papier et sarments, un Martini dry à portée de la main. Le verre vite vidé, les braises non encore suffisamment chaudes pour griller les côtes d'agneaux, un deuxième Martini n'est pas de refus, quant à Rebecca elle se ressert un gin fizz.

Enfin, on passe à table. On déguste l'avocat au crabe en sirotant un premier verre de rosé, tandis qu'Édouard garde un œil sur le barbecue où il vient de déposer la grille avec les côtes et autres petites saucisses. Une entrée meublée de sujets de conversation toujours plus banals les uns que les autres : les fluctuations de la Bourse, le blanchiment d'argent, sans oublier bien entendu les prochaines vacances à Ramatuelle.

— Mais l'an prochain, Rebecca, nous irons aux Bahamas. Nous y serons invités par le P.-D.G. de la plus grande banque de Nassau, avec laquelle nous allons fusionner.

— C'est vrai que depuis notre voyage de noces, nous n'y sommes allés qu'une fois. Et juste une semaine. Je n'ai même pas eu le temps d'aller bronzer sur ces plages de sable blanc et me faire servir un punch par un beau serveur de couleur.

— Mais ma parole, déclare Édouard avec un large sourire, tu ne penses donc qu'à ton corps, et qu'aux plaisirs futiles ?

Rebecca sourit, elle va le faire endêver, son P.-D.G. de mari. Elle va lui en servir des plaisirs futiles !

Mais elle patiente, attend le moment adéquat. Tandis qu'elle apporte les salades et les pommes de terre en chemise, Édouard s'active au barbecue, tout en vidant un deuxième verre de rosé. Et c'est le moment qu'il choisit pour demander à son épouse si elle a commis une nouvelle incartade depuis la dernière fois.

— Tu te souviens ? Ce jour où, au téléphone, tu me racontais tout le bien que te procurait ce fameux... auteur érotique, précise-t-il un tantinet ironique.

Nouveau sourire, de satisfaction cette fois. « *Puisqu'il veut savoir, il va savoir, le con ! Et j'ai l'impression qu'il me croit folle, par-dessus le marché !* », pense Rebecca. Elle avale d'un trait le fond de son verre de rosé, tandis qu'Édouard apporte les côtes d'agneau enfin grillées. Avec une délicatesse à laquelle il ne l'a pas habituée, Édouard sert son épouse et remplit lui-même les verres en se déclarant ravi de voir une femme arborant un visage aussi épanoui. Elle goûte un morceau de viande, puis prend un ton tout à fait inhabituel pour raconter à son mari comment elle a reçu son amant. Un ton de conteuse qui raconte une belle histoire, pas celle de *La Belle au bois dormant*, mais plutôt un conte pervers dans lequel, bien entendu, elle est l'héroïne, dont elle parle à la troisième personne, histoire de pimenter quelque peu son récit.

— *On voit bien qu'il a l'habitude d'écrire des cochonneries, cet auteur. C'est fou ce qu'il est habile pour mâchonner une vulve et sucer un clitoris. Rien que d'y penser, waouh, sa maîtresse mouille, mouille, cher Édouard...*

— Eh bien, je serais curieux de voir le genre qu'il a, cet homme, pour mettre ainsi une femme sens dessus dessous. Sûrement pas le genre de la maison. Mais continue, je t'en prie, tu racontes si bien...

Rebecca jubile, Gil avait raison : pourquoi raconter des aventures sexuelles imaginaires ? Après tout, les vivre ne pourra que lui être profitable, et les raconter de cette façon à son mari apporte une touche pimentée qui l'excite. De toute façon, ce P.-D.G. de mari semble réagir de la même manière, qu'il s'agisse de l'évocation d'un fantasme ou d'une relation charnelle réellement vécue. Alors, la voix un peu chantante sous l'effet des apéritifs et du rosé, elle continue, enjolive, en rajoute même.

— *Quand il a vu sa jolie maîtresse en guêpière rouge à lacets, avec ses nichons bombés, son porte-jarretelles et ses bas rouges à coutures, il bandait comme un bouc. Quelle bite, il a ce pornographe ! Et des couilles... grosses comme des pêches, putain !*

Édouard a les joues en feu. Bien sûr, il est fort près du barbecue auquel il tourne le dos, et lui aussi a déjà englouti deux Martini et deux verres de rosé. Mais ce qui l'enfièvre, c'est cette façon qu'a son épouse pour raconter ce que lui appelle tout simplement « un rapport naturel entre un homme et une femme ». Et puis, cette femme qui utilise un langage de charretier pour narrer une relation amoureuse, ça le secoue un peu, ça fait naître en lui une sensation étrange, même si cette femme, c'est la sienne. Il oscille entre vexation et plaisir méprisant.

— Ma parole, ma chère Rebecca, à t'entendre, j'ai l'impression de vivre à une autre époque. On jurerait entendre Nana raconter ses aventures à ses invités d'une nuit. Ah, tu m'amuses, franchement, lâche-t-il sur un ton moqueur.

— *Nana ? Quelle nana ? Qui c'est celle-là ? Tu as une maîtresse, Édouard ? Elle ne baise sûrement pas aussi vo-lup-tu-eu-se-ment que l'amante de l'auteur porno, cette nana-là !*

Cette fois, Édouard part d'un grand éclat de rire. Il pense que les apéritifs et le rosé ont quelque peu atteint le raisonnement de son épouse, alors il insiste.

— Et ils se sont regardés longtemps ainsi, lui le sexe en l'air et sa bourgeoise en tenue de... femme de petite vertu, ou de tenancière d'un claque du temps passé ? demande-t-il en portant son verre de rosé à la bouche.

— *Non, bien entendu. Il a défait les lacets de sa guêpière pour la peloter vicieusement, pincer et étirer ses gros mamelons. Puis, il lui a arraché son string pour prendre sa vulve en bouche... ooh... putain... quels délices !*

— Et ensuite ? J'ai hâte de savoir, moi...

Alors, Rebecca reprend son ton naturel pour préciser qu'elle a aussi le droit de manger tant que les côtes d'agneau et les pommes de terre sont encore chaudes. Elle avale une ou deux fourchetées, une gorgée de rosé, et reprend la suite de son récit si enivrant pour son Édouard tout ouïe.

— *La belle bourgeoise s'est agenouillée pour prendre cette ÉNORME bite en bouche... elle en avait les lèvres distendues... elle le suçait en palpant les ÉNORMES couilles qui cognaient son menton. Puis, son amant lui a ordonné de se mettre sur le lit comme une chienne... à quatre pattes, quoi ! Et il lui a enfoncé sa GROSSE QUEUE dans le con... waouh ! Il la remplissait, ce mâle... il a coulissé longtemps, longtemps... quelle puissance ! Enfin, il l'a inondée de tout son jus tout en empoignant ses gros nichons... ah la la ! Et voilà !*

— Et c'est tout ? ça s'est terminé ainsi ? insiste Édouard, le feu aux joues.

— *Ah ben, non, c'est vrai ! Il est tellement puissant, ce gars-là, qu'après ça il l'a retournée sur le lit, il s'est assis sur la poitrine de sa maîtresse et lui a refourré sa verge toute gluante dans la bouche pour qu'elle le suce à nouveau. Et alors, eh ben, figure-toi qu'il a joui encore une fois et l'a obligée à tout avaler. C'est pas mauvais, du foutre, après tout. Et pour finir, ils ont pris une douche et là...*

Rebecca achève sa dernière côte d'agneau, son reste de salade de tomates et vide son verre. La bouteille de rosé est vide. Comme en pleine pause au milieu d'un film posé sur le plateau du lecteur vidéo, Édouard, d'excellente humeur, sort totalement du récit dans lequel son épouse l'a plongé pour déclarer :

— Je vais débarrasser la table, Rebecca. Fais-nous une bonne tasse de café, veux-tu. Je prendrai bien un cognac pour finir cette agréable soirée, et je te sers un amaretto.

Lentement, le ciel prend ses teintes plus sombres, laisse la nuit s'emparer de son immensité, le bleu azur cède la place à un bleu acier. La lune est déjà là, autour d'elle quelques étoiles s'allument une à une. L'air se rafraîchit, mais sur la terrasse exposée plein sud, il reste tiède, la chaleur du feu qui a si bien flambé dans le barbecue s'est répandue autour de la table et de la balancelle dans laquelle Rebecca adore s'installer pour lire *son auteur chéri*. Tandis qu'elle prépare du café et remplit le lave-vaisselle, Édouard disparaît un moment dans la salle de bains. Il n'en revient qu'un quart d'heure plus tard, le café est passé et Rebecca a repris place sur la terrasse, éclairée maintenant par les deux luminaires à ampoules halogènes, reproductions parfaites de deux réverbères fin XIXe début XXe siècles.

— J'ai bien cru que tu t'étais endormi, Édouard.

— Pas du tout, voyons, déclare-t-il, comme soudain soulagé de quelque chose, d'un trop plein d'émotions qu'il désirait cacher sans doute.

D'ailleurs, il n'a plus l'air aussi enfiévré, précisant même :

— Cet excellent repas, ces Martini et ce rosé m'avaient un peu enfiévré et je me suis rafraîchi le visage.

« *Faux cul, va ! J'parie qu't'es allé te branler, petit con !* » pense Rebecca, rageuse mais aussi triomphante. « *Et moi, putain, qu'est-ce que j' suis en train de mouiller ! Tant pis, je garde ma petite culotte* », pense-t-elle encore.

— Mais je vais quand même nous servir un cognac et un amaretto. Avec un bon café fort, j'aurai le temps de connaître l'épilogue.

— Quel épilogue ?

Édouard rappelle à Rebecca que dans son récit elle en était arrivée au moment où la belle bourgeoise et son amant pornographe prennent une douche ensemble. Tout en parlant, il a filé au salon. Il revient donc avec deux verres d'alcool et les dépose sur la table, à côté des tasses de café. « *Pas croyable !* », se dit Rebecca. Elle avale une gorgée d'amaretto, reprend le ton adopté quelques instants plus tôt et poursuit :

— *Ah, ouiii... sous la douche, alors là, il a entièrement savonné le corps de sa belle maîtresse : les nichons, le bas-ventre, sa vulve, ses fesses et même... son cul ! Ben oui, quoi ! Il lui a lavé la rosette. Comme elle lui tournait le dos, il a passé une main sous son aisselle pour lui palper un nichon tandis qu'il passait le bout de son doigt tout autour du petit trou. Puis, d'un seul coup, il a enfoncé tout son doigt dans l'anus de son amante et elle a poussé un long, un très long soupir de plaisir en sentant ce doigt remuer dans son rectum. Ah, ces amants-là, ils sont vraiment... insatiables.*

— Je dirais plutôt qu'ils sont... diaboliques et pervers, moi ! Enfin ! Ah, goûtons cet excellent armagnac que m'a laissé ton père, conclut froidement Édouard.

Un silence pesant comme une chape de plomb s'installe sur la terrasse. Rebecca a les joues enfiévrées par le récit qu'elle vient de faire, le récit de ses ébats avec son amant quelques heures plus tôt. Elle ne sait plus que penser, un long frisson lui parcourt l'échine. Sa petite culotte est fort humide, mais elle, elle n'a nul besoin ce soir d'aller triturer son clitoris. Le brave, il a eu son soûl de plaisir et de caresses. Enfin, elle verra bien en se couchant. Rebecca se sent l'esprit vide tout à coup, mais un vide reflétant une grande légèreté. C'est ça, elle se sent légère. Même pas le moindre soupçon de culpabilité. Au fond, son amie Clotilde a bien eu raison de lui conseiller de prendre un amant. Mais qu'il s'agisse de *son auteur chéri*, ça, elle n'aurait jamais pu l'imaginer, ni même l'espérer. Ah, quelle merveilleuse amie, cette Clotilde ! Il faudra penser à la remercier dignement un de ces jours. En attendant, elle déguste son amaretto à petites lampées, tout en buvant son café un peu trop fort. Mais comme cette journée a été remplie de maîtresse façon, pour sûr, elle trouvera facilement le sommeil. À moins qu'elle se soit trompée sur l'attitude de son cher Édouard, quelques instants plus tôt. Sait-on jamais ?

Vingt-deux heures. La voûte céleste a revêtu sa robe noire, toute pailletée de milliers d'étoiles entourant une lune au visage goguenard. Le feu s'est complètement éteint dans l'âtre du barbecue, et sur la terrasse, l'air s'est rafraîchi de manière sensible. Son café et son amaretto engloutis, Rebecca déclare qu'elle se sent un peu fatiguée et désire monter se coucher.

— Oh ! je ne vais pas tarder non plus, chère amie ! Demain, c'est une longue journée qui m'attend à la banque. Je vais achever calmement mon Balmoral et ce divin Armagnac.

« *C'est ça*, pense Rebecca, *essaie donc encore de bander en m'imaginant sous la douche avec mon amant, pauvre idiot !* » Elle se penche vers son mari pour l'embrasser furtivement sur la bouche, mais se ravise au dernier moment. De toute façon, lui-même n'avait nullement l'intention d'embrasser les lèvres d'une épouse qui raconte des histoires aussi perverses. En se penchant, le large décolleté de son T-shirt blanc laisse apparaître ses seins bombés par un soutien-gorge pigeonnant. Édouard y jette bien sûr un rapide coup d'œil, tout en passant une main sur l'arrière de la cuisse chaude et hâlée de son épouse.

Pour ce soir, elle avait enfilé une jupe en cuir, assez serrante même, qui lui galbait les fesses de façon prononcée. Mais Édouard n'y a même pas prêté attention. Il embrasse Rebecca sur le front en lui souhaitant une bonne nuit. Sur un ton moqueur, il ajoute :

— Merci pour la jolie histoire, Rebecca. Si si, franchement, j'ai adoré.

— *Ah... Mais je pourrai encore t'en raconter, alors, mon cher Édouard ?* reprend-t-elle avec ce ton de conteuse qui lui allait si bien.

— Oui, oui... bien sûr..., répond Édouard en envoyant quelques volutes de fumée bleue en direction du réverbère tout proche.

Rebecca s'empare des tasses de café et disparaît dans la cuisine avant de filer à l'étage, laissant là son cher époux, amateur d'armagnac et d'histoires bien perverses.

Chapitre 9

Et si on invitait... le diable ?

Strasbourg, le 26 juin 2007

Mon Gil,
La nuit porte conseil, dit-on, aussi je ne t'ai pas écrit hier après ton départ. Ainsi, pas question de me reprocher de réagir « à chaud », après ces délicieux moments que tu m'as fait passer. En tout cas, tu avais mille fois raison en me proposant de raconter à Édouard non pas des « incartades amoureuses imaginaires » mais bien des histoires réelles. Ah, tu aurais dû m'entendre hier soir lui expliquer comment tu m'avais si bien baisée, comment je t'avais sucé ta grosse bite qui m'a fait tant de bien, et comment ensuite tu m'avais fourré un doigt dans le cul sous la douche tout en me pelotant. N'aie crainte, à aucun moment je n'ai prononcé le moindre nom ni prénom. Je lui ai raconté ça à ma façon, tu sais ? un peu comme si je lisais un joli conte, pas pour enfants, bien entendu. J' parie que tu rigoles, hein, Gil ? J'en rajoutais, et sache le, mon chéri, je mouillais comme pas deux en lui racontant tout ça. Eh bien, figure-toi que je le voyais

saliver à chaque phrase. Chaque fois que je m'arrêtais, il insistait pour connaître la suite. Incroyable, non ? Moi, en le voyant réagir de cette façon, je m'attendais à ce qu'il me saute dessus, qu'il me prenne avant de dormir. Après tout, c'eût été mon devoir d'épouse modèle, n'est-ce pas, d'ouvrir les cuisses pour mon époux. Mais rassure-toi, il n'en a rien été. D'ailleurs, je reste persuadée qu'avant de nous servir un pousse-café sur la terrasse, le bougre est allé se masturber à la salle de bains. J'aime autant ainsi, sinon j'aurais dû simuler. Sentir cette vilaine queue de bourgeois nanti m'envoyer son foutre après quelques secondes de glissades dans mon con m'aurait réellement déplu, après ce que je connais enfin avec toi, toi, mon pornographe adoré.

Ah, mon Gil, tu ne peux imaginer à quel point je suis heureuse d'être devenue ta maîtresse, ton amante, celle chez qui le sexe trop longtemps endormi s'est enfin réveillé, par la grâce d'un homme puissant, avec une belle grosse bite et des couilles bien gonflées, pleines de jus que j'ai hâte de recevoir encore, tant dans ma bouche que dans mon con ou mon cul. Écris-moi vite, dis-moi si ta maîtresse t'a suffisamment comblé. Si pas, comme elle te l'a dit, elle est prête à faire encore plus pour satisfaire son cher amant. Je t'embrasse très fort, et attends impatiemment ton courrier avant mon départ pour Ramatuelle, d'ici une semaine.

Ta petite bourgeoise salope

* * *

Ma chère Rebecca,

Pour moi aussi, t'avoir pour maîtresse est un rêve. Avoir au bout de sa queue une femme aussi sensuelle, chaude, réagissant de façon aussi intense à chaque coup de langue, de bite ou même d'un simple doigt en train de lui fouiller le fondement, est un idéal que doivent sans doute caresser tous les auteurs pornos. Quand, en outre, cette femme est une véritable bourgeoise et qu'elle ne pense qu'à se conduire en salope de la pire espèce, avec un passé d'adolescente dévergondée pouvant lui servir de curriculum vitae, que demander de plus ? Et pourtant, moi, je lui demanderai beaucoup plus, à ma petite pute de bourgeoise. J'ai bien remarqué en te baisant, Rebecca, que ta jouissance redoublait d'intensité quand je te tenais des propos obscènes, quand je te disais que j'avais envie de faire de toi une esclave soumise à son maître, une véritable chienne de plaisir dont il pourrait disposer à sa guise, selon son bon vouloir. Une salope qui oublierait son rang de noblesse pour se livrer aux actes les plus pervers, ordonnés par son amant, son auteur chéri dont elle est heureuse d'être devenue la maîtresse. Pour ton plein épanouissement, tant spirituel que sexuel, il faut dépasser notre simple relation amant-maîtresse. En t'écoutant, en te lisant, et surtout en te baisant, je pense avoir compris la profondeur de ce qui ressemble à un mal-être. À vrai dire, j'ai deviné la teneur indécente et surtout perverse des souhaits qui t'habitent depuis l'ado-lescence, qui se cachent au plus profond de ton âme. Une âme qu'il ne faut pas du tout vouloir sauver, comme diraient les bien-pensants, ces empêcheurs de danser en rond, mais qu'il faut au contraire inciter à se corrompre de plus en plus, à non pas se vendre mais bien s'offrir aux démons du vice, au diable de la perversité, et ce pour le plus grand bien-être du corps qu'elle habite. Ah, ma chère Rebecca, quand je t'écris de cette façon, j'ai l'impression que c'est le divin marquis lui-même qui tient ma plume ou qu'il est là, à mon côté, pour me souffler les mots à écrire, pour nous aider, toi et moi, à concrétiser nos fantasmes les plus ignobles, les plus pervers, les plus obscènes. Soyons donc le reflet de ce couple mythique dont je t'ai déjà entretenue dans un précédent courrier, ce couple extra-conjugal tant décrié que fut celui formé par Anaïs Nin et Henry Miller. Mais apportons-y quelque chose en plus, cette chose qui ne sera acceptée que par nous-mêmes : la perversité.

Voilà ce que j'avais à te dire avant que tu ailles te promener nue sur la plage de Pampelonne pour faire admirer ta plastique à tous ces vieux beaux et aux jeunes mecs qui iront se masturber en cachette en pensant à tes seins de déesse ou à ton ventre où Lucifer lui-même se trahirait avec délices. Profite de ce mois de vacances pour bien réfléchir à notre avenir, à la réalité de tes désirs. Et si, à ton retour, le soleil de Saint-Trop ne t'a pas fait changer d'avis, tu m'enverras un courrier qui ne contiendra qu'un seul mot : OUI. Alors, pour notre bonheur suprême, je ferai de toi la bourgeoise la plus salope, la plus perverse de la planète.

Ton Gil

* * *

Rebecca passe donc son mois de juillet à Rama-tuelle avec un esprit neuf, une sorte de renaissance sentimentale. Elle se détend en terrasse avec les relations du coin, fait du shopping avec ses amies de vacances, se pavane sur la plage de Pampelonne pendant qu'Édouard fait un tennis ou s'adonne à une partie de boules. Pour certains quadras ou quinquagénaires en quête d'aventures, elle représente une proie difficile à prendre. Aux sourires accrocheurs, elle répond par un sourire de courtoisie. C'est vrai qu'elle a un corps superbe, la bourgeoise, rapidement bronzé après une préparation adéquate en institut de beauté Des seins qui se dressent toujours fièrement, avec des mamelons épais et agressifs, brun foncé comme les aréoles larges, granuleuses, au milieu desquelles ils pointent comme des dards. Quant à sa toison châtain clair, elle est toujours taillée à l'Iroquois par son esthéticienne Ses trente-sept ans, elle est loin de les faire, la belle Rebecca Müller.

Il arrive que certains soirs, attisé sans doute par la vision d'autres femmes à peine vêtues (sans pour autant poser le pied sur la plage de Pampelonne), Édouard ressente le besoin d'apaiser un trop plein de nervosité lui aussi. Alors, il se fait plus tendre que de coutume, inonde son épouse de paroles douces ; elle comprend qu'au lit, elle ouvrira les cuisses après quelques caresses rapidement prodiguées sur ses seins, une main à peine baladeuse sur son bas-ventre ou ses fesses. Peut-être ira-t-il jusqu'à poser un baiser à la commissure supérieure de la vulve ; alors, d'un geste furtif, elle écartera rapidement les petites lèvres pour qu'il daigne poser sa bouche sur le clitoris impatient et déjà gorgé de sang. Elle prendra le sexe tendu de son époux en main, le flattera même, disant qu'elle a hâte de le recevoir, de le sentir bouger dans son intimité. Bien entendu, elle n'abandonnera pas son langage habituel, qui lui est si cher, et lui dira : « *Ah, Édouard, viens donc vite me ramoner, enfoncer ton gros pieu dans mon con tout trempé. Tu sais que j'adore ça !* » Plus vite il la prendra, plus vite elle sera tranquille. Après quelques glissades, Édouard aura tôt fait d'éjaculer, d'envoyer son petit flot de sperme, sans prononcer le moindre mot, ahanant à peine. « *Oh ! comme c'est bon, mon chéri ! Oh ! comme tu me fais du bien !* », dira la belle Rebecca entre deux halètements d'un orgasme simulé avec art. Pour elle, accomplir son devoir conjugal n'a plus rien d'enthousiasmant. Son enthousiasme, sa joie de vivre, de baiser, c'est dans l'interdit, hors des sentiers battus qu'elle les a toujours trouvés, et ce depuis ses quatorze ans. C'est ainsi, elle n'y peut rien après tout si l'hérédité austère de sa noble ascendance l'a oubliée.

Chaque semaine, elle consacre quelques moments à l'écriture de cartes postales illustrées des lieux environnants pour les amis, mais aussi et surtout pour son amant, son cher Gil resté à Obernai et qu'elle a hâte de retrouver. Mais elle n'attend pas d'être rentrée à Strasbourg pour lui envoyer ce courrier bien spécial qu'il lui a proposé d'écrire après un mois de réflexion. Elle choisit une de ces cartes-vues fleurissant à toutes les devantures des librairies et autres bars-tabac de la côte, ces cartes qualifiées d'un goût assez vulgaire par les gens de bonne famille et de bonne éducation. Et au dos de cette photo représentant une magnifique jeune blonde bronzant nue sur la plage de Pampelonne, elle n'écrit qu'un seul mot : OUI. Elle signe quand même : *Ta petite bourgeoise salope.* Se ravisant quelque peu, elle trouve néanmoins plus prudent de glisser cette carte sous enveloppe.

*   *
*

Ce mois de juillet, l'amant de Rebecca, secrétaire de mairie et auteur de romans *à ne pas mettre entre toutes les mains*, le passe bien sûr à accomplir sa tâche à la mairie d'Obernai, mais aussi à peaufiner le manuscrit de son dernier roman. Entre deux chapitres, il jette aussi l'ébauche d'un plan diantrement diabolique pour mener à bien un projet qui, depuis sa rencontre avec Rebecca, est soudain passé de l'état de fantasme à celui de rêve probablement réalisable. En outre, il prend un après-midi de congé pour se rendre à Luxembourg et y ouvrir un compte dans la plus grande banque dont le P.-D.G. n'est autre que le mari de Rebecca. De toute façon, celui-ci et sa chère épouse sont actuellement à Ramatuelle, et puis on ne rencontre jamais le P.-D.G. d'une grande banque, à moins bien entendu de faire partie de son entourage. Il lui vient alors à l'esprit qu'à sa maîtresse même il n'a pas encore dévoilé sa véritable identité. Après tout, c'est du pornographe Gil D... qu'elle s'est entichée. Dès lors, rien ne presse pour lui dire qu'il s'appelle Jacques, Philippe ou Pierre Ricochet, n'est-ce pas.

Fidèle à son habitude depuis qu'il laisse sa plume courir sur le papier, Gil observe tout ce petit monde d'employés et employées de banque, dévisage, répond au sourire de la gentille employée, étonnée de voir le secrétaire d'une mairie française dans une banque luxembourgeoise. À sa grande surprise, on le reçoit même en privé dans un bureau adjacent à la salle des guichets. Stanislas d'Aulnoy, fondé de pouvoir, la quarantaine alerte, n'a pas cet air hautain si particulier aux banquiers de haut vol. Très souriant, il se dit ravi d'accueillir un Français de plus dans sa banque, et quand l'auteur décline son identité et son lieu de résidence, il s'exclame :

— Ça alors ! Figurez-vous que notre P.-D.G. réside dans la périphérie même de Strasbourg. S'il n'était pas en vacances, il serait certainement ravi de faire votre connaissance.

— Mais... moi aussi, monsieur, moi aussi..., répond Gil qui, à aucun moment, ne confie sa seconde profession d'auteur érotique.

Puis, sourire en coin, le fondé de pouvoir ajoute :

— À vrai dire, c'est surtout sa femme que les hommes aimeraient rencontrer. Une superbe femme, comme on en voit fort peu... si ce n'est dans les magazines, conclut-il en faisant un clin d'œil. Enfin, je m'égare, je m'égare...

En l'écoutant, Gil n'arrête pas d'observer cet étrange cadre de la banque qui semble plus préoccupé par la beauté de l'épouse de son supérieur hiérarchique que par celui-ci même. Pourtant, il porte une alliance, donc... ! « *Après tout, ça ne veut rien dire, une alliance !* » pense l'auteur. Absence d'embonpoint, sûrement un féru de sport ; lunettes à fine monture métallique, chevelure châtain foncé, abondante et bouclée, fine moustache, visage sans rides, ce cadre, sans avoir l'allure d'un play-boy, sait sûrement y faire pour se pavaner auprès des jeunes employées qu'il a sous ses ordres.

Après s'être désaltéré à la terrasse d'une brasserie luxembourgeoise, Gil rentre à Obernai. Plus de deux cents kilomètres à parcourir, et il tient à encore écrire quelques pages le soir. Il réintègre son domicile, satisfait d'avoir placé une partie de son argent en de bonnes mains. Quant au reste, cette Carte du Tendre qu'il veut transformer en Labyrinthe du Vice, il sait qu'il y a encore quelques problèmes à résoudre avant même de s'y engager, lui et sa belle bourgeoise. Mais avec la motivation qui est la sienne, la leur même, il devrait franchir certains obstacles sans trop de difficultés.

*
* *

Dès le lendemain de son retour de vacances, Rebecca s'empresse de téléphoner à Gil. Il est quinze heures ce mercredi premier août, elle vient de se baigner nue dans sa piscine, s'est juste vêtue d'une sortie de bain blanche en tissu éponge et a entouré sa chevelure blonde d'une serviette. Comme elle connaît l'horaire d'été en ce qui concerne le travail de son amant à la mairie d'Obernai, elle sait qu'il est chez lui. Pour l'appeler, elle se sert du téléphone mural de la piscine et s'assied sur un petit banc à lattes de bois. Ce banc, elle l'a acheté elle-même pour l'installer à cet endroit, il réveille régulièrement le souvenir de la petite partouse organisée pour ses seize ans, par son cousin Bertrand, dans le club de tennis de La Croix-Valmer, où elle avait été baisée par trois hommes.

— J'en peux plus, mon chéri, j'en peux plus... j'veux ta bite dans mon con, dans ma bouche, dans mon cul... j'te veux partout, tu m'entends... j'veux te la sucer... c'est avec toi que j'existe vraiment, tu le sais... tu as reçu ma dernière carte, hein ?

— Oui, je viens de la trouver dans ma boîte aux lettres en rentrant du boulot.

— Celle que j'ai glissée dans une enveloppe, avec un seul mot, j'espère, comme tu me l'as demandé ?

— Absolument, un très beau mot de trois lettres, avec cette signature que j'adore.

— Tu es content, n'est-ce pas ? Dis-moi que tu es heureux que je veuille devenir ta petite esclave du sexe.

— Je verrai si l'esclave en question se soumettra à tous mes désirs, quels qu'ils soient.

— Tous, mon chéri, tous, sans restriction aucune... Ah, je mouille comme une dingue en te parlant... je suis même en train de me tripoter la vulve... si je ne me retenais pas... je suis assise sur le petit banc de la piscine... à poil sous ma sortie de bain... même pas de culotte... j'ai nagé à poil...

— Mais ne te retiens pas, ma chérie. Ce serait bien la première fois qu'une femme se masturberait en me parlant au téléphone.

Rebecca s'enfièvre, elle ne s'est jamais tripoté le clitoris en téléphonant à un homme. Sa main caresse sa toison toute trempée, écarte les petites lèvres... Entre le pouce et l'index, elle pince son gros bouton, l'étire, tout en enfonçant ses trois autres doigts dans l'entrée chaude et humide de son vagin.

— Oh... oh... Gil... j' vais jouir...

— Dis-moi au moins ce que tu es en train de faire, salope !

— Je tire... sur mon clito... et j'ai enfoncé trois doigts... dans... oh... Gil...

Affalée sur son banc, le peignoir largement ouvert, Rebecca halète de plus en plus fort, le combiné du téléphone collé à son oreille. Coinçant le combiné contre son épaule, torturant toujours son clitoris gonflé, trois doigts enfoncés dans son con, Rebecca se caresse un sein, pince son gros mamelon, l'étire lui aussi. Ah, il lui faudrait bien plus que deux mains pour se satisfaire.

— Gil... dis-moi qu' tu bandes... hein...

À l'autre bout de la ligne, effectivement, son amant a sorti de son pantalon son sexe raide et ses couilles gonflées. Il ne s'agit nullement d'un numéro de ligne rose, où l'interlocutrice récite grossièrement un texte prétendument érotique pour faire bander l'appelant. Gil sait que sa maîtresse est une vraie salope qui sait y faire, qui possède l'art de la masturbation sur le bout des doigts. Et à l'autre bout de la ligne, elle est réellement sur le point de jouir. Avoir au téléphone pareille maîtresse, il y a de quoi se branler en l'écoutant.

Les vingt kilomètres qui les séparent n'empêchent pas les amants de jouir ensemble, par téléphone interposé. La piscine a résonné des gloussements et des halètements de l'une noyée dans sa cyprine, tandis que l'autre a envoyé tout son foutre sur le tapis du salon.

— C'est la gérante du Nettoyage à Sec qui va faire une drôle de tête si elle met le nez sur le tapis, s'exclame Gil au téléphone.

Rebecca éclate de rire, raccroche, et replonge dans l'eau tiède de sa piscine. Dehors, il fait un temps superbe, pas aussi chaud qu'à Ramatuelle, mais fort agréable pour les Strasbourgeois. Et puis, Rebecca se dit qu'avec Gil pour amant, elle commence vraiment une autre vie. Par les baies vitrées de sa piscine couverte, son regard se perd dans l'immensité bleue du ciel alsacien.

*
* *

Le premier samedi d'août, Gil est arrivé à la propriété aux environs de quatorze heures. Édouard de la Molinière est parti faire un squash et ne rentrera qu'en fin d'après-midi.

— Putain ! C'est vrai que ça décuple l'excitation de baiser une nana aussi bronzée. Et pas un centimètre carré de chair blanche, le pied ! déclare Gil en prenant sa maîtresse dans les vapeurs du hammam.

— Ma parole... ne me dis pas qu' t' as envie d'une Noire, hein, mon salaud ?

— Pourquoi pas ?

Les vapeurs sont abondantes, si abondantes que les vitres de la pièce sont entièrement embuées, c'est à peine si on distingue les corps enlacés dans l'eau. Des corps trempés par la transpiration et l'humidité chaude. De ses jambes, Rebecca a entouré la taille de son amant pour mieux s'empaler sur cette verge épaisse et raide qui lui remplit le con. Auparavant, à genoux devant elle, la queue dressée comme un obélisque, il lui a léché la chatte, enfoncé sa langue dans l'entrée du vagin qui l'attendait avec une impatience démesurée, mâchonné le clitoris à grands bruits de succion, faisant glousser son amante pleine de frissons à l'idée d'enfin connaître un véritable orgasme sous la bite de celui qu'elle veut pour maître ès-sexe. Rebecca est comme folle. Elle n'en peut plus, la belle bourgeoise.

— Tu sais, Gil, mercredi... c'était la première fois que je me masturbais... en téléphonant... pour toi, je ferai tout...

Gil ne répond pas, il embrasse sa maîtresse à pleine bouche, la soutient sous les fesses pour la faire monter et descendre sur sa bite tendue. Les corps glissent, écrasés l'un contre l'autre, soudés l'un à l'autre par le sexe ; les amants se laissent envahir par le plaisir, tant spirituel que physique. Un plaisir qu'ils renouvellent une fois la semaine suivante, avant le départ de Gil, qui a bien droit à quelques vacances lui aussi.

— Cruelles, les vacances, tu ne trouves pas, mon chéri ?

— N'aie crainte, ma petite salope, mon cerveau travaille pour toi, pour nous. Dès mon retour, à nous les chemins de perdition, les voies sulfureuses de la déchéance. Mais c'est toi qui auras rendez-vous... avec le diable !

Chapitre 10

Un couple sulfureux

À la rentrée de septembre, une réception mondaine oblige Rebecca à accompagner son époux à Luxembourg. Édouard de la Molinière veut fêter dignement la fusion officielle de sa banque avec la plus grande banque de Nassau, aux Bahamas, avec laquelle il entretient d'excellentes relations d'affaires depuis de nombreuses années déjà. Cette fois, les deux banques porteront le même nom, ce qui facilitera les échanges, qu'ils soient légaux ou frauduleux. Depuis Louis XIV, on ne voit que rarement des réceptions de cette ampleur, avec plus de deux cent cinquante invités de marque, issus des milieux politiques et financiers du monde entier. Les ministres et banquiers y côtoient tsars, sultans et cheiks pour le plus grand bien de l'économie mondiale, mais aussi de leurs portefeuilles particuliers, cela va de soi. Édouard de la Molinière dispose d'un fonds spécial pour ce genre d'événement, aussi loue-t-il à prix d'or le château de Wiltz, au nord du

Grand-Duché, pour y organiser les repas et loger durant deux nuits les hôtes venus des quatre coins du monde. Toute une armada privée de gardes du corps a même été engagée afin d'assurer la protection lointaine et rapprochée des personnalités les plus importantes.

Tout ce week-end, si Rebecca sert de faire-valoir au P.-D.G. de la banque luxembourgeoise, personne en tout cas ne peut rivaliser avec elle sur le plan de la beauté. Sa prestance impressionne, son allure dynamique, mise en valeur par des tenues vestimentaires rejetant toute austérité, ne font qu'attirer sur elle des regards aussi admiratifs qu'envieux. Il faut dire que Rebecca, si elle fait un effort remarquable en ce qui concerne son langage afin de ne pas provoquer de paroles malveillantes à l'égard de son époux, a décidé de faire fi des convenances en matière d'habillement. Pas question de revêtir un de ces tailleurs trop stricts de chez Dior ou de chez Chanel, même s'ils sont prisés dans ce milieu aristocratique et bourgeois, qui ne jure que par les articles de luxe hors de prix. Pour elle, ce qui aura toujours sa préférence, ce seront ces petits ensembles de cuir, avec jupes lui galbant les fesses à damner un saint, et si elle accepte de faire l'impasse sur un T-shirt trop décolleté, elle passe néanmoins un chemisier en soie, suffisamment transparent pour qu'on devine son soutien-gorge balconnet qui lui bombe la poitrine à souhait. Pour le soir, tant pis, fatiguée par tant de salamalecs, dépitée de voir autant de tenues féminines d'une austérité à faire pleurer le diable, au grand dam d'Édouard, elle enfile une longue robe noire, dont l'arrière laisse voir presque entièrement son dos nu et hâlé. Une robe maintenue au cou par deux bandes de tissu passant devant les seins. Des bretelles plutôt étroites, laissant bien à nu la gorge et les côtés intérieurs et extérieurs de ses seins, sur lesquels elle tient à attirer les regards grâce aussi à ce collier en lapis-lazuli dont la dernière pierre en forme de goutte s'étale sur sa gorge profonde. Bien entendu, avec ce genre de robe, pas de soutien-gorge, et ses gros mamelons enfin réveillés tendent fièrement le fin tissu noir de manière provocante. Quant au bas, il est fendu de chaque côté jusqu'à mi-cuisse. Rebecca ne pousse quand même pas la provocation jusqu'à enfiler un porte-jarretelles et des bas noirs. Elle sait parfaitement jusqu'où, dans ce milieu, elle peut s'amuser à jouer les Marilyn. Ses longs cheveux blonds traînent négligemment sur ses épaules et le haut de sa poitrine. Même un cheik, pourtant réputé pour sa grande discrétion, a longuement laissé traîner son regard sur la belle Madame Müller pendant le dîner de gala organisé dans la salle du château. Il n'est bien sûr pas le seul ; nombre d'hommes ont eu, à un moment, les yeux rivés sur cette créature de rêve, servant aussi, entre autres, d'épouse d'un des deux P.-D.G. des banques organisatrices de ce festin de cour.

Ces deux nuits-là, étrangement, Édouard de la Molinière, se sent gagné par une virilité peu ordinaire. Rebecca constate à quel point les regards qui ont traîné sur les différentes parties de son anatomie peuvent avoir une influence sur le désir sexuel de son époux. Mais elle ne se fait aucune illusion, la pauvre ! Ce cher Édouard sera toujours aussi avare de caresses et baisers bucco-génitaux. Il la prend, bien sûr, mais sans fantaisie, comme à l'accoutumée, dans la position du missionnaire. Néanmoins, tout en glissant un peu plus longtemps dans ce con trempé qui l'aspire goulûment, il déclare :

— J'ai la vague impression que ton anatomie n'a échappé à aucun des hommes présents ce soir, Rebecca... Je ne pensais quand même pas que tu allais t'habiller de façon aussi... enfin, si ça peut m'aider dans certaines affaires... après tout...

Elle jubile intérieurement, la belle Madame Müller. Y aurait-il une faille dans la carapace de son noble époux ? Les propos qu'il vient de tenir ne sont pas loin de ceux que l'on tient à propos des call-girls que l'on paie pour services rendus, genre d'activités courant dans le milieu de la finance. Bizarrement, ça l'excite d'entendre son époux parler de la sorte. Et cette nuit, elle ne simule pas. Elle jouit sous les coups de boutoir de son P.-D.G. de mari, pas très nombreux certes, mais comme elle-même était très excitée par tous ces regards tombant sur ses nichons ou son cul, elle n'a même pas besoin de rappeler l'un ou l'autre fantasmes pour atteindre un orgasme qu'elle qualifie néanmoins de mineur. Pourtant, Rebecca trouve difficilement le sommeil. Elle pense à Gil, *son auteur chéri*. Elle a hâte d'être rentrée, hâte d'accomplir enfin ses premiers actes pervers au service de son maître, son amant, qui l'attend pour cette longue descente aux enfers.

*
* *

— C'est en peignoir que tu lui ouvriras la porte. Bien entendu, en dessous, tu porteras les sous-vêtements que je choisirai moi-même dans ta lingerie.

Rebecca s'enfièvre en entendant son amant décrire la façon qu'il a choisie pour la mettre à l'épreuve. Non seulement la manière, mais aussi et surtout le personnage à qui elle devra offrir ses talents de baiseuse hors-pair. La fièvre le dispute à l'inquiétude et à l'excitation.

— Mais... Gil, ce type, c'est...

— Je sais parfaitement de qui il s'agit, et j'ai appris aussi qu'il est ébloui quand il a l'occasion de te voir.

— Oui... ça, je l'ai bien remarqué... mais de là à...

— Veux-tu que je sois ton maître, oui ou non ?

Le visage en feu à l'idée de faire enfin ses premiers pas dans la débauche en tant que bourgeoise de haut rang, mais aussi à l'idée de les faire avec cet homme choisi par son amant même, Rebecca murmure :

— Oui, Gil... je le veux... d'ailleurs, je mouille déjà...

— Ce sera donc lui, ta réelle première incartade, chère petite bourgeoise salope. Et d'un endroit où nul ne me verra, je t'observerai et... rendrai compte de tes actes à ton époux. Avec ton propre portable, cela va de soi !

Rebecca ferme les yeux, pousse un gloussement de surprise au moment où, pour ponctuer ses propos, Gil, d'un geste brusque et décidé, prend dans sa paume la vulve trempée de Rebecca tout en l'embrassant à pleine bouche. Les amants sont nus tous deux, au bord de la piscine où ils s'apprêtent à

177

plonger pour quelques moments d'intimité aquatique. Auparavant, le corps chaud de son amante serré contre lui, Gil a donc tenu à lui faire part de la façon dont il voulait la voir se corrompre pour leur plaisir à tous deux.

* * *

— Entrez donc, monsieur d'Aulnoy !

— Je vous en prie, appelez-moi Stanislas, éblouissante... Rebecca !

Comme ordonné par son maître et amant, c'est en peignoir de soie blanche, à rayures bleues et roses, lui cachant le corps du cou aux pieds, que la belle Madame Müller ouvre la porte à cet intello à l'allure sportive, d'une quarantaine d'années, qui avait aussi avoué à Gil qu'il bandait chaque fois qu'il pensait à la femme de son P.-D.G. En ce samedi ensoleillé de fin septembre, la température fort agréable lui a permis de revêtir une tenue légère, pantalon de toile beige, chemise à courtes manches, et veste sans manches à poches multiples, type veste de photographe de presse. À peine la porte refermée derrière le fondé de pouvoir de la banque de son mari, Rebecca saisit le gros bouquet de fleurs qu'il tenait à la main pour le déposer sur la table en marqueterie du hall d'entrée. Elle est superbe, comme toujours. Elle a mis un temps fou à soigner son maquillage et sa chevelure. Les deux visages sont proches l'un de l'autre, les yeux de Stanislas plongent dans ceux de Rebecca, tandis que, lentement, ses mains se posent sur les hanches de la belle bourgeoise, glissent un peu sur la soie satinée.

Elle lève les bras pour les passer autour du cou de son hôte.

— Je n'ai jamais vu... une femme aussi belle, Rebecca, murmure Stanislas.

Elle sourit, baisse ses paupières fardées de fuchsia, pour sentir la bouche se poser délicatement sur ses lèvres carminées. Sans pour autant ouvrir son peignoir, elle presse son corps contre celui de Stanislas, entrouvre déjà les lèvres pour accueillir la langue de cet homme obnubilé par l'image qu'elle représente, l'image de la beauté inaccessible, et qu'il tient maintenant dans ses bras. Mais pour elle, pas question de sentiments, même si le type lui plaît, même si elle sait qu'il en bave. Pour Rebecca, un seul objectif compte : baiser, sucer, se faire prendre, faire jouir et jouir elle-même dans les plaisirs crapuleux et interdits. Et ce avec qui son maître et amant lui désignera, quel qu'il soit. Elle écrase sa poitrine contre le torse de Stanislas et passe subrepticement une main sur la braguette déjà bombée du beau fondé de pouvoir.

— Putain ! Quelle matraque, Stan !... Je peux t'appeler ainsi, hein ?

Enfiévré par l'attitude empressée de l'épouse de son P.-D.G., par une audace à laquelle il était loin de s'attendre, le brave Stanislas a la gorge nouée. C'est vrai qu'il bande comme un bouc ; un baiser pareil pour un premier rendez-vous, une aussi belle poitrine écrasée sciemment contre soi par une nana qui n'hésite pas à vous palper le braquemart à travers le pantalon pour vérifier votre état d'excitation, ça vous bouscule un homme.

— Oui... bien sûr... je...

179

— Tu sais, j'ai hâte de le sucer, ce gros bâton, mon chéri... et surtout de le sentir vibrer en moi, hein... j'ai bien vu le week-end dernier, à Wiltz, que tu avais envie de moi, avoue !

— Et comment ! Vous... tu étais magnifique !

Rebecca entraîne le fondé de pouvoir dans son salon et sert deux verres de porto. Stanislas, assis dans le divan en cuir fauve, observe son hôtesse de dos, étrangement perchée sur des talons aiguilles noirs. En servant son invité, d'un geste rapide, elle tire sur un des cordons de son peignoir qui s'ouvre aussitôt pour faire admirer sa demi-guêpière en tulle noir à motifs floraux, fermée sur le devant par cinq lacets. Des lacets tellement serrés que ses seins bombés, comprimés l'un contre l'autre, apparaissent comme deux globes prêts à bondir au moindre mouvement inadéquat. Sous le string noir trans-parent, Stanislas distingue facilement la toison bien taillée en rectangle, mais ce qui l'excite aussi c'est ce magnifique porte-jarretelles en dentelle auquel sont accrochés des bas noirs à coutures. Il est plein de fièvre, le fondé de pouvoir. Jamais encore une femme ne s'est offerte à lui dans une telle tenue. D'ailleurs, après une première gorgée de porto, Rebecca se débarrasse prestement de son peignoir satiné qu'elle laisse s'étaler sur le sol et s'assied sur les jambes de Stanislas, dont elle saisit le verre pour le déposer sur la table basse juste à côté d'elle. Ce faisant, elle jette un furtif regard vers la fenêtre, située à un mètre à peine derrière le divan.

— Caresse-moi, Stan... moi aussi, tu sais, ça fait longtemps que j'imagine tes mains sur moi...

partout... si tu défaisais toi-même ces lacets pour commencer, hein ?

*
* *

Debout derrière cette fenêtre à vitraux double teinte, les uns jaunes les autres mauves, quelque peu enfoncé dans un massif de forsythias, Gil observe la scène, sort de sa poche le portable de Rebecca et forme le numéro d'Édouard. Après s'être présenté comme étant *Bel Ami*, tout simplement, il détaille les sous-vêtements érotiques que son épouse a enfilés pour recevoir son amant.

— De qui donc s'agit-il ? demande le P.-D.G.

En déclinant juste le prénom de l'invité, Gil entend que la respiration d'Édouard se fait plus saccadée. De commun accord avec sa maîtresse, il décrit chaque geste, chaque attitude de Rebecca et de son hôte. Les vitraux sont tellement fins qu'il perçoit aussi de temps à autre l'un ou l'autre mots salaces prononcés par la belle bourgeoise, et des bribes du langage plus châtié de Stanislas.

— Il a défait les lacets de la guêpière et a sorti les seins de Rebecca, il les pelote, les presse l'un contre l'autre. Elle ouvre la braguette de Stanislas, sort sa queue et ses couilles... Putain !

— Quoi donc ?

— Il est... monté comme un âne, ce type ! Jamais vu un sexe pareil ! D'ailleurs, d'ici, je vois bien que Rebecca est pleine de fièvre en observant l'engin qu'elle tient à pleine main... Sa guêpière traîne par terre, elle n'est plus qu'en string, porte-jarretelles et bas... Elle se met à genoux devant lui... Je l'entends

181

crier car ce gars-là est en train de lui tordre les mamelons en les étirant...

Aussitôt, Gil plaque le portable contre un des vitraux pour prendre la scène en photo et l'envoyer illico presto à son interlocuteur tandis qu'il entend sa maîtresse gémir et s'extasier en même temps :

— *Oh ! Stan... oui, tords mes bouts... je suis toute à toi... tu es le premier homme que je vois avec une telle bite...*

— *Si tu savais, Rebecca, depuis combien de temps je me masturbe en pensant à tes seins... et à ton cul...*

Après quelques secondes, à l'autre bout de la ligne, il entend :

— Ho ! Mais c'est... d'Aulnoy ! Mon...

Gil ne laisse pas Édouard achever sa phrase, il préfère continuer à raconter ce qu'il voit, et l'excite aussi par ailleurs :

— Elle a lâché la queue de Stanislas, se met debout... il descend le string de Rebecca... il est toujours assis... la bite et les couilles hors du pantalon... elle lui prend la tête et l'appuie contre son bas-ventre... il lui palpe les fesses tout en lui léchant la vulve... il prend les grandes lèvres en bouche... elle halète assez fort, je l'entends... tiens ! quel drôle de bonhomme !

— Mais quoi donc ? Que fait-il ?

— Il a ôté sa bouche de la vulve mais il la tripote à pleine main... oh ! il lui enfonce carrément trois doigts dans le con... et de l'autre main il étire un bout de sein... elle rejette la tête en arrière... pas à dire, elle s'offre vicieusement à ce mec... il dit quelque chose mais je n'entends pas... il a enlevé ses doigts du vagin de Rebecca, par contre, il n'a pas lâché le bout de sein et tire tellement fort qu'elle crie et s'agenouille à nouveau... Oh ! ça alors !

— Mais bon sang, n'arrêtez donc pas !

— Eh bien, il lui fourre ses trois doigts trempés en bouche... elle saisit le braquemart de Stanislas d'une main, de l'autre elle prend le gros paquet de couilles, elle les griffe avec ses longs ongles rouges... cette fois, il enlève ses doigts de la bouche de Rebecca... il la saisit par les cheveux... elle a les yeux hagards... c'est vrai que je n'ai jamais vu une bite aussi épaisse... il lui enfonce son gros gland violacé dans la bouche... non, ce n'est pas possible... il enfonce entièrement sa bite... jusqu'à ce que ses grosses couilles touchent le menton de Rebecca... il lâche ses cheveux... lui saisit les nichons en lui disant quelque chose... ses lèvres rouges montent et descendent le long de la hampe... on dirait qu'elle peine à sucer ce type... ses lèvres sont distendues... tiens, on dirait qu'il... il retire sa bite de la bouche de Rebecca et se met debout... il se dévêt complètement... il bande toujours comme un bouc, ce type, pourtant...

— Pourtant quoi ?

— Je crois qu'il a déjà éjaculé dans la bouche de Rebecca... elle doit tirer la langue et j'aperçois du sperme qui lui coule sur le menton... j'ai l'impression qu'avec lui, elle va être servie... elle doit rester à genoux pendant qu'il se fout à poil... elle soutient ses nichons à deux mains comme pour les lui offrir... putain, sous son allure de type bien rangé, ce gars-là m'a tout l'air d'un dur à cuire... il saisit les cheveux de Rebecca et l'oblige à avancer à genoux jusque devant la grande cheminée... et elle doit toujours tenir ses nichons en main...

Gil prend une nouvelle photo à travers les vitraux, et l'envoie sur-le-champ. Il entend soudain les amants parler bien plus fort, comme si ce Stanislas dévoilait sa vraie personnalité :

— *Je vais te montrer ce que je peux faire avec une bourgeoise aussi salope que toi, Rebecca... ma bite, tu vas t'en souvenir, crois-moi...*

— *Oui, Stan... prends-moi... vite, j'en peux plus... toi t'es un vrai mâle, un mec comme je les aime...*

À l'autre bout du fil, la respiration de l'interlocuteur est de plus saccadée. Gil a envie de raccrocher, de se branler au milieu des branches de forsythia, mais il se retient. Pour l'instant, il est voyeur rapporteur, et il prend sa tâche au sérieux.

— La voilà à quatre pattes devant la cheminée... Stanislas est à genoux derrière elle... il abaisse sa tige toujours aussi raide et... il l'enfonce lentement... Rebecca se cambre, redresse la tête... il la saisit aux hanches... attention, elle tourne la tête vers la fenêtre, vers moi donc... elle a la bouche entrouverte... ah, je les entends...

— *Ouiii... encore... oh ! Stan... j'ai jamais été aussi remplie... oh...*

— *Putain ! Quel con tu as, Rebecca...*

— Stanislas coulisse de plus en plus vite, il secoue Rebecca comme un sac de pommes de terre... d'ici, je l'entends haleter de plus en plus fort... tiens, il arrête de la limer... Oh ! il lui enfonce d'un coup sec un doigt dans... le cul... elle ne s'y attendait pas... elle pousse un long râle en se cambrant plus fort...

je crois que ce type n'en est pas à sa première expérience... il laisse sa bite dans le con, son doigt dans le cul et il passe son autre main sous le ventre de Rebecca... il veut lui montrer qu'il a l'habitude... je l'entends même lui crier :

— *Tu vas voir comme je vais te faire jouir, salope... d'épouse de P.-D.G. !*

— Il fait tourner son doigt dans le cul de Rebecca, tout en faisant coulisser son braquemart dans le con... c'est un as, ce type... et il est sûrement en train de lui triturer aussi le gros bouton... comment fait-il donc, ce mec ?

Plein de fièvre lui aussi, Gil prend une dernière photo avec le portable de Rebecca pour l'envoyer aussitôt à son destinataire privilégié, à deux cents kilomètres de là.

— En tout cas, elle est ravie... parce que... je l'entends jouir, là, devant la cheminée... et pas un peu... il enlève son doigt du cul et sa main de la vulve pour mieux reprendre sa... pute, disons ça comme ça, aux hanches... cette fois, il crie aussi... il est en train de la remplir de son foutre... putain ! pour un premier contact, il a mis le paquet...

Gil entend alors que son interlocuteur a raccroché. Il n'en peut plus, lui non plus. Il referme le portable et file derrière la demeure afin de se soulager lui aussi. D'ici à une demi-heure, le fondé de pouvoir quittera la propriété dans sa Porsche. Mais il ne peut attendre, il rejoint sa voiture par une petite grille située dans le mur d'enceinte du parc, à l'autre bout de la propriété. Avant cela, il prend soin, comme convenu, de transférer les photos prises avec le portable de Rebecca vers le sien, puis de déposer celui de sa maîtresse dans la cachette prévue à cet effet, près de la porte d'entrée de la piscine couverte.

* * *

Sur la route qui le mène à Obernai, il se dit satisfait de cette première étape franchie avec succès par son amante, qui désormais sera plutôt son esclave de sexe. Il sourit en pensant qu'elle est doucement, mais sûrement, occupée à se glisser dans la peau d'une véritable pute, et lui dans celle d'un bien drôle de mac. Néanmoins, il apporte un important correctif à cette pensée. Il n'est nullement question de rentabilité financière dans la démarche qu'ils entreprennent, mais bien d'une recherche de jouissance autant spirituelle que physique, et ce pour chacun d'eux. En fin de compte, ils sont sur la bonne voie pour réaliser ce dont ils rêvaient auparavant tous deux, chacun de son côté : former un couple sulfureux, provocateur et même ignoble par certains côtés.

De retour chez lui, Gil pense aussi qu'il sera difficile de garder Stanislas comme amant pour Rebecca. La raison en est simple : la distance géographique qui les sépare, elle à Strasbourg, lui à Differdange, dans le Grand-Duché de Luxembourg. Si ce beau fondé de pouvoir, doté il est vrai d'un sexe hors du commun, s'est tapé plus de quatre cents bornes en aller-retour pour réaliser son fantasme, se faire sucer et avoir la femme du P.-D.G. au bout de sa queue, il ne pourra renouveler régulièrement l'expérience. Il est marié, donc impossible pour lui

186

de se libérer le week-end. Ou alors, ce serait à coups de congés pris en semaine et puisés dans son quota de congés annuels, au risque de raccourcir la période de vacances de son couple avec enfants. Donc, il faut cogiter, trouver une autre voie pour poursuivre sur cette route de débauche fort bien entamée au demeurant. Mais comme il ne manque pas d'imagination, et que désormais la belle Rebecca se pliera à ses moindres désirs, il ne se fait pas trop de souci. À voir la façon dont elle lui a obéi, c'est qu'il a une réelle emprise sur cette bourgeoise dévergondée. D'ailleurs, dès le lendemain, elle lui téléphone, pour lui prouver à mots couverts sa reconnaissance.

— Ah, mon Gil, c'est fou ce que ça m'a excitée de me donner ainsi à Stan, sachant que tu nous observais derrière la fenêtre, que tu racontais tout à Édouard... Putain ! Quelle bite il a ce type ! Tu ne m'en veux pas de te parler ainsi, hein, mon chéri ? Tu sais que je t'adore, et que je ferai toujours tout ce que tu veux...

— Moi aussi, Rebecca, ça m'excitait... et je vous ai également pris en photo avec ton portable...

— Hein ! ? Mais... tu ne m'avais pas dit que...

— Disons que l'idée m'est venue en voyant ta façon de le sucer... et aussi le plaisir que tu semblais avoir en lui offrant tes beaux nichons...

— Oui, Gil... j'en avais... mais je pensais aussi à toi, j' t' assure... c'est grâce à toi que je recommence à avoir du vrai plaisir, mon chéri...

— Soit ! Le problème, c'est que...

Au grand désappointement de Rebecca, Gil lui explique les difficultés matérielles d'organiser d'autres rendez-vous avec ce bel Apollon monté comme un âne.

— Gil, une bite pareille, je voudrais encore l'avoir en moi, tu comprends... c'est trop... injuste... mais je t'obéirai, mon chéri... quoi qu'il arrive...

Ce genre de propos le conforte dans ses idées libidineuses. Cette emprise sur la belle bourgeoise, il va l'amplifier, et pouvoir enfin donner libre cours à ses goûts pervers, tous ceux que jusqu'à présent il n'exprimait que par sa plume. Néanmoins, pour garder ce pouvoir dominant, il comprend qu'il doit lui-même accéder à l'une ou l'autre demandes de sa chère petite salope. Ce petit contretemps, en fin de compte, lui apportera du temps supplémentaire pour affiner son nouveau projet. Un nouveau rendez-vous entre Rebecca et Stan les ravira tous les deux, ou plutôt tous les trois, et sa belle maîtresse sera bien plus à point pour franchir un autre pas, fort différent il est vrai de ses habitudes en matière de relations charnelles.

* * *

Rebecca obtient donc ce qu'elle désire, le beau Stan revient la voir, plus excité que jamais en se disant réellement privilégié. Évidemment, comme il fallait s'y attendre, il a dû prendre un jour de congé à la banque. Par contre, si la belle bourgeoise est ravie, ce n'est pas le cas de Gil qui, en tant que secrétaire de mairie, ne peut pas se libérer comme il le souhaite pour assister une fois de plus à l'acte de débauche de sa maîtresse.

Quelques jours plus tôt, il est donc allé la voir.

Rebecca lui a montré à quel point elle était heureuse de lui être entièrement soumise, se donnant à lui de toutes les façons imaginables. Ce jour-là, une réunion d'affaires avait obligé Édouard à rentrer du Luxembourg bien plus tard que d'ordinaire. Les amants disposaient ainsi de plus de temps pour forniquer, et Gil a pris sa maîtresse par les trois orifices, avant de se détendre avec elle dans le hammam. C'est là qu'il lui a fait part de la façon dont il désirait qu'elle reçoive Stan, trois jours plus tard.

— Quand il sera parti, tu m'écriras une longue lettre pour me raconter tout, sans rien oublier, n'est-ce pas.

*
* *

Strasbourg, le 6 octobre 2007

Mon Gil chéri,

Ce courrier sera bien plus long que tous ceux que je t'ai envoyés, mais tu m'as demandé de tout raconter, alors je fais un effort. Je vais même tout relire quand j'aurai fini, pour être sûre de n'avoir rien oublié. J'espère qu'ainsi mon maître sera satisfait. Comme tu me l'avais demandé, jeudi je suis allée m'acheter ces sous-vêtements d'un érotisme fou, plus excitants encore que tous ceux que j'ai déjà dans ma collection. Quel effet ! Mais putain, ça me fait vraiment chier que ce ne soit pas toi le premier à m'avoir vue les porter. En plus, tu n'étais pas là pour me photographier. Il faut que tu viennes vite pour me prendre en photo, hein, Gil, et avec un vrai appareil, pas un portable. Moi-même, quand je me suis vue ainsi dans le grand miroir de la salle de bains, juste avant d'accueillir

Stan, je n'en croyais pas mes yeux. J'avais coiffé mes longs cheveux blonds en queue de cheval, avec des franges sur le front, et je m'étais maquillée de façon plus prononcée. Alors, en voyant mon image dans le miroir, j'ai eu peur de la réaction de Stan. Bien sûr, je me doutais qu'il allait être super excité, mais quand même, je me demandais ce qu'il risquait de croire, vu le genre de sous-vêtements que c'était, et qu'on ne porte normalement que pour un type bien précis de cérémonie. Ce soutien-gorge redresse-seins blanc, qui laisse la moitié supérieure de mes nichons à l'air libre, avec les aréoles et les mamelons, tout en les rehaussant, ce string blanc transparent, ce porte-jarretelles en dentelle blanc et ces bas blancs, donnent vraiment l'image d'une putain qu'on apprête pour son mariage. J'avais aussi acheté des talons aiguilles blancs, tout l'attirail quoi !

Par-dessus tout ça, comme tu n'avais rien précisé, j'avais enfilé une robe blanche, descendant jusqu'aux genoux, fendue devant et derrière. Elle était décolletée juste assez pour montrer le dessus de mes seins. Enfin, voilà pour la description de ta petite bourgeoise salope avant de recevoir le fondé de pouvoir de la banque de son mari pour une nouvelle partie de jambes en l'air. Je souris en écrivant cette drôle de phrase, et je mouille rien qu'en me remémorant tout ça.

Quand je lui ai ouvert la porte, vers dix heures trente, bien sûr, il avait l'air follement heureux. (Il m'a même apporté des chocolats que tu goûteras toi-même, sinon je vais encore prendre quelques kilos.) Comme l'autre fois, on s'est embrassés goulûment dans le hall. J'étais terriblement excitée et angoissée en même temps à l'idée qu'il me découvre avec mes nouveaux dessous, et puis, je ne te cache pas que j'avais hâte de voir sa grosse queue, de l'avoir en bouche et dans mon con. Alors, j'avais pas envie que ça traîne, tu comprends. Lui, il était en costume cravate. Je savais très bien qu'il était parti ainsi de chez lui, comme pour une journée de travail à la banque, mais cette cravate, ça ne lui allait pas, et je la lui ai enlevée sur-le-champ. Comme il était trop tôt pour lui servir un alcool, on a pris une tasse de café fort au salon. Il a une nouvelle fois vanté mes formes, m'a demandé comment je faisais pour garder une telle silhouette. Il m'a même affirmé que c'est à moi qu'il pensait quand il baisait sa femme, et qu'à la banque il lui arrivait d'aller dans les toilettes privées pour se masturber en se rappelant ce qu'on avait fait à notre première rencontre. On a aussi parlé un peu de tout, des vacances, et je lui ai raconté que c'est à Ramatuelle que j'étais devenue femme. La conversation a pris une tournure plus intimiste, plus hot, quoi. Après tout, on savait bien tous les deux qu'une seule chose comptait : qu'on baise, que je le suce, qu'il m'enfile, qu'on s'envoie en l'air de toutes les façons possibles. Surtout qu'on avait plus de temps que la fois passée. On était assis sur le divan et en parlant, sa main me caressait la cuisse, remontait jusqu'aux jarretelles. Il m'embrassait dans le cou et posait aussi des baisers sur ma gorge. J'ai écarté les jambes, la fente de ma robe s'est largement ouverte, dévoilant ainsi le bord brodé de mes bas blancs et les jarretelles blanches. Stan s'est alors exclamé :

— Mais... ma parole, on dirait que tu portes des dessous de mariée... putain, tu dois être magnifique... montre-moi...

Aussi enfiévrée que lui, je me suis levée pour me tenir debout face à lui et j'ai ôté ma robe blanche. Quand il a vu mes nichons hors du redresse-seins blanc, avec mes bouts qui dardaient, ce porte-jarretelles blanc et ce string fendu au niveau de la vulve, il est devenu aussi rouge qu'une tomate. J'ai murmuré :

— J'ai imaginé qu'aujourd'hui je devenais... ta femme, Stan. Ça te plaît ?

Il ne m'a pas répondu, a palpé mes seins tant et plus, caressé mes bouts, tandis que je défaisais sa ceinture et sa braguette pour faire tomber son pantalon. En un rien de temps, il s'est retrouvé à poil, avec son énorme bite dressée comme un obélisque. Je tenais la hampe dure, épaisse, dans une main, et dans mon autre paume je serrais ses couilles gonflées et couvertes de longs poils. Il m'a serrée contre lui pour m'embrasser à pleine bouche. Mes mamelons s'écrasaient contre son torse, sa bite raide pressée entre nos bas-ventres.

— Comme j'aurais voulu connaître une pareille... mariée, Rebecca.

— Eh bien, ai-je répondu, fais comme si... c'est pour ça que je me suis apprêtée ainsi pour toi, aujourd'hui, Stan chéri... on a le temps...

Je sentais mon string se tremper plus que d'habitude. Il s'est un peu écarté de moi, a saisi sa grosse queue et me l'a fourrée promptement dans le con par la fente de mon string. De saisissement, j'ai aspiré l'air en ouvrant la bouche toute grande, c'était comme si je m'empalais sur un pieu long et épais. Son gland appuyait contre mon utérus. On est restés ainsi un moment sans bouger, sans rien dire non plus, les yeux dans les yeux. C'était étrange comme situation, son sexe pulsait dans mon vagin, comme si Stan transférait un courant électrique dans mon corps. Son regard était perçant, j'avais l'impression qu'il me transmettait l'ordre de lui appartenir sans devoir

192

prononcer le moindre mot, et que j'acceptais de la même façon.

— Je vais te montrer ce que je pourrais faire avec une pareille épouse, la nuit de noces, belle bourgeoise.

— Tu sais que je n'attends que ça, mon beau et puissant amant, ai-je murmuré.

Ces paroles ont jailli spontanément de ma bouche, j'en ai été moi-même fort étonnée. Il a sorti sa bite de mon sexe, m'a soulevée et prise dans ses bras pour me porter en me demandant de lui montrer le chemin. Une fois dans la grande chambre, il m'a jetée sur le lit en m'ordonnant :

— Allez ! À quatre pattes, comme une brave chienne !

Aussitôt, Stan a arraché mon string, mais m'a laissé mon redresse-seins, mon porte-jarretelles et mes bas blancs..

— Une mariée pareille, il ne doit pas y en avoir beaucoup... on va lui montrer comment un mec, un vrai, peut la prendre sa nuit de noces...

D'entendre cette façon de parler redoublait mon état d'excitation, mais en même temps j'avais peur de quelque chose sans savoir quoi de façon précise. D'un seul coup, sa bite s'est enfoncée dans mon con tout dégoulinant. J'étais tellement excitée que j'ai joui après deux ou trois va-et-vient. Je haletais tandis que Stan me limait, me secouait violemment. Ses couilles dures frappaient contre mes fesses, mais il ne jouissait pas. J'avais déjà pu remarquer la fois précédente à quel point ce type est puissant, mais cette fois... Enfin, je continue. Il m'a retournée sur le dos pour me pénétrer à nouveau. Il s'est penché pour prendre mes mamelons en bouche, les étirer entre les dents tout en restant enfoncé dans mon con. Puis, il s'est redressé, ma respiration était saccadée, j'étais pleine de fièvre, je transpirais. On s'est regardés dans les yeux et embrassés à nouveau à pleine bouche. Nos langues s'entremêlaient avec fougue tandis que mes jambes lui enserraient la taille. À chaque coup de boutoir, sa longue queue provoquait des chuintements obscènes qui m'excitaient de plus en plus. Ma jouissance était intense, entre deux halètements, j'ai balbutié :

— ... oh... Stan... envoie-moi tout ton jus... inonde-moi...

— Pas tout de suite, jolie pute... une mariée pareille, je veux l'épuiser de plaisir...

C'est la première fois qu'un homme m'a tenu de tels propos, pourtant tu sais que des aventures, j'en ai connu, hein, mon maître chéri. Et toi aussi, tu sais me tenir des propos obscènes quand tu me baises. Mais j'ai bien senti que cette fois, cela allait être différent. Tout ça parce que tu m'as fait acheter ces sous-vêtements coquins de mariée, n'est-ce pas, Gil. En un éclair, il s'est remis sur le dos pour que je le chevauche. Je me suis empalée sur son pieu pour monter et descendre pendant qu'il me palpait les nichons et tordait mes bouts de seins. D'une main, il a trituré le sommet de ma vulve pour attraper mon clitoris gonflé et le pincer. Je haletais comme une chienne en chaleur, je crois que je n'étais plus moi-même, et j'ai explosé dans un deuxième orgasme, plus fort encore que le premier. Stan me maintenait lui-même aux hanches pour m'obliger à monter et descendre sur sa bite tout en jouissant.

— Regarde-moi ! Je veux que tu me regardes en jouissant, salope !

J'ai obéi, tout simplement. Le fondé de pouvoir de mon mari me possédait charnellement. Soudain, il a explosé lui aussi, et j'ai senti les spasmes de son membre dans mon con qui se remplissait de son sperme chaud. Je me suis affalée sur lui pour souffler un peu, et sa bite à moitié ramollie est sortie de mon vagin qui dégoulinait. Couchée sur Stan, je sentais son jus couler sur le haut de mes cuisses. J'essayais de reprendre mes esprits. Il m'a caressé la tête et me l'a redressée en me tirant doucement par les cheveux.

— J'ai vu à quel point ça t'excite d'être traitée comme une pute, Rebecca. Tu aimes ça, n'est-ce pas ?

J'ai avalé ma salive, et en fermant les yeux j'ai murmuré « Oui ».

— Alors, je te signale qu'on n'a pas fini. Chose promise chose due ! Je dois montrer à ma « putain d'épouse » qu'elle doit se donner entièrement, aussi long-temps que je le désire.

Je ne savais que répondre, mais je reconnais que tout ça m'excitait drôlement, même si à ce moment je ne savais pas à quoi m'attendre. Il a poussé ma tête vers le bas de son ventre. Malgré qu'il s'était bien vidé dans mon vagin, sa bite molle restait encore grosse, mais elle était toute visqueuse, luisante de ma mouille et de son sperme.

— Suce pour que je rebande !

Étonnée, je suis restée un instant sans réaction.

— Qu'est-ce que tu attends ? Une femme de P.-D.G. qui joue les putes, ça fait tout !

Il m'a ressaisie par les cheveux et a fourré lui-même son membre flasque et gluant dans la bouche. J'ai d'abord eu un haut-le-cœur, puis me suis mise à sucer. Je passais ma langue tout autour de la hampe violacée et sur le méat large ouvert. Circoncis, Stan a un très gros gland en forme de cône qui, une fois de plus, me remplissait la bouche. Mes lèvres carminées étaient distendues, elles montaient et descendaient sur la longue queue qui reprenait vigueur tandis que je palpais les couilles qui se remplissaient à nouveau.

— C'est ça ! Suce-moi bien pour que j'encule la mariée !

C'est vrai qu'avoir une bite dans le cul, j'ai toujours adoré. Mais un tel braquemart, ça m'angoissait, tu comprends. Pour la première fois, moi, la baiseuse hors-pair, comme tu dis, la bourgeoise dévergondée, a eu peur. Je me suis un peu bloquée et j'ai frissonné. Il l'a bien vu :

— Ne me dis pas que ton cul est vierge ! ?

J'ai répondu que j'adorais la sodomie, mais que je n'avais jamais reçu une bite comme la sienne dans mon anus. Il m'a fait remettre à quatre pattes en me disant qu'il allait faire ça en douceur. Il a craché sur mon petit trou et a massé l'entrée avec un doigt. Tout mon corps frissonnait. J'avais peur et envie à la fois. Il a écarté mes fesses pour mieux faire apparaître ma rosette et la lécher lentement. Le bout de sa langue passait et repassait tout autour de ma petite entrée. Ma peau se couvrait de chair de poule, mais au fond, j'étais bien. Cela faisait long-temps que je n'avais plus eu une bite dans le cul, et j'allais recevoir celle du fondé de pouvoir de la banque de mon mari. Tout à coup, mon anus s'est ouvert. La langue pointue de Stan s'est insinuée dans l'entrée, ma respiration redevenait saccadée, je commençais à haleter. Il a retiré sa langue pour la remplacer par un doigt qu'il a fait tourner de gauche à droite tout en l'enfonçant de plus en plus dans mon orifice qui se dilatait. J'ai redressé la tête quand il a rapidement ôté son doigt pour le rem-placer aussitôt par deux doigts en même temps.

— Comme je vois, ma salope, tu mouilles du cul ! Et pas un peu ! Voilà donc une belle mariée qui sait offrir ses trois orifices à son époux !

Il a retiré ses doigts et, écartant mes fesses à deux

mains, a appuyé son gland gonflé. J'ai fermé les yeux et poussé un long gémissement quand j'ai senti Stan pousser pour le faire pénétrer.

— Non... arrête... je n'y arriverai pas... tu es trop..., ai-je bredouillé pleine d'inquiétude.

— Pas question ! Arrête de gémir ! Tu as déjà mon gros gland dans le cul. Sens-le bien et détends-toi. Le reste passera tout seul. Puisque tu as voulu te marier avec moi aujourd'hui, il faut que tes trois trous m'appartiennent. Tu dois être une vraie putain qui se marie ! Compris ?

Je retenais ma respiration. Mais les propos de Stan m'ont aidée, et puis je me disais aussi que je devais être à la hauteur pour toi, mon maître chéri. Pas question de te décevoir dès nos premiers pas sur la voie de la déchéance, n'est-ce pas. J'avais l'impression que le bout de la bite de Stan distendait mes chairs. Il ne bougeait plus, me caressait le bas du dos et les fesses en me disant de me laisser aller. Je me suis détendue et, tout à coup, en me tenant fermement aux hanches, il s'est enfoncé jusqu'au fond, jusqu'à ce que ses couilles dures viennent buter contre mes fesses. Je me suis cambrée et j'ai relevé la tête en hurlant. Pour la première fois, j'avais le cul en feu.

— Chère Madame de la Molinière,
Vous avez dans votre beau cul
La bite tout entière
Du fondé de pouvoir
De votre mari plein d'écus.
Vous pouvez en être fière,
Vous êtes vraiment une bourgeoise salope
Qui inspire quelques vers
À celui qui la prend par l'envers !

197

De le sentir au fond de mon rectum, de l'entendre ainsi me parler comme à l'époque de la Marquise des Anges, me rendait muette de stupéfaction. Ce type me baisait comme un dieu et faisait des vers avec sa bite dans mon cul. On est restés un instant sans bouger. La brûlure s'est lentement estompée, ainsi que la douleur. J'avais l'impression que mon rectum s'était largement ouvert. Stan a fait coulisser sa bite doucement, puis de plus en plus vite. Cette fois, je ne gémissais plus, je haletais. Je goûtais à nouveau au plaisir anal, et avec une bite de dimensions hors catégorie qui me remplissait le fondement. Et penser que j'étais sodomisée par le plus proche collaborateur de mon mari m'excitait drôlement. Je sentais cette tige dure et épaisse entrer et sortir de mon cul en cadence, les couilles de Stan s'écrasaient brutalement entre mes fesses. Il ahanait en me disant cette fois des obscénités plus ordinaires :

— Je vais t'envoyer tout mon foutre dans le cul, jolie mariée, et tu me remercieras.

À ce moment, il a éjaculé en jurant. Sa bite crachait son jus au fond de mes entrailles en se contractant à l'entrée de mon rectum. Il me secouait comme une vulgaire poupée, et j'ai joui en feulant comme une femelle prise par son mâle. Tout mon corps était en proie aux tressaillements. J'avais déjà connu des jouissances anales, mais celle-là était spéciale, due certainement à l'identité de mon enculeur, et à la taille de son pénis. Sa bite toujours dans mon cul, il s'est penché sur mon dos pour empoigner mes nichons et me les peloter tant et plus. Je n'étais plus moi-même, juste sa chose, une poupée dont il faisait ce qu'il voulait. En somme, je n'étais plus que jouissance. Il avait raison, il m'épuisait de plaisir.

Quelques instants plus tard, on s'est retrouvés sous la

douche, et sans dire un mot, on s'est savonné mutuellement. Après m'avoir bien baisée et enculée, le fondé de pouvoir de mon mari m'a donc bien lavée. Après ça, comme il était déjà près de treize heures (eh oui, mon bon maître, plus de deux heures de baise avec ce type « monté comme un âne »), on a mangé tranquillement dans la cuisine. J'étais nue sous ma sortie de bain blanche en tissu éponge, et j'ai mangé assise sur ses jambes. Il m'a confié son dépit de ne pas pouvoir venir souvent, vu la distance qui nous sépare.

— En tout cas, m'a-t-il dit, tu resteras gravée à jamais dans ma mémoire comme la femme la plus...

Je l'ai empêché d'achever sa phrase en l'embrassant à pleine bouche. Je pense que le silence, à ce moment-là, valait mieux que tous les discours, si bien tournés soient-ils, en prose ou en vers.

Voilà donc, mon Gil chéri, comment s'est déroulée ma deuxième rencontre avec le beau Stanislas d'Aulnoy. J'espère de tout cœur que la belle bourgeoise salope donne entière satisfaction à son maître adoré, et qu'il constate que sa petite esclave est bien décidée à toujours lui obéir.

Je t'embrasse, mon Gil, et j'attends impatiemment... ce qui sortira de ton imagination débordante.

                                                    Ta Rebecca

P.S. Il va de soi que je reprendrai mon ton de conteuse pour raconter à ce cher Édouard, du moins s'il en fait la demande, quelle a été la nature de la nouvelle incartade de son épouse.

* *
*

Après une telle lecture, Gil peut être rassuré et poursuivre sans crainte ce qu'il a entamé. Le diable a bel et bien répondu à l'invitation, il lui transmet en quelque sorte son pouvoir sur une belle bourgeoise qui ne semble n'avoir plus qu'un seul souhait : lui offrir son corps tout entier. À lui, Gil ? Ou au diable lui-même ? Il est dix-sept heures trente ce lundi huit octobre. Rentré de la mairie, il s'est évidemment jeté sur cet épais courrier, et même s'il est un peu tôt, il a siroté un whisky en le lisant. Il glisse cette lettre dans une farde réservée à cette intention, et sourit. Un souvenir de lycée lui revient en mémoire : Hegel, *Dialectique du maître et de l'esclave.* « Vraiment chiant, ça ! pense-t-il. Sade ne se posait pas tant de questions, lui ! Vive le plaisir, la jouissance ! Et le reste... basta ! »

Chapitre 11

L'incartade saphique

Le temps passe, apportant aussi bien à Rebecca qu'à Gil son lot de soucis et de plaisirs quotidiens. La belle saison s'est effilochée pour laisser place au climat plus rude de l'Alsace, avec ses vents d'est et du nord amenant la froidure, ou celui d'ouest, moins fréquent mais qui arrose les toits et les visages d'une pluie froide, arrache les feuilles des platanes, bouleaux et marronniers, ne laissant voir que des squelettes bruns et difformes à grands bras nus. C'est aussi la saison des dépressions psychologiques, et qui cette fois frappe à la porte de la gentille Clotilde, loin de s'attendre à pareils déboires sentimentaux.

C'est justement cette triste situation de l'amie intime de Rebecca qui apporte à Gil la pièce manquant à son puzzle pour réaliser un ancien fantasme, et en même temps poursuivre avec la belle bourgeoise le parcours qu'ils ont si bien entamé. Quelle n'est pas la surprise, en effet, pour Rebecca de trouver son amie au bord des larmes lors de sa dernière visite. Son mari la quitte pour filer aux États-Unis vivre avec une Américaine qu'il a rencontrée elle ne sait où. La voilà donc seule, obligée de vivre quelque peu dans l'abstinence, elle qui, tout comme Rebecca d'ailleurs, adore le sexe. Pour une écrivaine érotique, cette frustration est un comble.

Afin d'aider son amie à ne pas sombrer dans cet état dépressif, Rebecca invite Clotilde plus souvent. Elles se retrouvent ainsi régulièrement dans la piscine ou le hammam, et Rebecca est même parvenue à convaincre Clotilde de goûter au plaisir de nager nue ou de prendre son bain de vapeur sans serviette. Petit à petit, Rebecca confie à son amie les frasques auxquelles elle se livre avec la complicité de Gil, confrère de Clotilde. Celle-ci reste abasourdie à l'évocation de ce que ces amants diaboliques osent entreprendre, jusqu'où ils se permettent d'agir dans la provocation.

— Quand je pense que c'est moi qui te l'ai fait rencontrer, cet auteur sulfureux ! ça alors ! déclare-t-elle tandis que son corps ruisselle de vapeur et de transpiration.

Ébahie, certes, Clotilde n'émet en tout cas aucune critique négative quant aux actes accomplis par son amie Rebecca.

— Au moins, toi, tu ne t'ennuies pas, et avec lui tu as retrouvé tout ce qui te manquait tant, ma chérie. Fais gaffe quand même, hein. On ne sait jamais sur qui tu pourrais tomber.

— Pour ça, je peux faire confiance à Gil... Et je suis sûre qu'il serait follement heureux de pouvoir nager ainsi avec nous ou de partager nos séances de hammam.

Les deux amies partent dans un bel éclat de rire, et pour la première fois, Clotilde pique un fard. Ce qui n'échappe pas à l'œil perspicace de Rebecca :

— Je parie que tu l'imagines à poil avec nous, hein, Clotilde ? Avoue ! Tu l'imagines en train de bander face à nous deux et se demandant laquelle il va prendre pour commencer !

Comme sa chère amie ne dit mot mais continue à rire, Rebecca, d'une main, n'hésite pas à palper un sein de Clotilde, tandis que de l'autre elle lui caresse le haut d'une fesse écrasée sur le siège du hammam. Elle se penche aussitôt pour lui chuchoter à l'oreille :

— Ça te plairait, hein, qu'il voie tes beaux gros nichons et ton gros cul, ma belle !

Un peu surprise par le geste de Rebecca, Clotilde n'esquisse néanmoins aucun mouvement de recul. Après tout, ce n'est pas ce gage de tendresse venant de sa plus proche amie qui va la choquer. Surtout qu'avec Rebecca, elle retrouve sa bonne humeur, son envie d'aller de l'avant elle aussi. Entre deux éclats de rire, elle murmure :

— Arrête, Rebecca... tu deviens folle...

Si Rebecca confie à peu près tout de sa vie intime à son amie, elle ne révèle en tout cas pas ce qu'elle considère comme étant l'essentiel, ce qui doit rester absolument secret, que même Clotilde ne pourrait sans doute comprendre : le fait que sa liaison avec Gil devienne désormais un véritable lien maître-esclave, du moins en ce qui concerne la sexualité.

Quant à Gil lui-même, il approuve, insiste même auprès de Rebecca pour qu'elle entretienne cette complicité existant depuis longtemps entre elle et son amie.

— N'oublions pas que c'est grâce à Clotilde que nous nous connaissons, n'est-ce pas, Rebecca, et que nous vivons des moments d'une intensité rare. D'ailleurs...

Ce vendredi deux novembre, lendemain de Toussaint, comme les services administratifs de la mairie d'Obernai ont pris congé, Gil en profite pour s'ébattre avec sa maîtresse dans le nouveau grand lit à baldaquin dont Rebecca et Édouard ont fait l'acquisition une quinzaine de jours plus tôt.

— Ça fait encore plus bourgeois, plus aristo ! Il en rêvait, mais ça me fait chier, moi, ça, mon chéri ! s'exclame Rebecca, allongée nue à côté de Gil, une main sur la bite ramollie et poisseuse de son amant et maître qui vient de la prendre en levrette après qu'elle ait déjà reçu son foutre en bouche.

Gil s'empresse de rectifier, affirmant qu'après tout ce lit convient parfaitement à *la courtisane* qu'elle est devenue.

— D'ailleurs, ma petite salope, je te rappelle que dans ton dernier courrier, fort long mais si enrichissant, tu as établi un certain rapprochement entre toi et la Marquise des Anges. Une idée qui t'est venue quand le fondé de pouvoir de ton mari s'est mis à te parler en vers en te prenant par le cul.

Cette remarque ne peut empêcher la bourgeoise de sourire largement, de rire même, rappelant que cette récréation avec Stanislas restera dans ses très bons souvenirs. Son amant et maître se penche alors vers elle pour lui caresser un sein et prendre sa bouche. Long et fougueux baiser où les langues se nouent dans un ballet effréné. Le moment est venu pour Gil d'expliquer par le détail ce qu'il a prévu comme prochaine *incartade* pour sa bourgeoise salope, sa petite esclave de sexe. Couché sur elle, il lui interdit tout mouvement, écrase son sexe mou et gluant sur la toison poisseuse de Rebecca, ne lâche pas le sein qu'il a empoigné tout en parlant. Les propos de son amant la rendent muette de stupéfaction et, fait inhabituel en ce qui la concerne, elle a le feu aux joues, non pas d'excitation mais bien de surprise. Car c'en est une pour celle qui depuis son adolescence n'a cessé de penser aux relations sexuelles, aux divers plaisirs qu'ils engendrent. Elle qui avait offert sa virginité à son cousin pour son quinzième anniversaire, qui à seize ans s'était livrée simultanément à trois hommes dans un vestiaire d'un club de tennis, qui à dix-sept ans était la maîtresse d'un greffier qui l'a initiée à la sodomie, et qui est désormais l'esclave sexuelle d'un pornographe notoire, elle reste ahurie par la proposition de son amant. Après un court silence, elle balbutie :

— Mais Gil... je n'ai encore jamais fait ça... enfin, tu comprends... ça m'ennuierait si... et puis, je ne sais pas si...

— Mais ma chère Rebecca, ce genre de relation ne peut que nous enrichir, sur tous les plans, qu'ils soient spirituels ou physiques. Et quand je dis *nous*, j'inclus cette chère personne... Elle sera sans doute un peu étonnée au départ, mais je suis persuadé qu'elle sera ravie par la suite. De toute façon, ce genre de choses est sous-entendu dans l'expression *relations charnelles*, n'est-ce pas. Alors, j'exige que tu y goûtes... et en ma présence !

Rebecca prend une longue inspiration, soulève sa poitrine écrasée par son amant. Enfin, elle esquisse un sourire.

— Je vois dans la brillance de vos yeux que ce projet commence à vous intéresser, ma chère petite salope.

— Oui, maître chéri... et en plus, il m'excite.

— Parfait ! Voici donc la façon dont je tiens à ce que les choses se passent...

* * *

Ah, que la vie peut-être belle pour Rebecca quand son P.-D.G. de mari est en voyage d'affaires ! Édouard aux States durant quatre jours pour une série de conférences ayant pour thème les divers consortiums bancaires à travers le monde, le moment est idéal pour les amants pervers de progresser dans la voie qu'ils se sont tracée. Un nouveau pas pourtant bien différent des autres cette fois.

Ce soir de fin novembre donc, l'auteur sulfureux, est invité à dîner à la propriété même. Mais il n'est pas le seul, il y a aussi Clotilde, l'amie de toujours, à qui il est important de redonner le goût des choses agréables de la vie. La tristesse engendrée par le départ de son mari lui a fait perdre un peu de son embonpoint, à la gentille Clotilde, mais pas trop. C'est vrai que les séances de natation et de hammam avec son amie y sont aussi pour quelque chose. Néanmoins, sa poitrine reste généreuse, même si elle est passée du 100 au 95 D, et son cul bien rebondi attire toujours autant les regards de ceux qui préféreraient y poser la main. Afin d'essayer de reprendre un nouvel élan dans cette vie pleine de rebondissements, elle a suivi le conseil de Rebecca et fait teindre ses cheveux en roux, un roux cuivré qui lui va à merveille. À la voir ainsi, vêtue d'une jupe en jean, d'un chemisier jaune entrouvert qui laisse apparaître sa gorge mise en valeur par un soutien noir à balconnet, et surtout cette nouvelle chevelure rousse bouclée qui encadre un visage finement maquillé, on serait à mille lieues de penser que cette femme était au bord de la dépression il y a trois semaines à peine. Quant à Rebecca, elle aussi s'est mise sur son trente et un, mais comme il s'agit d'une circonstance un peu spéciale, elle s'est habillée selon les désirs de son maître. Robe moulante en latex blanc, avec décolleté en carré laissant apparaître le haut des seins, et fendue sur les côtés, suffisamment haut pour qu'on aperçoive le bord brodé des bas blancs et l'élastique d'une jarretelle de même couleur. En outre, elle a accentué le maquillage de ses yeux, ligne verte sous la paupière inférieure, fard vert émeraude s'estompant sur les tempes, cils hyper allongés, lèvres carminées couvertes de gloss. La belle bourgeoise a toute l'apparence d'une vamp à faire bander le moine le plus austère. Incontestablement, ce soir, l'auteur sulfureux est entouré de deux fameuses nanas prêtes à lui faire perdre la tête et oublier la raison pour laquelle il a lui-même incité Rebecca à organiser ce dîner. Les deux femmes ne cessent de s'extasier sur la façon dont chacune s'est apprêtée :

— Que penses-tu, Gil, de la nouvelle apparence de Clotilde ? Pas mal, hein ?

Bien entendu, il abonde dans le sens de sa maîtresse, estimant que les mots « pas mal » ne conviennent absolument pas.

— Je dirais plutôt superbe ! Comment un mec peut-il délaisser une femme aussi jolie ? Avec une poitrine et un cul à damner un saint ! Tu vas voir, Clotilde, ta solitude ne va pas durer longtemps, j'en prends le pari.

Bien sûr, Clotilde est toute souriante de tant d'éloges à son égard, mais reste fort étonnée de la façon dont Rebecca s'est habillée pour cette soirée entre amis.

— Tu es magnifique, ma chérie, dit-elle, mais te voir ainsi, tout en blanc, avec des bas blancs... ça me fait penser à...

Sans ajouter de commentaire, Rebecca et Gil sourient, tout simplement. On en est alors à l'apéritif, dans le grand salon. À la demande de Rebecca, comme novembre a déjà fait descendre le thermomètre fort bas, Gil a allumé un feu dans la cheminée monumentale. Une agréable odeur de chêne et de charme se dégage de l'âtre pour envelopper les convives et répandre dans la pièce une douce chaleur. Comme il se doit en de pareilles circonstances, l'apéritif est doublé, Martini rouge pour les dames, Ricard pour Gil.

— Ce soir, mes chéris, déclare Rebecca dans un élan d'enthousiasme, nous boirons à notre amitié et à nos amours... pas besoin de se surveiller puisque vous ne devrez pas reprendre la route... ça me fait très plaisir que vous dormiez ici, et ça me rassure...

L'atmosphère est à la détente, et Gil demande déjà aux deux femmes de s'asseoir côte à côte sur le divan pour les photographier.

— Deux pareilles créatures, je veux les avoir régulièrement sous les yeux quand je travaille, n'est-ce pas. Ça va m'inspirer.

— Je ne te suffis donc pas, mon chéri ? demande Rebecca, jouant les jalouses.

Voyant qu'elle a ainsi mis son amie dans l'embarras, Rebecca passe un bras autour des épaules de Clotilde pour l'attirer vers elle et lui chuchote à l'oreille, de façon à ce que son amant n'entende rien :

— J'ai envie qu'on le fasse endêver, ma chérie. Caresse ma cuisse.

Clotilde rougit, mais se laisse piquer à ce jeu un peu spécial proposé par sa chère amie. Et puis, après deux Martini, son esprit est déjà fort guilleret. Fébrilement, elle pose donc une main sur la cuisse de Rebecca.

— Vous êtes magnifiques... putain ! Vraiment belles belles belles... ! s'exclame Gil qui prend déjà deux ou trois photos.

Il s'accroupit même pour mieux mitrailler les entrejambes qui s'offrent à son regard de connaisseur. Des cuisses dodues et gainées de Nylon noir pour Clotilde, de Nylon blanc pour Rebecca qui écarte les jambes, laissant ainsi apercevoir son string blanc fendu en son milieu, et la main de son amie posée sur le bord brodé de ses bas blancs.

— Oh ! Clotilde, on va le faire bander dans son

froc, ce cochon de pornographe ! Hein ? ça te dit ? lui murmure-t-elle encore à l'oreille.

La gentille Clotilde, si elle n'est pas surprise par la légèreté de langage de son amie, l'est néanmoins par cette proposition répétée à quelques secondes d'intervalle. Sans compter que son confrère écrivain n'arrête pas de s'extasier lui aussi :

— Waouh ! Vous allez vraiment bien ensemble ! La blonde et la rousse !

Clotilde ne résiste pas au doux baiser que Rebecca lui pose dans le cou et laisse son amie lui ouvrir un bouton de son chemisier jaune pour dégager un sein à peine enveloppé dans le demi-bonnet de son soutien-gorge noir à balconnet. La main de Rebecca glisse rapidement sous le beau globe dont le blanc de la chair tranche avec le noir du tissu. Un geste que Gil immortalise aussitôt avec son numérique. Clotilde, toute enfiévrée, se mordant la lèvre, murmure à son amie :

— Tu exagères un peu, non ?

— Mais non... si tu voyais sa braguette... elle va craquer...

Estimant qu'il faut en garder pour plus tard, Gil déclare alors :

— C'est pas tout ça, hein, garces que vous êtes ! Je suis venu pour partager un bon repas, moi. Et cet apéritif me donne faim.

Rebecca se lève promptement du divan, tandis que Clotilde, d'un geste vif, ramène son chemisier par-dessus son sein.

— Il a raison, mon amant, hein, Cloclo. Surtout que j'ai passé l'après-midi à nous préparer de bons petits plats.

* * *

Gil débouche une bouteille de sancerre, tandis que Rebecca apporte les entrées chaudes de fruits de mer. L'amant de la belle bourgeoise s'installe d'un côté de la grande table en chêne, les femmes prennent place côte à côte, face à lui.

— Mais Gil, s'étonne Clotilde, tu ne t'assieds pas à côté de ta jolie maîtresse ?

— Ah, Clotilde, vous êtes tellement belles toutes les deux que, ce soir, je veux que mes yeux se régalent à chaque instant de vos beautés associées... pour ne pas dire, euh... communiées, c'est ça.

— Holà ! Dis donc, le pornographe, tu ne serais pas en train de donner un nouveau sens à certains mots pour satisfaire ta..., s'exclame l'amie de Rebecca.

— Pour satisfaire sa libido et ses fantasmes d'auteur cochon, tu as raison, ma chérie, réplique Rebecca en s'esclaffant.

Le dîner se déroule dans la bonne humeur, la joie indicible que seuls peuvent connaître des êtres tels que les trois réunis ce soir. Pensez donc : un pornographe, une écrivaine érotique, et une bourgeoise salope devenue la maîtresse du premier par l'entremise de la deuxième. Après les fruits de mer et le sancerre, c'est le magret de canard au gingembre accompagné d'un meursault millésimé. De tels convives, à l'esprit échauffé par les mets et les vins judicieusement choisis, ne peuvent avoir que des sujets de conversation ayant plus pour thème les plaisirs charnels et la jouissance que la politique ou les crises bancaires. Mais l'alcool n'empêche pas Gil de se rappeler la raison de leur présence à tous trois ce soir, et l'objectif qu'il s'est juré d'atteindre avec la complicité de sa maîtresse-esclave. Il sait aussi que face à une intellectuelle comme Clotilde, il va devoir la jouer finement, faire preuve de subtilité et, tel un alchimiste, doser de façon savante son mélange de flatteries et de fantasmes inassouvis.

— Ainsi donc, ma chère consœur, dit-il en s'adressant à Clotilde, j'ai appris que tu venais profiter de la piscine et du hammam, et ce complètement nue avec ma maîtresse. Eh bien !

— Oh ! Tu lui as donc dit ça, Rebecca ? demande Clotilde, les joues en feu.

La belle bourgeoise achève son verre de bourgogne, et s'empresse d'ajouter :

— Pourquoi pas ? D'ailleurs, ça l'a fait bander, tu t'en doutes. J' lui ai même dit que ça te plairait qu'il vienne avec nous dans le hammam, pour le voir avec sa grosse matraque et ses couilles gonflées comme des pêches.

Gil rétorque aussitôt que voir ses deux jolies convives dans leur plus simple appareil ne serait pas du tout pour lui déplaire.

— Dis, Gil, je n'ai pas le physique de vamp de ta maîtresse, hein ! s'exclame Clotilde. Je ne suis pas sûre que mon corps te ferait bander, toi, le pornographe.

— Allons donc, ma bonne amie, ajoute Rebecca. Sache qu'il m'a déjà avoué qu'il adorait ton gros cul et tes gros nichons. Et comme je ne suis pas jalouse...

C'est le moment que choisit Gil pour remettre les

pendules à l'heure, et abattre cette carte qu'il gardait précieusement dans son jeu. Comme s'il se parlait à lui-même, il déclare, le regard noyé dans son verre de meursault :

— Mais non, mais non... Vous ne comprenez pas... Mais voir deux femmes aussi belles, nues, côte à côte... dans les bras l'une de l'autre... j'en ai tellement rêvé... déjà si je vous voyais toutes les deux, là, à table, en sous-vêtements... ah, quelles belles photos je pourrais faire... et comme je serais ravi...

— Oh ! le pauvre chéri... comme il a l'air triste..., déclare avec ironie Rebecca, le visage tourné vers son amie qui se retient de pouffer.

Un clin d'œil complice et elles sont debout, face à Gil, pour ôter lentement l'une sa jupe en jean et son chemisier jaune, l'autre sa robe moulante en latex blanc. Dans un silence quasi religieux, la bite tendue et les couilles gonflées dans son pantalon, Gil observe les deux femmes, resplendissantes dans leurs sous-vêtements, noirs pour Clotilde, blancs pour Rebecca. Il ne sait pas où poser le regard, le pauvre pornographe. Clotilde, bien en chair, mais ô combien attrayante, avec ses gros seins débordant de son soutien-gorge à balconnet, sa culotte noire en dentelle, son porte-jarretelles noir et ses bas à coutures, n'aurait nullement fait tache au côté de Nana ou Satin dans l'œuvre de Zola, ou dans celle de Maupassant, comme pensionnaire de la Maison Tellier. Quant aux sous-vêtements de sa bourgeoise, ils sont particuliers, il s'agit de ceux qu'elle portait pour recevoir Stanislas, le fondé de pouvoir de son mari. Un soutien-gorge redresse-seins qui laisse l'aréole et le mamelon à l'air libre, un string transparent et fendu sur l'avant, juste au niveau de la vulve, un porte-jarretelles et des bas blancs.

— Ça alors, quelle belle mariée érotique tu as dû être, ma chérie ! s'exclame Clotilde, enfiévrée devant son amie.

La réponse fuse aussitôt, éclatante, surprenante, même pour Gil, ravi néanmoins par cette touche de machiavélisme pervers à laquelle il ne s'attendait nullement.

— C'est la première fois que je porte ça, répond Rebecca. Je voulais juste... t'éblouir... enfin, vous éblouir tous les deux... oh ! prends-moi dans tes bras, va...

En feignant cet élan émotionnel, Rebecca plonge son regard dans celui de Clotilde, un regard plein de tendresse, implorant la caresse, et aussi l'amour. Subrepticement, Gil sort de sa poche son portable dernier cri. Cette fois, c'est Clotilde qui, d'un geste délicat, pose les mains sur les seins de Rebecca, prend les mamelons entre les doigts, les pince un peu, s'enfièvre de plus en plus.

— Oh ! Clotilde... ça fait si longtemps que j'ai envie de tes mains sur mon corps...

— Mais... et lui ? murmure la douce amie sans détourner la tête vers son confrère à qui elle fait allusion.

— Lui, tu t'en doutes... cochon comme il est, ce soir il a ce qu'il veut..., rétorque Rebecca en haussant les épaules, sans même se soucier que son amant entende ou non ses propos.

Elle pose les bras autour du cou de Clotilde pour attirer son visage vers elle. D'un geste prompt, sans plus s'occuper de la présence de Gil, comme mue soudain elle aussi par une attirance physique irrésistible, Clotilde abaisse carrément les bonnets de son soutien-gorge noir pour dégager ses gros seins. Soutenus seulement par les armatures, ils éclatent dans la lumière orangée et dansante des flammes de l'âtre, pointant leurs mamelons mauves et épais comme des bigarreaux vers ceux de Rebecca. La bouche de la belle bourgeoise se pose sur celle de son amie tandis que leurs bouts de seins s'écrasent les uns contre les autres, au grand plaisir de Gil qui prend photo sur photo à l'aide de son portable. Bouches soudées, les deux femmes se serrent l'une contre l'autre, dégrafent mutuellement leurs soutiens-gorge pour se retrouver toutes deux en string, porte-jarretelles et bas. Cette fois, Gil n'est plus qu'un meuble, mais un meuble envoûté par le diable qui arrive tout doucement à ses fins. Il s'enfièvre lui aussi face à ce tableau que Monet ou Renoir n'auraient jamais osé peindre. Seul, Rops, peut-être... Rebecca dégage un peu sa bouche carminée des lèvres roses de son amie, juste assez pour que Gil aperçoive les langues accolées dans ce baiser langoureux que se donnent la bourgeoise et son invitée. Il n'hésite pas à prendre les bouches en gros plan, tant avec son appareil numérique qu'avec son portable.

— Dites, les gouines, si on passait au fromage ! Mais vous pouvez rester seins nus, n'ayez crainte, je ne m'immiscerai pas dans vos amours ! ironise-t-il.

Le fromage, elles s'en contrefichent, les nanas. Tandis que Gil remet une bûche dans l'âtre, Rebecca sert une tasse de café fort et un amaretto sur glace, sans oublier le whisky pour son amant délaissé qui, ce soir, n'a droit qu'à un rôle de voyeur, un voyeur bien particulier. Le café est d'ailleurs rapidement avalé ; quant à l'alcool, on en boit une ou deux gorgées, juste de quoi attiser encore un peu plus une certaine impatience.

* * *

Le lit à baldaquin est large, très large même, mais Gil reste debout pour observer Rebecca et Clotilde s'offrir l'une à l'autre sans retenue, la rousse pulpeuse couchée sur le dos, la blonde incendiaire à genoux à côté d'elle. Lentement, la belle bourgeoise a fait descendre la culotte noire de son amie pour dévoiler un pubis entièrement rasé. Entre les cuisses blanches et dodues, la vulve charnue semble démesurée, avec ses deux grandes lèvres épaisses et humides, sur lesquelles Rebecca pose déjà un long baiser tendre. Plutôt qu'ôter son string, Rebecca ouvre la fente dont il est pourvu et tire sur sa vulve pour la faire apparaître de manière obscène, les grandes lèvres coincées par les bords élastiques. Les visages sont fort proches l'un de l'autre, les bouches s'entrouvrent, les langues se touchent, se caressent, tandis que les mains de l'une palpent les nichons de l'autre, jouent avec les mamelons durcis. Gil, tout excité, passe de son numérique à son portable, et vice versa. Par moments, son regard accroche celui de sa maîtresse ou celui de sa consœur. Les gouines se murmurent de tels mots d'amour qu'il finit par se convaincre de la réelle sincérité de sentiments entre les deux femmes.

— Oh ! Clotilde, suce-moi le clito... je veux sentir ta bouche sur ma vulve... et pas rien que ce soir, mon amour...

— Moi aussi, ma chérie... moi aussi...

Ça l'échauffe, et pas un peu, le maître de la jolie esclave qui, en fin de compte, ne fait là que franchir un pas de plus dans leur recherche de plaisirs marginaux. Mais elle y met tant de cœur ! Les corps moites glissent l'un sur l'autre pour se retrouver tête-bêche, jambes bien ouvertes. Aussitôt, des bruits d'impudique succion envahissent la chambre, la vulve de Clotilde disparaît entièrement dans la bouche de Rebecca qui la mâchonne avec une gourmandise peu ordinaire, tandis que Clotilde, plus assoiffée encore par sa longue abstinence, a déjà pris entre ses lèvres le clitoris de son amie pour l'aspirer avidement. Les corps des amoureuses se trémoussent, leurs gorges laissent entendre des gloussements de plaisir qui s'accentuent de plus en plus. Tout à coup, Gil, s'agenouille à côté des femmes, persuadé qu'ainsi il fera encore croître leur niveau d'excitation. Sa bite raide, dressée comme un obélisque, et ses couilles gonflées comme des pêches, lui font mal dans son froc, mais il sait qu'il doit tenir, il ne tient nullement à freiner l'élan amoureux des deux lesbiennes. Doucement, il pose une main sur la tête de Rebecca pour qu'elle ne lâche pas le clitoris qu'elle est en train de sucer si merveilleusement. Il lui saisit les doigts d'une main pour les poser entre les grandes lèvres de la belle Clotilde. Aussitôt, Rebecca enfonce trois doigts dans le vagin trempé de son amie, qui redresse la tête pour pousser un long soupir de plaisir. D'un geste prompt, Gil agit de même avec

Clotilde. Les gloussements des gourgandines redoublent d'intensité. Tout en se suçant goulûment leurs gros boutons, elles font coulisser leurs doigts dans leurs cons respectifs qui dégoulinent de plus en plus. Une odeur de transpiration et de cyprine se répand dans la pièce, enivrante pour Gil qui voit ainsi son vieux fantasme se concrétiser, avec ces deux jolies femmes en train de découvrir le plaisir saphique. Il écarquille les yeux quand il se rend compte que la main de Rebecca a disparu entièrement dans le vagin de Clotilde, dont le corps tout entier luit de transpiration. Tout à coup, leurs bouches s'écartent de la vulve qu'elles suçaient pour laisser éclater leur orgasme simultanément, leurs cris de jouissance résonnent dans la chambre, leurs corps tressaillent, en proie à ce plaisir nouveau qu'elles découvrent. Gil, qui parvient à garder ses esprits en éveil, photographie la scène avec son portable. Il reste stupéfait en constatant que Clotilde, loin d'être rassasiée, se retourne, s'agenouille, enfonce la tête dans les oreillers et écarte ses grosses fesses à deux mains pour laisser voir son anus brunâtre, aux contours striés. Un trou du cul bien rond, tout comme sa propriétaire.

— Oh ! Rebecca... suce-le moi aussi..., balbutie Clotilde, haletante.

Sans hésiter une seule seconde, la bourgeoise se jette sur le cul de son amie, enfouit son visage entre les fesses, passe sa langue tout autour du petit trou qui palpite et s'ouvre sans tarder. Rebecca enfonce aussitôt sa langue pointue, le plus loin possible dans l'entrée du rectum de celle qui ce soir est devenue son amante. Elle sait aussi que son maître est content, elle l'a vu à son sourire, tandis qu'il la prend en photo, le bout de la langue disparaissant dans l'anus de Clotilde. Une Clotilde qui se cambre et halète à n'en plus finir. Gil prend des gros plans du visage de sa consœur, yeux mi-clos, jouissant encore sous la caresse bucco-anale. Rebecca, la bouche meurtrie sans doute, a saisi les hanches de son amie et lentement, respirant par à-coups, lui caresse cette fois les fesses avec ses seins, puis se couche sur le dos de Clotilde pour lui saisir les gros nichons à pleines mains.

— Oh ! Rebecca... quelle jouissance..., balbutie Clotilde.

— Moi aussi, ma chérie... je n'ai encore jamais connu ça..., murmure la bourgeoise.

Doucement, Clotilde se retourne, Rebecca se couche sur elle pour recevoir de longues caresses sur le dos, les fesses. Elles se redressent alors toutes deux, lentement, pour s'asseoir, les jambes de l'une enlaçant la taille de l'autre. Elles se serrent l'une contre l'autre pour s'embrasser longuement, amoureusement. Dernière photo à prendre, pleine de sensualité, d'érotisme, d'amour lesbien.

* *
*

Gil s'est éclipsé dans la salle de bains et se réfugie sous la douche. Ce soir, il a fait preuve d'abnégation, d'une grande maîtrise de soi. Sa satisfaction intérieure est grande, mais il était loin d'imaginer la tournure qu'allait prendre ce pas supplémentaire qu'il faisait accomplir à sa petite bourgeoise salope. Grâce à lui, Clotilde et Rebecca se sont bel et bien déclaré leur amour. Devant lui, elles se sont aimées mieux qu'il n'aurait pu l'imaginer. Pour sûr, les voilà désormais amantes. La bourgeoise, il va donc la partager avec sa consœur. Mais cela ne l'empêchera pas d'aller jusqu'au bout du chemin de débauche que Rebecca et lui ont décidé de suivre.

Tandis qu'il gamberge sous le jet d'eau chaude, la bite raide dans une main pour se soulager enfin, il sent une poitrine s'écraser contre son dos, une main saisir la sienne pour l'empêcher d'astiquer son sexe en souffrance.

— Tu es un merveilleux maître pour elle, Gil... je viens te remercier pour ce que tu viens de nous faire découvrir... je ne te la prendrai que... quand tu n'en auras pas besoin... sois en sûr...

Gil se retourne. Clotilde est nue, face à lui. Il lui empoigne les seins, les palpe, écrase les mamelons dans ses paumes, tandis qu'elle pose ses lèvres roses sur la bouche de son confrère et glisse son sexe tendu entre ses grosses cuisses, sous sa vulve trempée. Puis, elle s'agenouille pour emboucher le gland oblong et violacé. D'une main, elle empoigne les couilles dures, de l'autre elle saisit la hampe du braquemart épais comme un manche de pioche. Gil voit sa bite disparaître entièrement dans la bouche de Clotilde, il n'en peut plus, il s'est retenu trop longtemps. Son sperme gicle au fond de la gorge de la douce amie de Rebecca. Sous le jet d'eau chaude, il ahane à grands cris, laisse lui aussi éclater sa jouissance, tandis que Clotilde avale goulûment son foutre, le pompe, le vide en lui pressant les couilles et les griffant de ses longs ongles roses.

Enfin, sa bite molle sort de la bouche de sa

consœur qu'il aide à se redresser. Aussitôt, sous le regard ébahi de Gil, elle sort de la cabine de douche. Rebecca est là, nue, qui attend, tout sourire. De nouveau, les deux femmes s'enlacent et s'embrassent à pleine bouche. « Elles n'en ont donc pas encore assez ! Elles vont se faire péter les lèvres ! » pense Gil, qui observe en reprenant ses esprits. Tout en s'embrassant, les gouines écrasent leurs poitrines et frottent frénétiquement leurs bas-ventres l'un contre l'autre. Lentement, sous les yeux ébahis de l'amant-maître-voyeur-partenaire-particulier, la bouche rouge de la blonde se détache doucement de la bouche rose de la rousse, pour laisser échapper un important filet de sperme à la commissure de leurs lèvres.

* * *

Devant la cheminée où se consument les dernières bûches, Gil achève son whisky tout en humant l'odeur légèrement épicée du Balmoral qu'il vient d'allumer. Il est seul dans le salon, la belle bourgeoise et son amante prennent une douche à leur tour. Sur son numérique et sur son portable, du moins celui de Rebecca, il fait défiler la bonne trentaine de photos qu'il a prises de sa maîtresse et son amie s'adonnant au plaisir saphique. Un coup d'œil à sa montre, minuit trente. « Tiens ! À Washington, il est dix-huit heures trente, pense-t-il. Ce cher Édouard doit être occupé à prendre l'apéritif lors d'un banquet organisé par l'un ou l'autre grand banquier américain. Si on le secouait un peu, ce bourgeois nanti qui se la pète ! ». Il tire une bouffée de son Balmoral, le dépose dans le cendrier et forme le numéro de portable du P.-D.G. la Molinière. Quelques minutes lui suffisent pour expédier, au-delà de l'Atlantique, une vingtaine de jolies photos, plus érotiques les unes que les autres.

Étonné de ne pas voir revenir sa maîtresse et Clotilde, il gravit quatre à quatre les marches de l'escalier en chêne qui mène à l'étage. Noir absolu, silence total et inquiétant. La gorge nouée, il pousse lentement la porte de la grande chambre pour apercevoir, dans la pénombre, les corps des deux femmes serrés l'un contre l'autre sous l'immense couette du lit à baldaquin. Un instant en arrêt, yeux écarquillés, il s'approche à pas feutrés, entend la lente respiration des belles amantes. Il se penche, soulève délicatement le bord de la couette. Elles sont nues, enlacées, une jambe de Rebecca passée par-dessus la taille de Clotilde, les bouts de seins écrasés les uns contre les autres, tout comme leurs bas-ventres. La chaleur de leurs corps s'élève jusqu'au visage de Gil. Il sourit, approche sa bouche pour poser un baiser sur la joue de sa maîtresse qui tourne lentement la tête, et murmure dans un demi-sommeil :

— Oh ! Gil chéri... tu ne nous en veux pas, hein ?

Clotilde, elle, dort déjà à poings fermés, le visage empreint d'une grande sérénité.

— Absolument pas, ma chérie. Tu es merveilleuse. Passez une bonne nuit toutes les deux.

Il pose un baiser sur la bouche de Rebecca et redescend au salon. N'oubliant rien de son habituelle courtoisie, le Belphégor des alcôves débarrasse la table de la salle à manger, prend les vêtements et les sous-vêtements qui traînent sur le sol, les renifle un peu pour enregistrer leur parfum dans sa mémoire olfactive, puis les pose délicatement sur un fauteuil. Tout en finissant son Balmoral, il rédige un petit mot pour Rebecca, le dépose sur la table de la cuisine, ainsi que le portable, ce coffre-fort au contenu si scandaleux.

Comme il a une clé de la porte d'entrée et connaît parfaitement le fonctionnement de la grille électronique, il quitte la propriété en silence. La bise de cette nuit de novembre le fait quelque peu frissonner tandis qu'il se dirige vers sa voiture. Dans une bonne demi-heure, il sera à Obernai. Malgré le peu d'heures qu'il lui reste pour dormir, il préfère rentrer chez lui plutôt que traverser tout Strasbourg le lendemain matin pour se rendre à la mairie où, hélas ! il n'a pas pris congé. D'un geste automatique, il allume la radio et fredonne pour accompagner Léo Ferré interprétant *C'est extra*.

Chapitre 12

Entre Pigalle et Blanche...

La vie s'écoule comme un long fleuve tranquille pour Rebecca et son amant, sans oublier Clotilde, qui a retrouvé sa joie de vivre. Depuis ce fameux soir où les deux amies ont goûté aux joies charnelles du saphisme, elles se sont aimées plus d'une fois dans le hammam, endroit plus propice qu'une piscine, même couverte, pour échanger baisers et caresses en tous genres, surtout l'hiver. Mais Rebecca a reçu aussi son auteur chéri à d'autres moments, dans le grand lit à baldaquin, où elle confie à Gil ses sensations, ses sentiments profonds qui ont bien changé depuis qu'elle est passée de l'état de bourgeoise salope à celui d'esclave sexuelle. Entre deux baisers, elle avoue qu'elle s'épanouit enfin.

— Je veux dire, mon chéri, que je retrouve cette façon d'exister que je connaissais en tant qu'adolescente, quand j'aimais déjà autre chose que des sucettes à l'anis, être prise par le con et par le cul. Depuis mon mariage, tous ces plaisirs me

225

tournaient le dos... et tu es arrivé... mais j'éprouve aussi un autre sentiment, que j'avais déjà connu à l'époque...

— Quoi donc ?

Rebecca explique à mi-mots que malgré ces incartades commises tant avec Stanislas qu'avec Clotilde, malgré ce plaisir pervers qu'ils éprouvent tous deux dans ces situations de débauche, sans oublier ce plaisir si particulier qu'ils ont à envoyer à son mari les photos d'elle jouissant sous les assauts d'un homme ou d'une femme, elle ressent à nouveau une soif sexuelle de plus en plus croissante, cette insatiabilité excessive qui la rendait presque malade.

— C'est comme si mon apaisement n'était jamais complet, tu comprends... bien sûr, je suis follement heureuse d'être devenue enfin une esclave sexuelle, surtout celle d'un pornographe comme toi...

— Et l'esclave n'est pas satisfaite ?

— Si... enfin...

Rebecca se montre reconnaissante vis-à-vis de son amant, sans lui elle n'aurait jamais connu les jouissances du plaisir saphique. Sans lui, elle n'aurait jamais découvert qu'elle éprouvait autant de plaisir à se donner à une femme qu'à un homme. Mais elle finit par ajouter :

— Tu sais que j'ai lu tous tes ouvrages, n'est-ce pas, Gil. Eh bien, dans tes bouquins, tu pousses tes héroïnes bien plus loin encore sur le chemin de la perversion que tu ne le fais avec moi, qui suis devenue ta petite esclave salope... tu as bien vu que je t'obéissais, et aussi que je trouve du plaisir dans cette obéissance, à me livrer à qui tu choisis et comme tu le désires... alors, voilà : si tu as envie de m'humilier, de m'abaisser, de grâce, Gil, fais-le... fais-le même si tu vois que j'en frissonne d'abord de peur... pour en retirer ensuite un plaisir auquel tout mon corps et mon esprit aspirent !

— Fort bien, fort bien ! C'est tout ce que je souhaitais entendre, déclare l'amant.

Sans le laisser paraître, Gil éprouve une immense satisfaction. Au fond, sa façon de concevoir ses romans, il parvient à la transférer dans la vie réelle. Cette gradation dans la recherche du plaisir pour ses héroïnes, cette lente montée dans l'intensité même des plaisirs interdits, correspondant à une descente tout aussi lente vers les enfers de la dépravation, il réussit à les appliquer avec cette bourgeoise dévergondée qui ne rêvait que de débauche en le lisant. Elle ne se prête pas au jeu, elle le vit avec passion, se livre sans retenue. Tout ça parce qu'elle a épousé un riche bourgeois et qu'elle s'ennuie. Ah, il est bien réel ce proverbe anglais qui dit « Un esprit oisif est l'atelier du diable ! ». En se remémorant ce dicton, Gil sourit et pense : « Il doit être bien content, le diable, qu'il y ait des bourgeoises et des pornographes pour les aider à passer le temps ! »

— N'aie crainte, Rebecca, ton maître cogite... mais n'allons pas trop vite en besogne... et puis, il ne faut pas oublier que mon imagination est dépendante de plusieurs facteurs, dont le plus important est quand même l'emploi du temps de ton P.-D.G. de mari, n'est-ce pas...

* *
*

La fin de cette année paraît tristounette à Rebecca, un peu déçue que son maître, qu'elle aime par-dessus tout, ne fasse pas preuve d'une insatiabilité sexuelle aussi grande que la sienne. Mais elle est bien obligée de se rallier à son avis, la poursuite de leurs aventures sur les voies de la déchéance dépend beaucoup, trop à son goût, du sieur la Molinière. Et en ce mois de décembre, elle ronge son frein, la belle bourgeoise, alors elle retrouve ses jouets favoris, ses sex-toys dont elle a initié son amante Clotilde à l'utilisation pour en retirer le plus grand bénéfice possible. C'est là le seul et triste moyen qu'elle a pour patienter, et elle en profite pour se replonger dans la lecture des derniers ouvrages de son maître ès-sexe. Une patience qui va devoir durer un bon mois.

Pour les fêtes de fin d'année, en effet, Clotilde est partie rejoindre ses parents en Poitou-Charentes. Quant à Gil, comme chaque année, il a été invité chez des amis provençaux, du côté de Cavaillon, où lui aussi passera une dizaine de jours. Rebecca se console en passant, comme chaque année, les congés de Noël à Gstaad, station huppée où elle adore apercevoir l'une ou l'autre vedettes du cinéma ou du petit écran. Bonne skieuse, elle dévale les pistes plusieurs fois par jour, non par plaisir du sport, mais plutôt pour... être fatiguée le soir ! La baise avec Édouard, ça manque toujours de fantaisie, d'imagination. C'est du « vite fait, mal fait », point à la ligne.

Mais avant de quitter la propriété, elle s'est livrée à un rituel auquel elle ne tient pas à déroger :

accrocher des guirlandes dans le sapin. Cela l'a toujours remplie de joie, choisir les boules, les petits sujets à fixer aux branches, entourer le maître des forêts de guirlandes lumineuses, d'autres argentées, râler quand une boule tombe et éclate en mille morceaux. Et surtout, surtout, déposer au pied de l'arbre enfin garni les cadeaux qui surprendront, décevront aussi, peut-être, secrètement sans doute. Une fois le long travail terminé, elle s'est assise pour boire à son aise une tasse de café en observant son œuvre, voir s'il n'y a pas l'une ou l'autre correction à apporter, trop chargé par-ci, pas assez par-là. Cette année, elle s'est même mise à rire seule en imaginant un père Noël descendre par la cheminée, un père Noël plus jeune que d'habitude et à qui elle s'offrirait en guêpière et porte-jarretelles avant qu'il reparte sur son traîneau pour sa longue nuit de distribution de cadeaux. Un père Noël aux couilles aussi gonflées et rouges que ses joues, étonné lui-même de voir soudain sa bite paresseuse durcir dans son large pantalon écarlate. Un père Noël qui, sans même ôter ses gants, prendrait le temps de palper les seins et les fesses d'une bourgeoise si bien balancée. Un père Noël qui repartirait sur son traîneau en sifflant « Ring the bells », après s'être déchargé de son trop-plein de sperme, dont mère Noël ne connaissait même plus l'existence. Comme il serait heureux, ce père Noël, d'avoir fait gicler sa semence dans la bouche de cette bourgeoise salope, une bouche rouge, tentante comme une cerise confite. Pour Rebecca, il est inconcevable de se laisser aller à pareille rêverie sans fouiller dans sa petite culotte, découvrir l'effet que peut avoir sur son sexe un père Noël imaginaire. Elle mouille, elle mouille, la petite bourgeoise salope du pornographe. Et son clitoris gonfle rapidement sous ses doigts aux ongles vernissés de rouge carmin comme ses lèvres qui, en pensée, vont et viennent sur la hampe rigide, parcourue de veinules bleues, du père Noël âgé mais toujours bien vert et au bord de l'arrêt cardiaque en pleine jouissance. Putain ! ça fait si longtemps qu'il n'a plus été sucé ainsi, le brave homme ! Et là, dans le fauteuil de cuir fauve, observant son beau sapin richement décoré, Rebecca s'offre une masturbation qu'elle ne connaissait plus depuis bien longtemps, depuis cette rencontre avec son auteur chéri. « Ah ! Putain ! Qu' c' est bon, quand même, de temps en temps ! » pense-t-elle, yeux mi-clos, joues en feu, la jupe relevée jusqu'en haut des cuisses, la main dans son string rouge.

Le rouge était à l'honneur cet après-midi de fin décembre. Aussi est-elle allée s'acheter sans tarder une nouvelle combinaison de ski. Rouge ! S'ils savaient, tous ces mâles assoiffés qui l'observent sur la piste, élégante et sexy, moulée dans cette tenue écarlate, sous sa toque de fourrure blanche, s'ils savaient qu'après tout elle pense juste... au père Noël !

* * *

C'est en mars de l'année suivante que Gil comprend vraiment qu'il va pouvoir aller plus loin encore dans la domination de sa maîtresse, que la totale soumission de Rebecca à son maître amant n'est pas un vain mot.

Le Salon du Livre à Paris, lieu de rencontre privilégié des intellos de tout poil, sert aussi de prétexte à Rebecca pour sortir de sa province avec la bénédiction de son époux. Bien entendu, l'amie Clotilde représente l'alibi idéal, même si cette année, exceptionnellement, elle n'y dédicace pas, comme son confrère Gil. Mais la fin justifie les moyens, et pour atteindre son objectif, un mensonge de plus ou de moins... !

— Ça fait si longtemps que je rêve d'aller à ce Salon du Livre à Paris, Édouard. Alors, cette année, comme Clotilde dédicace trois jours de suite, elle est d'accord pour m'emmener avec elle. On logerait dans la même chambre à l'hôtel, et pendant qu'elle dédicacera je ferais le tour du salon ou je découvrirais quelques boutiques parisiennes.

— Je sens, chère Rebecca, que ta carte bancaire va encore beaucoup chauffer et que ton compte risque de souffrir de cette escapade dans la capitale. Et le soir, je suppose que ton amie et toi, vous irez au Moulin Rouge ou au Crazy Horse, plutôt qu'au théâtre. Étant donné le genre de livres qu'écrit cette Clotilde, et vu tes goûts pervers...

— Mais la sensualité, Édouard, la beauté des corps nus, il n'y a que ça de vrai dans la vie, n'est-ce pas, mon chéri. Et puis, on ne sait pas encore ce que nous ferons le soir, mais je te raconterai, c'est promis.

Dans le TGV qui l'emmène à Paris pour trois jours et deux nuits, Rebecca retrouve bien entendu son amant et maître, mais pas Clotilde, restée à Obernai.

Elle, elle ira plus tard à Angoulême. Ça fera une petite escapade de plus.

— J'espère que tu n'as pas oublié ta carte bancaire ? demande Gil, tout sourire.

— Bien sûr que non. Je ne vais pas venir à Paris sans y faire quelques achats dans les boutiques les plus réputées.

*
* *

Dix heures trente, Gil salue son éditeur, présente son amie qui attire déjà au passage bien des regards admiratifs. Il salue aussi quelques confrères attablés. Comme il dédicace à partir de quinze heures, les amants ont le temps de déposer leurs bagages à l'hôtel Mercure Montmartre, dans le 18e arrondissement.

— Mais pourquoi diable êtes-vous allé choisir un hôtel aussi éloigné du Salon, mon cher Gil ? lui demande son éditeur. Et en plus, dans Pigalle, si vous vous promenez avec une aussi charmante dame à vos côtés...

Un clin d'œil de l'éditeur suffit pour comprendre l'allusion, mais Gil, tout aussi apte à jongler avec les mots qu'à louvoyer dans les entretiens, réplique illico :

— C'est pour moi l'endroit le plus pittoresque de Paris, avec ses cabarets où Toulouse-Lautrec et Bruant ont passé la plus belle tranche de leur vie. Je tiens à les faire découvrir à Rebecca. Et puis, l'endroit ne manque pas non plus de superbes magasins où elle pourra dépenser son argent.

De parfaite connivence, ni Gil ni Rebecca ne

dévoilent la véritable identité de cette dernière. Pas question de faire jaser. Dans un salon littéraire, une rumeur se répand plus rapidement qu'une traînée de poudre. Après un déjeuner frugal, les amants font déjà un peu de shopping, mais pas celui escompté par Rebecca. Néanmoins, elle est ravie d'entrer avec Gil dans une boutique de lingerie fine.

— C'est moi qui choisis, n'est-ce pas, lui rappelle son amant.

— Bien sûr... C'est la première fois de ma vie qu'un homme entre dans un tel magasin pour choisir lui-même ce qu'il veut me voir porter.

On sort d'un magasin pour entrer dans un autre de prêt-à-porter, et Rebecca se soumet avec un réel plaisir à de nombreux essayages. C'est tout enfiévrés que les amants rapportent rapidement leurs achats à l'hôtel avant de prendre un taxi pour filer à l'autre bout de Paris. Ça commence bien, Gil sera déjà en retard de vingt minutes sur le stand de son éditeur. Qu'à cela ne tienne, il restera plus longtemps. Et puis, maintenant, les achats sont faits. C'est vrai que la carte bancaire de Rebecca a beaucoup chauffé, mais pour une bourgeoise fortunée, il s'agit là d'une dépense insignifiante. Par contre, la nature même des achats correspond vraiment à leurs goûts personnels, très personnels, à l'un comme à l'autre.

*
* *

— Alors, ma chère Rebecca, si tu me racontais tes deux soirées à Paris ? Pas la peine de te demander quelle pièce de théâtre tu es allée voir avec ton amie

Clotilde. Je suppose que vous avez préféré des spectacles d'un autre genre.

Ce vendredi vingt et un mars, Édouard de la Molinière sent monter en lui la sève nouvelle, il est d'humeur joyeuse. C'est le printemps, les actions sont en hausse, sa banque est bien cotée sur le marché financier, toute cette journée a été ensoleillée. Et dans son pantalon, sa zigounette a frétillé tout l'après-midi à la vue de sa jeune et jolie secrétaire court vêtue. Rentré du Luxembourg vers dix-huit heures trente, il s'est servi un whisky avant de passer à table. Mais ce n'est qu'à la fin du repas, après avoir épuisé les habituels sujets de conversations, entretien du parc, de la piscine, du hammam, changement probable de voiture, qu'il en est venu enfin à s'intéresser aux trois jours que Rebecca a passés à Paris.

— Es-tu bien sûr, Édouard, que tu es prêt à tout entendre de la bouche de ta chère épouse ?

Déjà, le P.-D.G. jubile, il sent une petite fièvre lui monter aux joues. Bien sûr, le Larrivet-Haut-Brion, un Pessac-Léognan de huit ans d'âge, y est sans doute aussi pour quelque chose, mais le fait d'imaginer que sa Rebecca va lui raconter avec force détails un numéro de strip-tease du Moulin Rouge ou du Crazy Horse le fait saliver comme un vieux pervers. Il est pourtant loin du compte, le sieur de la Molinière. Sa gorge se noue, il avale difficilement sa dernière gorgée de vin en entendant sa femme déclarer tout de go, empruntant son ton de conteuse qui lui va si bien :

— *Eh bien, mon chéri, Clotilde et moi, nous ne sommes allées ni au théâtre ni dans ces cabarets que tu méprises et pourtant de renommée mondiale. En lieu et place, nous nous sommes intéressées aux jolies putes qui font le trottoir entre la place Pigalle et la place Blanche.*

Toujours très à cheval sur ses vieux principes bourgeois, Édouard avait gardé sa cravate pour dîner. Mais face à de tels propos, il doit la dénouer, et bredouille :

— Mais... ma parole, c'est de la folie ! Tu...

— *Attends ! Écoute plutôt, c'était fort agréable et très enrichissant. Et surtout, mon chéri, ne m'interromps pas... Tiens, sers-moi donc une petite liqueur...*

— Je suppose qu'il me faut aussi un cognac pour entendre ces choses vulgaires, choquantes, mais que ton amie et toi trouvez si enrichissantes... Enfin !

Dès qu'il a déposé les verres sur la table, Rebecca boit une gorgée de Mandarine Napoléon, se passe la langue sur ses lèvres peintes en rose, et entame son récit.

— *Eh bien, voilà ! Mercredi, il faisait tellement bon, la température était si douce qu'à vingt-deux heures, les hommes se baladaient encore en chemise à manches courtes, les jeunes filles avaient déjà sorti leurs mini-jupes et leurs T-shirts décolletés. Et les putes, elles en profitent pour sortir le grand jeu, c'est le début du printemps et du grand déballage des appas. Y' en avait une, Édouard, putain... !*

— Eh bien ? Je suis tout ouïe.

— *Elle avait une cigarette au bec, des lèvres rouges écarlates, des yeux maquillés à outrance, ses cheveux blonds traînaient sur ses épaules nues. Elle portait une mini-jupe de cuir fendue sur l'avant et l'arrière. À chaque pas, on voyait ses jarretelles noires qui tenaient ses bas* résille. *Elle avait un T-shirt en latex façon léopard, seulement retenu par deux fines bretelles, et exagérément décolleté pour montrer ses nichons bien galbés, rehaussés par un soutien-gorge rouge à balconnet. Avec ça, un petit sac crocodile en bandoulière. Tu vas rire, Édouard, mais comme on passait à côté d'elle, Clotilde a laissé tomber ses clés pour jeter un rapide coup d'œil et voir ce que cette pute portait sous sa jupe. Et là, alors... !*

— Ne me dis pas qu'elle ne portait rien ? Note que ça ne m'étonnerait pas de la part d'une vulgaire pute qui fait le trottoir à Paris.

— *Non, mais c'était bien plus obscène. Elle avait un string rouge, fendu lui aussi sur l'avant. Et par la fente de son string, cette jolie putain (parce qu'elle était fort belle, tu sais, la fille de joie) avait fait passer entièrement sa vulve, comme pour lui donner un peu d'air, quoi !*

À ces mots, Édouard avale de travers une lampée de cognac, son cœur cogne dans ses tempes. Et dans son pantalon, le cher P.-D.G. sent subitement sa queue donner quelques signes de raideur.

— Bon ! Et à part cette tenue vulgaire qui semble vous avoir éblouies, qu'avez-vous appris d'autre ?

— *Eh bien, justement. Pour entendre les propos de la putain en question, on a marché dans le même sens qu'elle en regardant les vitrines des boutiques, comme si de rien n'était, tu vois. Perchée sur des talons aiguilles de dix centimètres, elle avançait d'un pas lent sur le trottoir, tirait nerveusement sur sa cigarette. Une Noire s'est approchée d'elle. Elle portait une robe ultra-moulante en cuir rouge, et était fort maquillée elle aussi. On a écouté leur conversation. « — T'es nouvelle, ici, toi ! qu'elle lui a dit. Tâche de n' pas marcher sur mes plates-bandes, hein ! Comment tu t'appelles ? Moi, c'est*

Vénus ! — Candice ! a répondu la blonde. — Et tu tra-
vailles pour qui ? Max-le-frappeur ou Julot-le-brûleur ? »

Édouard esquisse un sourire, rit même un peu, il
est toujours de plus en plus étonné d'entendre son
épouse raconter une histoire salace, indigne de son
rang, mais surtout avec un ton de maraîchère. Ça le
change du langage financier, du ton employé entre
P.-D.G. chez qui on ne pourrait pas glisser une
feuille à cigarette entre les fesses quand ils tiennent
un discours à un million d'euros. Il écoute donc la
suite avec le ravissement d'un gamin qui entend sa
première histoire cochonne.

— Candice a balbutié que son mac s'appelait Pierrot
et qu'il la surveillait de l'autre côté du boulevard de
Clichy. D'un signe de tête, elle l'a montré. On a cherché
aussi des yeux, tu penses. On a vu un gars en costume-
cravate, coiffé d'un Borsalino et fumant le cigare. « — Il
a l'air sévère, ce gars-là. Je m' trompe ? a demandé
Vénus. — Ben... si j' rapporte pas assez, il me bâillonne,
m'attache à poil au bout de son lit, et m'encule à sec
après m'avoir obligée à fumer son reste de cigare par le
con ! — Putain ! Y sont tous pareils. Moi, j'ramasse des
baffes en pleine poire, y m' a déjà brûlé l'intérieur des
cuisses avec ses mégots ! J' te jure ! Quelle galère ! Bon,
fais gaffe à pas trop causer, sinon... ! » Effectivement, le
mac en question a traversé le boulevard. Vénus s'est
éloignée, elle ne tenait pas à être mêlée à cette discussion
entre le mac et sa pute. Le type ne s'est pas occupé de
nous, il voulait sans doute nous impressionner, sachant
qu'on écoutait. Candice, malgré son maquillage
outrancier, était pleine de fièvre, la pauvre. Le beau
Pierrot lui a saisi brutalement un bras pour la rappeler à
l'ordre : « — T'es pas là pour faire la causette aux autres

putes, merde ! qu'il lui a dit. Va ainsi jusqu'à la place Blanche ! Et tâche d'en accrocher, sinon, tu sais ce qui t'attend ! » On est restées stupéfaites en voyant ce qu'il a fait.

— Quoi donc, quoi donc ? demande Édouard, de plus en plus excité, le feu aux joues, et se resservant un cognac.

— *Eh bien, en parlant, Pierrot a carrément abaissé le décolleté du T-shirt en tissu léopard sous le soutien-gorge rouge à balconnet de Candice. Il a même sorti un sein, l'a peloté et elle s'est dirigée ainsi lentement vers la place Blanche, un nichon à l'air, une nouvelle cigarette en bouche. Nous, on est rentrées, il était presque minuit. Mais on l'a revue le lendemain, hier soir donc. Elle avait la même tenue et son mac la surveillait toujours. Elle a encore eu une petite conversation avec la noire Vénus, et on a appris ainsi que la veille, comme elle n'avait pas rapporté assez de fric, son mac l'avait bel et bien punie selon la façon qu'elle avait décrite la veille. À une heure du matin, il l'a bâillonnée, attachée nue au pied de son lit, enfoncé son cigare dans le vagin, et il l'a prise par le cul en la faisant gémir de douleur. La pauvre !*

— La pauvre, la pauvre ! Comme tu y vas ! Elle n'a eu que ce qu'elle méritait, la garce ! Après tout, dans toute profession, il faut être rentable ! Sinon... ! Il a bien fait, après tout, ce... Pierrot !

À ces mots, Rebecca se lève de sa chaise. Tout sourire, elle déclare :

— Je reviens dans cinq minutes, mon chéri. Allume donc un cigare, ça créera une atmosphère adéquate.

Avec son cognac, un bon havane n'est pas de refus, et Édouard a tôt fait d'en allumer un, attendant patiemment le retour de sa chère épouse qui endosse si bien le rôle de conteuse perverse. Dix minutes sont vite passées, d'autant qu'il a mis sur la platine de son tourne-disques dernier cri un vieux 33T d'Oscar Peterson. Mais quand Rebecca apparaît, il reste stupéfait, bouche bée, les yeux exorbités, son rythme cardiaque s'emballe. Ah, elle est superbe, la bourgeoise, aguicheuse en diable, perchée sur ses talons aiguilles de dix centimètres, avec sa mini-jupe de cuir noir fendue devant et derrière, son T-shirt en latex léopard ultra décolleté, et ses bas résille. En outre, elle a changé le maquillage léger qu'elle arborait pour un maquillage bien plus sophistiqué, plutôt outrancier même : yeux charbonneux, lèvres carminées couvertes de gloss. Elle s'approche d'Édouard, plus enfiévré que jamais. Il s'apprête à lâcher l'un ou l'autre mots de reproche, car ce n'est pas une tenue pour une bourgeoise, épouse d'un P.-D.G. de banque, n'est-ce pas. Mais il n'en a pas le temps. Face à lui, à cinquante ou soixante centimètres à peine, sa chère épouse soulève les pans de sa mini-jupe de cuir. La respiration d'Édouard se bloque : par la fente centrale de son string rouge, Rebecca a fait passer entièrement sa vulve tout humide. Spectacle obscène ! Sans oublier ce porte-jarretelles en cuir qui tient le bord brodé des bas résille ! Le visage d'Édouard n'a jamais été aussi enfiévré, sa bite va exploser dans son pantalon, ça, il ne peut le cacher. Il est à deux doigts de laisser tomber son cigare. Tenant sa jupette relevée d'une main, de l'autre Rebecca abaisse, en même temps et d'un geste rapide, un côté de son T-shirt léopard et un bonnet de son soutien-gorge rouge pigeonnant pour sortir un sein. Rayonnante de provocation, elle déclare :

— Cher Édouard, Candice, la belle pute qui faisait le trottoir à Paris, le sexe et un nichon à l'air libre, c'était moi ! Tu dois être satisfait. Comme je n'ai pas été rentable, j'ai été punie par mon mac !

* * *

Dès le lendemain, Rebecca envoie un énième courrier à son amant, une longue lettre dans laquelle elle lui réitère sa reconnaissance, notamment de... « *... m'avoir acceptée comme esclave sexuelle... de me faire connaître des jouissances intenses dans l'humiliation, dans l'abandon de moi-même, dans l'abandon surtout de mon statut de bourgeoise qui me colle à la peau alors qu'au fond de moi, je me sens de plus en plus salope...* » Elle écrit encore : « *... en faisant la pute pour toi sur les trottoirs de Paris, j'ai mouillé comme jamais... et mon état d'excitation doit avoir atteint son paroxysme quand tu m'as obligée à marcher jusqu'à la place Blanche avec un nichon entièrement sorti... je suis sûre que tu bandais ferme, mon chéri, mon mac d'un soir, mon maître adoré... mais j'avais peur, que se serait-il passé si un combi de police m'avait embarquée ? Pourtant, j'en frissonnais d'excitation. Dois-je aussi t'avouer qu'en te voyant jouer le jeu à fond, j'ai joui tandis que, attachée nue au pied de notre lit, tu m'as enfoncé ton cigare dans le con avant de me sodomiser sans préparation.* »

Elle raconte aussi de quelle manière elle a raconté cette nouvelle incartade à son mari, la veille, ajoutant même : « *Il ne savait plus dire un mot en me voyant ainsi, jupe relevée, le sexe sorti de mon string et un nichon dehors. Alors, j'ai moi-même ouvert sa braguette pour sortir son sexe plus raide qu'une matraque. J'ai passé mes bras autour du cou d'Édouard et, jambes écartées, me suis empalée sur sa bite dressée comme un obélisque. Il a fermé les yeux pour mieux me sentir monter et descendre, j'ai posé mes lèvres sur les siennes pour lui demander :*

— Alors, mon cher époux, c'est-y pas bon d'enfiler une pute de trottoir à Paris ?

Évidemment, comme d'habitude, il a pratiquement joui tout de suite, sans même m'attendre. J'ai accéléré la cadence de l'ascenseur pour vite le vider. Je sais que ce ne sera jamais lui qui me procurera du plaisir. »

En lisant ces confidences sulfureuses, qui n'ont plus rien à envier à ce qu'il écrit lui-même dans ses romans, Gil éprouve un grand, un immense sentiment de satisfaction. Jamais il n'aurait cru qu'une telle concrétisation de fantasmes pervers était possible. Cette fois, il n'a plus aucun doute à se faire quant à la personnalité profonde de cette magnifique femme de trente-sept ans qui n'a de bourgeois que son ascendance et sa relation maritale avec cet Édouard de la Molinière. D'ailleurs, les dernières phrases de sa lettre sont là pour étayer ses pensées, le conforter dans ses certitudes : « *... Mais après tout, on peut être bourgeoise et salope, non ? La fortune permet bien des choses, même de se plonger dans les plaisirs les plus bas, et de satisfaire ainsi ses instincts de femelle assoiffée de sexe... Ta Rebecca, ta petite esclave...* »

Chapitre 13

Monsieur Vincent

Il devient de moins en moins facile à l'amant de Rebecca de jongler avec son emploi du temps et les périodes de liberté dont elle jouit selon les absences du mari pour voyage d'affaires. Pourtant, comme il dispose enfin de ce dont tout homme pervers rêve, à savoir une jeune et jolie maîtresse prête à tout et encore plus pour le satisfaire, il se doit de se montrer à la hauteur de l'insatiabilité sexuelle grandissante de cette bourgeoise plus perverse que lui. Or, un vieux fantasme vient de resurgir de sa mémoire, un fantasme qu'il caressait déjà bien avant de devenir auteur porno. Pour être assouvi, ce fantasme requiert non seulement le consentement mais aussi la participation active d'une femme qui prendrait son pied dans cette réalisation, tout autant que lui. Et ce genre de femme est maintenant à sa disposition.

Avant d'en parler à Rebecca, il faut d'abord qu'il obtienne celui de ce patron d'un genre spécial, un gars qui s'est bien enrichi grâce à ses affaires. Le problème, c'est qu'il vit en Belgique, et que ses activités sont réparties plutôt dans la partie nord du pays. Ce n'est donc pas la porte à côté. Pour que la bourgeoise puisse mener à bien cette nouvelle *incartade*, il faudra qu'elle dispose de trois ou quatre jours de totale liberté. C'est dire si les voies de la déchéance sur lesquelles Rebecca et Gil se sont engagés sont parsemées d'obstacles. Mais quand on est animé d'un instinct de perversion tel que le leur, rien n'est insurmontable pour trouver sans cesse de nouvelles jouissances dans des plaisirs interdits, où la bassesse le dispute à l'humiliation, la soumission à l'orgie.

Après moult coups de téléphone, Gil parvient à retrouver cette ancienne connaissance. Un certain Vincent R..., Français d'origine, avec qui il avait effectué son service militaire dans le même régiment de la Force Navale et sur le même destroyer. À la quille, Vincent avait confié à Gil qu'il partait s'installer en Belgique pour y placer l'argent dont il disposait dans une entreprise dont il n'avait donné aucun détail. Les deux anciens marins s'étaient retrouvés, il y a deux ans à peine, dans un restaurant de la région de Mouscron, près de la frontière belge. Juste le temps de se confier ce qu'ils étaient devenus chacun de son côté et d'échanger leurs numéros de téléphone. Gil était alors en voyage d'affaires avec quelques collègues de la mairie, pour des échanges culturels et sportifs entre deux communes. « Quand je pense à ce que nous faisons chacun de notre côté, le fait que nous nous soyons retrouvés prouve à suffisance que le hasard n'existe pas ! » pense Gil en travaillant sur la mise au point de ce nouveau projet d'incartade pour sa belle bourgeoise. Ce projet, s'il va satisfaire son vice et celui de sa maîtresse, va aussi lui amener un surcroît de travail. Mais comme il s'agit d'un travail d'écriture dans un domaine parallèle à celui dans lequel sa plume a l'habitude de s'épanouir, cela n'est pas pour lui déplaire. Le hic, c'est qu'il va devoir prendre sur ses jours de congés pour le réaliser. Tant pis ! Le vice n'a pas de prix !

D'abord réticente à l'idée de passer une semaine dans le nord de la Belgique, Rebecca finit par se laisser convaincre. Après tout, poser en petite tenue derrière une vitrine, comme le font les putes là-bas pour attirer le client, apportera sûrement un piment supplémentaire dans cette recherche de plaisirs nouveaux. Elle rencontrera donc au préalable ce Vincent, comme le lui a demandé son amant.

— À toi de le convaincre aussi, insiste Gil. Moi, j'agirai seulement comme photographe pour confectionner son catalogue de luxe.

* * *

Mercredi, le 12 juin 2008, 17 heures

Mon Gil chéri,

Comme Édouard ne rentrera pas avant dix-neuf heures, j'ai du temps pour t'écrire et te raconter comment s'est passé cet entretien que tu m'avais programmé ce matin avec ton ami Vincent. Je vais donc tâcher de ne rien oublier, et de te raconter tout en détail, même les plus... délicats, disons ça comme ça, car je suis persuadée que tu vas être étonné d'apprendre certains côtés de ton ami. En tout cas, j'ai tout fait pour être à la hauteur, comme tu me l'avais demandé, et sois rassuré, il est impatient que je pose derrière la vitrine de ses bars. J'ai d'abord été surprise de le voir entrer dans l'allée au volant d'un cabriolet Rolls Royce blanc. Je ne pensais jamais qu'un patron de bars à putes pouvait être aussi riche, mais bon. Je l'ai fait asseoir et lui ai servi une bière exactement comme tu me l'avais demandé, ce qui l'a bien fait sourire. On ne dirait vraiment pas qu'il a la cinquantaine, ton ami. Avec ses cheveux abondants et bouclés, châtain foncé, ses lunettes à monture métallique, et sa cigarette au bec, il a tout l'air du séducteur qui en connaît un bout sur les femmes. Après tout, c'est vrai que les femmes, c'est plus son métier que le tien, n'est-ce pas, mon chéri. Je te taquine, tu t'en doutes.

Bon ! J'te raconte. J'avais soigné mon maquillage et noué mes cheveux en queue de cheval. Comme il était venu pour me « voir en nature » (c'est toi qui as utilisé cette expression) avec ma collection de lingerie, j'avais enfilé, sous ma jupe boutonnée devant, un porte-jarretelles couleur bordeaux et des bas de soie noire à couture. Je portais aussi une mini-culotte transparente type Tanga et un soutien-gorge à demi-bonnets, laissant apparaître le bord des aréoles. Enfin, j'avais passé un chemisier fuchsia, transparent et sans manches. Quand la sonnerie de l'entrée a retenti, un long frisson m'a envahie. C'était comme si j'allais passer une audition pour un nouvel emploi.

Tout en buvant sa bière (dont je ne retiens pas le nom), il m'a beaucoup flattée, disant que j'étais encore plus belle qu'en photo. « Et puis, a-t-il ajouté, vous avez la classe ! Ce que mes p'tit' dames n'ont pas. » On a d'abord parlé de la propriété, de la vie à Strasbourg, et puis des bars à putes en Belgique qui, en fin de compte, sont bel et bien des maisons closes. Je lui ai resservi une autre bière et un porto pour moi. Petit à petit, je me suis détendue. Et puis, on commençait à rire parce qu'il disait que je devais être bien servie avec un amant auteur porno comme toi. Enfin, j'ai fini par me dire que ton idée de me faire poser dans ses bars n'était pas si idiote, surtout avec un patron aussi sympa. Il a alors sorti un carnet de sa poche en disant :

— Si nous passions aux choses sérieuses ?

Il m'a expliqué qu'il aimait décider de ce que devaient porter « ses filles » dans les vitrines. D'ailleurs, il leur offrait souvent des sous-vêtements. Il a même ajouté que ça lui plairait de pouvoir m'en offrir aussi. Décidément, ton ami, je trouvais qu'il allait un peu vite en besogne. Et pourtant, ses paroles échauffaient mes sens. Je m'imaginais dans une boutique de lingerie en compagnie de ce mac de cinquante ans, à l'allure de dragueur. (C'est ce qu'on a fait à Paris, non ? Et toi aussi, tu as joué au mac de cinquante piges, hein !).

— Voyez d'abord ceux que je possède, monsieur, ai-je répondu gentiment.

Il m'a demandé de ne plus l'appeler « monsieur », ça mettait trop de distance entre nous.

— Seules les filles qui travaillent pour moi me donnent du « monsieur ». Entre nous, ce n'est pas la même chose, n'est-ce pas ?

Il me mettait vraiment à l'aise, ce Vincent. Il était assis dans un fauteuil du salon. Face à lui, toute enfiévrée, j'ai ôté ma jupe et mon chemisier, pour me retrouver en porte-jarretelles, bas noirs, Tanga et soutien-gorge pigeonnant. Il prenait des notes dans son carnet, m'expliquait qu'il notait le type de sous-vêtements que *j'avais sur moi, afin de décider lesquels je porterais en vitrine.*

— Puis-je voir vos dessous de plus près, comme j'en ai l'habitude avec mes employées ?

Excitée d'être comparée à celles qui travaillaient pour lui, je me suis approchée. Il m'a demandé d'écarter les jambes et a passé ses doigts sous le tissu transparent du Tanga. À deux mains, il a ouvert la fente de la culotte, et sans que j'oppose la moindre résistance, il a tiré sur mes grandes lèvres pour les faire dépasser. Bien sûr, ce n'est pas la première fois que ma vulve passe ainsi, mais cette fois la situation était totalement différente. J'avais affaire à un patron de bordels, un vrai mac, et je mouillais sur ses doigts, j'te jure. Je me sentais comme une marchandise qu'on examine avant d'acheter. Il m'a fait asseoir en face de lui, sur le divan, jambes écartées. Ainsi donc, chez moi, j'étais en train de prendre des poses osées dictées par un patron de bars à putes. Et ça m'excitait ! Il a continué à prendre des notes, puis s'est levé pour s'approcher du divan où je me tenais écartelée. En me regardant dans les yeux, il a insisté :

— Je peux faire comme avec mes filles, n'est-ce pas ?

La réponse que je lui ai faite m'a étonnée moi-même :

— Ne me demandez plus de permission... Vincent.

Il a palpé les bonnets de mon soutien-gorge.

— Ce soutien cache trop. Montrez-moi ce que vous avez d'autre.

J'ai filé dans la chambre. J'avais tout préparé sur mon lit. J'ai passé ma guêpière lacée sur le devant et le mini-string de cuir, avec les bas noirs. Vincent a souri en me voyant revenir ainsi dans le salon. Il s'est approché de moi et a défait trois des lacets de ma guêpière pour que mes seins soient presque sortis, déclarant que je poserais ainsi dans une des vitrines.

— Mais je tiens à ce que vous ne soyez pas blonde dans tous mes bars, a-t-il précisé. N'ayez crainte, j'ai ce qu'il vous faut. Vous serez méconnaissable et hyper sexy.

Puis, j'ai passé le soutien-gorge à bonnets troués, la culotte à bords brodés et fente centrale, ainsi qu'un porte-jarretelles noir avec des bas à couture. J'ai trouvé bizarre qu'il s'intéresse à mes oreilles, mais j'ai vite compris pourquoi. J'y avais accroché des boucles d'oreilles avec clips de fermeture. Je suis restée comme tétanisée, incapable de dire ou faire quoi que ce soit quand il les a décrochées pour les clipser à mes mamelons qui passaient par les trous de mon soutien-gorge. Entre ses mains, j'étais comme une marionnette, un jouet qu'il décorait à sa guise, cela me procurait une excitation incroyable. Il m'a fait asseoir sur le divan, m'a pris une jambe qu'il a posée sur un bras du sofa en me demandant d'adopter une pose lascive, tête en arrière, bras ballants.

— Magnifique ! Sincèrement, je n'ai encore jamais eu une pareille... fille en vitrine ! Fermez les yeux et ne bougez plus !

Je sentais les doigts de Vincent ouvrir la fente de ma culotte pour sortir ma vulve, comme quelques instants plus tôt avec le Tanga. Je mouillais de plus en plus. En murmurant, il m'a demandé :

— Je suppose que ton auteur porno n'est pas jaloux, n'est-ce pas... ce serait plutôt paradoxal...

Il se mettait tout à coup à me tutoyer, mais vu la situation, j'ai trouvé ça normal. J'ai donc répondu que notre relation était basée sur la perversité, j'ai même ajouté (mais j'aurais p'têt' pas dû, hein, mon chéri ?) qu'on adorait la débauche.

— Parfait ! C'est ce qu'il y a de mieux, ma p'tit'.

J'avais son souffle sur mon visage. Il s'était assis à côté de moi et jouait avec le pendentif accroché au bout de mon nichon. J'ai ouvert les yeux, excitée, et tourné mon visage vers le sien. Sa bouche s'est collée à la mienne et j'ai entrouvert les lèvres pour recevoir sa langue. Il me pelotait en tirant sur la boucle d'oreille accrochée à mon mamelon pour me faire gémir contre sa bouche. Je n'en pouvais plus, alors j'ai tendu la main vers sa braguette et sorti son sexe dur. J'ai passé la main dans son pantalon pour dégager aussi ses couilles très velues. Sans dire un mot, il m'a couchée sur le divan et j'ai écarté les jambes. Sa queue s'est aussitôt enfoncée dans mon con qui ruisselait depuis un bon moment. Il a fait ça sans ôter ma culotte, me pénétrant par la fente pratiquée à cet effet. J'étais tellement excitée que j'ai eu un violent orgasme. Moi, la bourgeoise strasbourgeoise, j'étais baisée, chez moi, par un patron de bars à putes en Belgique. Baisée en sous-vêtements érotiques, avec des boucles d'oreilles accrochées à mes nichons. Et j'allais poser dans ses vitrines, tout ça pour satisfaire le vice de mon amant, mon maître adoré, toi, mon Gil chéri. Tu comprends que mon excitation était à son comble, n'est-ce pas. Sous les coups de boutoir de mon mac occasionnel, je haletais comme une dingue. Puisque j'ai promis de tout écrire, il faut que je précise que Vincent a une longue bite, bien épaisse. Je la sentais comprimée entre mes parois, et ses grosses couilles velues battaient contre mon entrejambe. Il m'embrassait à pleine bouche, j'avais passé les bras autour de son cou. Tout en me ramonant la chatte à coups de queue, il me tenait des propos qui m'excitaient :

— Aucune de mes putes ne m'a jamais allumé autant.

Quel dommage que tu ne travailles pas pour moi ! Je ferais de toi ma première fille. La favorite du harem.

Il a éjaculé tant et plus dans mon con, et j'ai eu un nouvel orgasme. En haletant, j'ai balbutié :

— Alors, je devrais... t'appeler « monsieur Vincent »... comme les autres ?

— Bien sûr ! Quelle question !

Pendant qu'il rajustait son pantalon, je suis allée à la salle de bains faire un brin de toilette. Je suis revenue au living en mini-jupe de cuir, collant noir, et T-shirt moulant sans manches, et sans soutien. Mes bouts gonflés tendaient le fin tissu. Vincent me regardait attentivement.

— Quel dommage que tu sois si riche, Rebecca ! Sinon..., a-t-il déclaré en achevant sa troisième bière que je venais de lui servir.

Comme j'étais étonnée de sa remarque, il a précisé que si je n'avais pas appartenu à la haute bourgeoisie, il aurait pu faire de moi une femme très riche, et même son associée.

— Avec le corps que tu as... et tes capacités sexuelles... enfin, je voudrais quand même te demander une faveur...

En riant, je lui ai répondu que je venais déjà de lui en accorder une belle. Il m'a alors expliqué qu'il allait ouvrir un nouveau bar sur une autre route, entre Liège et Saint-Trond, à l'est de Bruxelles. Une route qu'on surnomme « La Route de l'Amour », tant les bars à putes y sont nombreux. Et pour ce bar-là, il voudrait une inauguration un peu spéciale, à laquelle je participerais. J'ai franchement été abasourdie quand il m'a donné les détails d'une scène qu'il avait lui-même imaginée. À l'écouter, j'en étais déjà excitée. Il a été ravi quand je lui ai donné mon accord, et on s'est juré de ne rien te dévoiler. Ça va te faire une

251

fameuse surprise. J'ai ajouté que je ferais de mon mieux pour que son catalogue soit une réussite. Voilà, mon chéri ! Tu vois, j'ai fait tout ce qu'il fallait pour impressionner ton ami Vincent, et surtout je l'ai fait en pensant à toi, à nous, à notre chemin des fantasmes. Bien sûr, cet entretien est allé plus loin que tu ne pouvais sans doute l'imaginer, mais c'était le risque à prendre, n'est-ce pas. N'aie crainte, va, mon esprit est toujours entièrement à toi, rien qu'à toi. Lui et mon corps ne sont là que pour te servir, servir tes désirs secrets, tes fantasmes les plus pervers dans lesquels je veux être la seule actrice, et surtout la meilleure. Je t'obéirai toujours.

Ta bourgeoise salope

Chapitre 14

1. Une bourgeoise en vitrine

Bizarrement, Édouard de la Molinière ne voit guère d'un bon œil cette absence prolongée de Rebecca. Même si, une fois de plus, c'est soi-disant en compagnie de son amie Clotilde qu'elle passera une semaine à Bray-Dunes.

— Toi qui adores Saint-Tropez, ce n'est pas à la mer du Nord que tu trouveras soleil et chaleur, n'est-ce pas.

— D'accord, Édouard, mais Clotilde est dans une période un peu dépressive. Elle a loué cet appartement parce qu'elle a besoin d'iode, et elle serait vraiment ravie que je puisse l'accompagner. De toute façon, tu n'as rien à craindre, la gouvernante est bonne cuisinière, elle ne te laissera pas mourir de faim. Et puis, une semaine après mon retour, nous filerons à Ramatuelle, comme chaque année.

Ainsi dit, ainsi fait.

Aussi étrange que cela puisse paraître, le lundi seize juin, Gil et Rebecca prennent la route chacun dans sa voiture. Un peu stupide, c'est vrai, mais la raison en est, encore et toujours, d'ordre sexuel, ou plutôt cette fois sensuel. L'amant de la bourgeoise s'est facilement laissé convaincre par les chauds arguments de sa maîtresse perverse. De l'appartement mis à leur disposition à Bray-Dunes, elle partira toujours environ une heure avant lui pour rejoindre les bars de Monsieur Vincent. Le GPS est une magnifique invention, et Rebecca sait l'utiliser à bon escient.

— Ainsi, ce n'est qu'en me photographiant en vitrine que tu découvriras dans quelle tenue je pose. Ce sera chaque fois une surprise pour toi. Et je ferai tout pour que tu ne me reconnaisses pas, ajoute Rebecca en riant.

Par chance, cette semaine-là, le climat est clément sur le Nord. Du vent, certes, mais pas de pluie, un ciel serein, avec des apparitions fréquentes du soleil. Les trajets à effectuer sont ainsi bien plus agréables et la bonne humeur est de mise, sans parler de l'excitation.

*
* *

En effet, alors qu'il en a déjà vu d'autres avec sa Rebecca, Gil est tout enfiévré lorsque, le mardi, sur le coup de dix-huit heures, il gare sa voiture le long du trottoir dans une avenue fort fréquentée d'Ath, première étape de ce périple spécial en Belgique. Tout enfiévré parce que, malgré tout ce qu'il a déjà pu écrire comme bouquins pornos, il va enfin réaliser son vieux fantasme, qui n'a pourtant rien de pornographique. Mains tremblantes, il saisit son appareil photo et s'approche de ce bar dont on

254

aperçoit déjà la vitrine à une bonne cinquantaine de mètres. Entourée de néons rouges, elle se détache nettement du reste des façades. Deux femmes dans la vitrine, assises chacune dans un fauteuil Emmanuelle. Deux filles magnifiques, en sous-vêtements sexy, mais première surprise pour Gil, elles ont la même coiffure ! Toute bouclée et rousse pour l'une, blonde pour l'autre. Maquillage prononcé mais pas outrancier. La blonde, dotée d'une fort belle poitrine, porte un soutien-gorge et une culotte de couleur noire, transparents tous les deux. Elle a aussi un porte-jarretelles et des bas noirs à couture. Quant à la rousse, elle porte un soutien-gorge blanc à demi-bonnets, qui rehausse les seins en les comprimant l'un contre l'autre. Sa mini-culotte est transparente, mais impossible de voir la couleur de sa toison à cause des reflets des néons qui plongent les filles dans une lumière rougeoyante. Elle a enfilé un porte-jarretelles et des bas blancs, comme une jeune mariée. Dès qu'elles aperçoivent le photographe installé de l'autre côté de l'avenue et équipé d'un télé-objectif, les deux nanas commencent à adopter des attitudes provocantes. La rousse se caresse langoureusement les seins, écarte les cuisses pour qu'on aperçoive mieux sa mini-culotte transparente. La blonde entrouvre la bouche, se passe la langue sur les lèvres tout en regardant les hommes qui passent sur l'avenue et ralentissent le pas pour reluquer ces filles avec des yeux exorbités. Tout en se caressant la chatte par-dessus le fin tissu de sa culotte noire, elle abaisse lentement un bonnet de son soutien-gorge pour dégager son gros nichon sous la lumière rougeoyante du néon. Il bande comme un bouc, le pauvre Gil, et d'où il est, même en zoomant, il lui est impossible de reconnaître laquelle de ces deux putes est sa Rebecca. Après avoir pris suffisamment de photos avec un Hasselblad et un Canon (il est équipé comme un pro, le pornographe), sans oublier d'en faire quelques-unes avec son portable, il fait un petit signe aux deux nanas en vitrine. Une main sous la bouche en cœur, l'autre soulevant un sein, elles lui envoient un baiser. Toujours enfiévré, la braguette prête à craquer, il regagne sa voiture pour filer vers Tournai. Comme convenu, il s'arrêtera sur la route et attendra de voir passer la voiture de Rebecca pour lui laisser prendre un peu d'avance. Il sourit en la repérant dans le flot d'automobiles filant sur l'autoroute. Elle a ses cheveux blonds traînant sur les épaules, si elle a pu les cacher sous une perruque, blonde ou rousse, et qu'elle fait de même dans la prochaine vitrine, il la reconnaîtra, c'est sûr.

« La garce ! » pense Gil en écarquillant les yeux. Derrière une vitrine éclairée cette fois par des néons verts, deux femmes sont assises côte à côte dans des bergères Louis XVI. L'une a de longs cheveux noirs, l'autre des cheveux roux mi-longs aux pointes recourbées vers l'intérieur. Comme précédemment, les deux putes ont un corps semblable, avec des mensurations pratiquement identiques. « À croire qu'elles sortent toutes du même moule ! Et Rebecca avec ! » pense encore Gil, rageur et toujours aussi excité. La noire de cheveux porte des sous-vêtements rouges et transparents, porte-jarretelles en dentelle rouge, bas rouges et hauts talons de même couleur. Quant à la rousse, elle porte des sous-vêtements en cuir noir, guêpière à longues jarretelles, string, et bas noirs à couture. Cette fois, elles n'ont pas lésiné sur le maquillage, plutôt outrancier, et jambes bien écartées, elles tendent leurs poitrines vers l'avant en direction du photographe, bien plus près de la vitrine qu'à Ath.

Il est plus de vingt et une heures ce soir-là quand les amants réintègrent leur appartement de Bray-Dunes. Sans plus attendre, ils se jettent l'un sur l'autre comme des bêtes en rut. Tandis que Gil la prend vigoureusement en levrette, il avoue à sa maîtresse qu'il est plus excité que jamais :

— J'ai vraiment l'impression de baiser avec une pute de bar en Belgique ! Tu ne m'as jamais excité autant, Rebecca !

Haletante, en proie à des orgasmes à répétition, la bourgeoise avoue à son amant que poser ainsi comme une simple pute derrière une vitrine lui a provoqué, à elle aussi, une excitation hors du commun.

— Ce qui m'a excité le plus, c'était de ne pas savoir laquelle des deux tu étais, Rebecca. En tout cas, on dirait que...

— Que ?

— Que tu as ça dans le sang ! Allez, dis-moi : laquelle étais-tu à Ath, et laquelle à Tournai ?

La réponse fuse, claire, nette, déterminée :

— Jamais ! Ni demain... ni après-demain... ainsi, tu banderas comme un bouc dans ton froc, mon salaud... tout comme les mecs qui m'ont matée derrière la vitrine...

À ces mots, les mains empoignant les hanches de sa bourgeoise perverse, le pornographe la secoue comme il ne l'a encore jamais fait, lui envoie une incroyable quantité de foutre dans le con trempé qu'il pistonne avec rage.

— Rebecca... tu es vraiment la pire salope que je connaisse... même dans mes bouquins elles ne sont pas aussi... putes que toi...

— Oui... ouiiii... aahh... Gil... j'ai jamais joui ainsi...

Ce n'est que sur le coup de vingt-deux heures trente que, ce soir-là, les amants diaboliques poussent la porte d'un grand restaurant de Dunkerque pour, enfin, dîner calmement.

* * *

Ainsi donc, chaque matin, Rebecca et Gil profitent de la plage de Bray-Dunes, fort peu fréquentée à cette époque de l'année. Après un déjeuner frugal, il faut prendre la route pour Mouscron, Malines, Anvers, et Gand, ces communes où monsieur Vincent possède ses bars. De jour en jour, de ville en ville, de bar en bar, l'excitation va croissant, tant pour l'un que pour l'autre. Et chaque soir, avant même de filer à Dunkerque ou à La Panne, juste à quelques kilomètres de l'autre côté de la frontière, pour se restaurer, Rebecca se donne entièrement à son maître, lui offre sa bouche, son con et son cul. Bien plus rapidement qu'elle ne le pensait, elle s'est laissée gagner par l'exhibitionnisme dans lequel elle trouve, comme l'avait prévu monsieur Vincent, des sensations nouvelles. Se montrer en vitrine, avoir des attitudes provocantes, obscènes même face aux passants de tous bords, de toutes races, qui la regardent avec envie tandis qu'elle se caresse la chatte ou un nichon, ça la fait mouiller abondamment, la bourgeoise. D'autant plus que certains badauds lui font aussi des gestes peu équivoques. Par jeu, elle ne dévoile jamais à son amant quelle coiffure, quelle tenue érotique elle arbore dans la vitrine qu'il doit photographier. Chacun y trouve son compte, après tout. Quant à Vincent, il ne vient se rendre compte du travail effectué par Gil, et aussi bien entendu par *sa fille occasionnelle*, qu'une seule fois, à Malines. Il reste près de son ami qui photographie la vitrine, installé sur le trottoir d'en face, et rit de bon cœur quand le pornographe devenu photographe lui avoue qu'il lui est impossible de reconnaître Rebecca, vu qu'elle arbore un look totalement différent de celui qu'il connaît, sans oublier les sous-vêtements nouveaux.

— En tout cas, on dirait qu'elle n'a jamais fait que ça ! Elle est vraiment super, ta nana, Gil !

— Ah, mais, c'est vrai ! J'y pense ! Toi, Vincent, tu sais laquelle des deux est Rebecca, puisque c'est toi qui lui as payé ses...

— Écoute ! Elle m'a confié que vous étiez pervers tous les deux, et moi j'aime ça. Sinon, je ne serais pas à la tête d'une chaîne de bars à putes. Donc, je ne vais rien te révéler, n'est-ce pas, Gil. Ça nuirait à votre bonheur, non ? ajoute-t-il en riant de plus belle.

Sur ces paroles, Monsieur Vincent repart, disant qu'il donnera bientôt de ses nouvelles. Ce qu'il fait le jeudi, soit la veille de l'ouverture de son nouveau bar à Alost. Soirée fort spéciale, il est vrai, pour l'inauguration de cet établissement où, derrière la vitrine, Rebecca joue une scène d'un érotisme exacerbé face à des dizaines de clients potentiels restés à l'extérieur. Comme il s'agit d'une soirée d'ouverture, la « nouvelle vitrine » n'est dévoilée au public qu'à partir de vingt heures, en présence du patron. Vincent veut faire ça en grande pompe pour attirer une clientèle plus select.

Dès le matin, la tension est palpable, aussi bien chez Gil que chez sa maîtresse. À croire que chacun sent au fond de soi-même que quelque chose de spécial va se passer, que cette journée ne sera pas comme les autres. Surtout que sur un ton faussement ennuyé, au lit, au réveil, pressant ses seins nus contre le torse de son amant et tenant dans sa main chaude le sexe qui l'a pénétrée quelques heures plus tôt, elle a expliqué, câline et amoureuse :

— Tu sais, mon chéri, il faut que je te dise : hier, ton ami m'a appelée sur mon portable. Les gérantes des bars où j'ai posé cette semaine lui ont téléphoné. Il paraît qu'elles lui ont dit qu'elles n'avaient jamais vu une... aussi belle pute dans leur vitrine, qui avait des attitudes aussi osées. Alors, pour l'inauguration de son nouvel établissement, ton ami m'a demandé de rester un peu plus longtemps après... ce que tu verras dans la vitrine... je n'ai pas osé refuser... enfin, tu comprends... c'est quand même grâce à lui que tu réalises ton vieux fantasme, n'est-ce pas, mon salaud chéri...

Elle a ajouté, sur un ton plutôt aguichant, avec une pointe de provocation sensuelle ponctuée par un long baiser sur les lèvres :

— Il s'agira que tu ne loupes rien de cette inauguration pour satisfaire ton ami Vincent. Je parle des photos, bien entendu.

— N'aie crainte, j'en ai déjà une bonne centaine, dont j'ai envoyé quelques-unes à ton cher mari qui doit se morfondre à Strasbourg, le pauvre ! rétorque Gil avec ironie.

Sur sa lancée, Rebecca ajoute que, bien entendu, dès les photos prises, Gil sera invité à sabrer le champagne à l'intérieur. Néanmoins, Monsieur Vincent aimerait que son ami lui accorde une grande faveur. Gil a la gorge nouée, reste sans voix, sent naître en lui, pour la première fois, une pointe de jalousie, sentiment qu'il ne connaissait pas auparavant, qu'il exécrait même. Et ce Vincent, fort adroitement, passe par Rebecca pour lui faire cette demande. Hélas ! lui non plus ne peut refuser, il se sent pris au piège : service pour service. Mais dans ce drôle de marchandage, il se rend compte que Rebecca sert juste de... monnaie d'échange !

— Bah ! Tu peux bien faire ça, hein, mon chéri... De toute façon, dès demain, je s'rai de nouveau toute à toi... tout ça, ça fait partie de notre chemin des délices, non ?

— Soit ! Je dois me montrer bon prince. Mais cela fait déjà la deuxième fois qu'il me semble que je perds le contrôle du jeu, et je n'aime pas ça, Rebecca ! Dès demain, je sais donc ce que j'ai à faire.

C'est néanmoins avec la bénédiction de son amant que Rebecca quitte Bray-Dunes dès treize heures pour rejoindre Alost. Non seulement il y quelques réglages et mises au point à effectuer pour l'inauguration, mais il y a aussi plus de cent vingt kilomètres de route à se farcir. La journée sera longue.

* *
*

Gil reste ahuri en arrivant, se demande même s'il ne s'est pas trompé d'adresse. Mais non, c'est bien là. Par une petite allée latérale, il accède à un parking aménagé dans l'enceinte même d'un établissement en retrait par rapport à la route. Un bâtiment en L dont, de l'extérieur, on ne voit que l'étage et l'enseigne lumineuse, car une haie de lauriers-cerises haute de deux mètres sépare le parking de la route. Comme il descend de sa voiture avec ses appareils photo, un gardien de sécurité lui demande son identité. Simple formalité vu que les gens qui arrivent ont été invités.

— Faites à votre aise, monsieur, précise le gardien de parking, qui laisse tomber par mégarde quelques prospectus et autres cartons d'invitation.

Gil en saisit un pour lire que « *le spectacle de trente minutes offert en vitrine par deux superbes actrices de films X, se déroulera trois fois entre vingt et vingt-trois heures* ». Déjà, il avale sa salive de travers, sent monter en lui une drôle de fièvre. Une trentaine d'hommes de tous âges se pressent devant cette vitrine qui fait face au parking. Une vitrine plus grande que celle des autres bars, entourée de néons bleus mais qu'on ne voit pas de la route. Une vitrine pour privilégiés en somme. Première surprise : cette fois, Gil reconnaît sa Rebecca, non seulement parce qu'elle a gardé sa coiffure blonde, nouée en queue de cheval, mais aussi parce que l'autre fille est une Noire. Le maquillage de sa maîtresse est plus accentué que d'habitude : lèvres rouges et brillantes, ligne noire épaisse au bord de la paupière supérieure, plus fine sous l'œil, paupières fardées de vert, cils hyper allongés au mascara noir. Quant à la seconde surprise, elle est de taille. Rebecca est étendue sur un sofa de velours rouge, elle porte un soutien-gorge constitué de lanières de cuir noir clouté qui lui enserrent juste le pourtour des seins à la base, laissant presque l'entièreté à l'air libre. Par la pression des lanières, les nichons de Rebecca apparaissent gonflés comme deux gros globes, avec aréoles et mamelons maquillés comme ses lèvres. D'autres lanières de cuir lui servent de string, entourant le bas-ventre, laissant bien visibles sa toison rectangulaire et sa vulve. Elle porte aussi un collier de cuir clouté et des cuissardes montant à mi-cuisses. Déjà, en la voyant dans cette tenue, Gil sent son sexe se raidir dans son pantalon, mais il est là pour photographier, et Vincent compte sur lui pour son catalogue. Il n'a donc pas l'occasion de laisser son regard jouir du spectacle comme les autres hommes qui l'entourent. À une extrémité du sofa, la splendide Noire, aux cheveux défrisés, perchée sur des talons aiguilles rouges, portant une longue robe blanche transparente et un collier de cuir rouge autour du cou, se tient penchée au-dessus de Rebecca pour lui caresser les seins. Elle aussi est très maquillée, mais ses lèvres sont peintes en rose et ses paupières fardées de bleu azur. Une chaînette d'environ un mètre relie les colliers des deux femmes, ce qui ajoute encore à cet érotisme déjà fort prononcé. Gil prend photo sur photo, change régulièrement de place malgré les grognements des autres spectateurs, fort enfiévrés eux aussi et dont certains n'hésitent pas à se tâter la braguette comme si de rien n'était. Pour sûr, ils doivent bander ferme, tout comme lui. Sans s'occuper de leurs spectateurs d'un soir ni du photographe, les deux nanas de Monsieur Vincent s'adonnent alors au plaisir saphique. Se penchant plus au-dessus de sa collègue, la Noire lui étire un mamelon pour le prendre en bouche. D'un geste rapide, Rebecca défait alors les agrafes qui retiennent la longue robe blanche de la Noire aux épaules. Et celle-ci se retrouve entièrement nue, montrant des seins plantureux, aux larges aréoles et aux mamelons peints en rose comme sa bouche, un bas-ventre lisse, sans la moindre trace de poils, avec une vulve aux grandes lèvres plus claires que sa peau. D'une souplesse féline, elle se couche sur Rebecca, tête-bêche, lui lèche la vulve qu'elle ouvre à deux mains. En même temps, elle écrase ses grandes lèvres foncées sur la bouche rouge de son amante d'un soir. Les gestes sont lents, mais les poses brèves. Juste ce qu'il faut pour donner du piment à la scène, pour enfiévrer et faire bander les clients potentiels de ce bar select. Les deux gouines s'assoient côte à côte sur le sofa et, sans un regard vers la vitre qui les sépare de l'extérieur, s'enlacent, pressent leurs seins, blancs et noirs, les uns contre les autres. Elles s'embrassent à pleine bouche en se tripotant mutuellement la vulve. Parfois, leurs bouches s'écartent un peu pour qu'on voie les langues roses se nouer l'une à l'autre. Rebecca s'allonge sur le divan, une jambe pendante, l'autre relevée jusqu'en haut du dossier où sa cheville prend appui. Cette fois, la belle Africaine enfonce un épais godemiché noir dans le vagin de Rebecca. Yeux mi-clos, la pute blanche se caresse langoureusement les seins tandis que la Noire fait coulisser lentement le sex-toy dans le con de sa collègue. À chaque entrée du long gode, Rebecca soulève sa poitrine, se mord la lèvre. Jamais, un tel spectacle pornographique ne s'est déroulé à un mètre cinquante à peine d'une trentaine de paires d'yeux écarquillés. Gil doit retenir, comme d'autres sans doute, son envie d'éjaculer. Sa bourgeoise perverse lui montre à quel point elle est à l'aise dans l'exhibitionnisme à outrance. Nouvelle facette de sa personnalité. Jamais il ne se serait attendu à la voir baiser avec une Noire en vitrine pour une trentaine de mâles obsédés. Des murmures se font entendre parmi les hommes qui se pressent devant la vitrine, certains craignent même une arrivée en masse de la police des mœurs.

— Vincent a sûrement encore payé ses amis politiques pour ouvrir sa boîte à sa façon ! dit l'un.

— Ou alors, il a promis ses nanas gratuitement à l'un ou l'autre, ajoute un autre en ricanant.

Pour la première fois, Gil n'est pas tranquille. N'est-il pas allé trop loin en voulant ainsi satisfaire un vieux fantasme qui, au départ, n'avait rien de sulfureux ? Rageur, il pense que son ancien ami Vincent a su tirer parti des tendances perverses de Rebecca, qu'en fin de compte Gil lui-même lui a apportée sur un plateau. Malgré les questions qui défilent dans sa tête, il doit continuer à photographier, tant avec son Canon qu'avec son portable.

Tout à coup, nouvelle surprise : la tenture rouge tendue derrière le sofa s'ouvre, un type basané apparaît, vêtu comme un cheik, longue robe blanche et keffieh sur la tête. Stature et visage à la Omar Sharif, grosse moustache noire, yeux perçants, il tient en main deux œillets, un blanc et un rouge. Les deux femmes se redressent, comme apeurées. La Noire laisse tomber par terre le gode qu'elle vient de retirer du vagin de Rebecca et qui luit sous la lumière bleue tant il est couvert de sécrétions vaginales. Elles s'agenouillent toutes deux devant le cheik, comme pour implorer son pardon d'avoir été prises en flagrant délit de plaisir saphique. Il pose les œillets sur le sofa, puis saisit Rebecca par sa queue de cheval pour l'obliger à se mettre debout. Tout en maintenant ainsi fermement la Blanche par les cheveux, la tête penchée vers l'arrière, il sort de dessous sa tunique un long gode incurvé. L'objet, en plastique rose, légèrement transparent, a l'apparence d'une bite à deux glands. Lâchant Rebecca, il oblige la Noire à se lever en l'empoignant elle aussi par les cheveux. Il tend le gode à la blonde, qui sait ce qu'elle a à faire. Elle enfonce un gland et une partie du gode incurvé dans le vagin de la Noire. Le spectacle est de plus en plus excitant et obscène, l'autre partie de l'instrument dépasse du con de l'Africaine, comme une bite attendant de s'engouffrer. Devant le cheik, Rebecca écarte les jambes et s'accroche au cou de son amante. Celle-ci saisit le gland de la moitié de bite restante pour l'enfoncer dans le vagin de Rebecca. Les deux femmes sont reliées par le vagin et par la chaîne de leurs colliers. Le cheik pose les mains sur les reins des femmes

266

pour les obliger à se coller l'une à l'autre. Lentement, leurs bas-ventres se rejoignent, la double bite rose a pénétré les deux femmes en même temps. Seins blancs pressés contre seins noirs, elles s'embrassent à pleine bouche en frottant leurs pubis. Effet ahurissant qui déclenche une volée de sifflets parmi les hommes présents à l'extérieur de la vitrine. Les gouines sont en train de baiser, empalées sur le double gode. Le cheik tire de derrière le sofa une corde équipée d'un nœud coulant. Il passe le nœud autour des femmes et le resserre en faisant plusieurs fois le tour de leurs corps pressés l'un contre l'autre. L'autre bout de la corde se partage en deux parties équipées chacune d'un crochet. Il en attache un au collier de la Noire et l'autre à celui de la Blanche.

En Gil, l'angoisse le dispute à l'excitation. Il lui est difficile de photographier sans trembler. Les femmes continuent à s'embrasser goulûment, à se dandiner l'une contre l'autre, agitant le gode enfoncé en elles. Le cheik les oblige alors à se tourner de façon que Rebecca ait le dos tourné vers la vitrine. Il saisit l'œillet rouge et casse la longue tige pour qu'il n'en reste qu'un morceau de quinze centimètres. Il la prend entre les dents, s'agenouille derrière la blonde pour lui écarter les fesses à deux mains, faisant apparaître son anus brunâtre en pleine vitrine, sous la lumière bleue des néons.

— Putain ! J'ai encore jamais vu ça ! s'exclame un des hommes le nez pratiquement collé à la vitrine.

D'une main, le cheik maintient les fesses écartées, de l'autre il enfonce la tige de l'œillet dans le petit trou ainsi offert. La fleur vient se coincer sur l'anus de la Blanche qui cambre les reins. Peut-être gémit-elle contre la bouche de son amante. Le cheik se redresse et lui donne sur une fesse une violente claque qui retentit à travers la vitre, laissant sur la chair blanche l'empreinte de ses gros doigts bagués d'or. Puis, il oblige les filles à tourner sur elles-mêmes pour que ce soit au tour de la Noire de présenter son cul en vitrine. Et il lui enfonce l'œillet blanc dans l'anus. Il montre alors les nanas de profil. Elles restent enlacées, bouche contre bouche, empalées sur la double bite, serrées l'une contre l'autre par la corde, l'œillet fleurissant au cul. Malgré son maquillage outrancier, le visage de Rebecca est rouge de fièvre. Gil a juste le temps de prendre une dernière photo. Des tentures se referment automatiquement derrière la vitrine, et sur le trottoir les hommes applaudissent à tout rompre.

Tandis que la plupart d'entre eux pénètrent dans l'établissement, Gil retourne à sa voiture un moment, allume un cigarillo pour essayer de retrouver un peu de calme avant d'aller lui aussi boire une coupe de champagne offerte par ce Monsieur Vincent. Exceptionnellement, il fera quelques photos à l'intérieur. « Encore un caprice de ce patron de bar... Sans ses accointances politiques, il n'aurait jamais pu faire une chose pareille ! Qu'est-ce qui m'a pris ? Merde ! » pense Gil.

*
* *

2. Un goût de vinaigre...

Déjà, en entrant dans ce grand salon feutré, Gil a un étrange pressentiment. Des tentures de velours bleu marine, des tapis persans au sol, de nombreux fauteuils de velours rouge, un bar en chêne avec hauts tabourets de skaï, quelques copies de toiles de maîtres aux murs, une musique douce aux accords de musique indienne, et dans l'air quelques fragrances où se mêlent volupté et sensualité. Le tout éclairé indirectement par une lumière tamisée, colorée de rouge. Il doit se faufiler parmi les invités et deux autres jeunes femmes en mini-jupe et T-shirts ultra décolletés, en train de boire champagne et bière, pour s'approcher du bar où il a aperçu Rebecca.

— Ah ! Voilà le photographe qui va me réaliser un superbe catalogue ! s'exclame Monsieur Vincent en voyant entrer Gil.

Il s'approche du petit groupe, sourire en coin. Vincent tient en main son verre de Triple Westmalle, tandis que les autres boivent une coupe de champagne. De son autre bras, il entoure la taille de la superbe Noire qui a revêtu sa robe blanche toute transparente. À côté d'elle, Rebecca semble encore plus belle que derrière la vitrine et attire bien entendu des tas de regards à la dérobée. Seins à l'air, bas-ventre et vulve apparente, elle rayonne dans sa tenue hyper sexy, seulement constituée de quelques lanières de cuir. Et les deux femmes sont toujours reliées par leur chaîne attachée à leurs colliers. Sur

269

son corps plus exposé que celui de son amante noire, les rayons de lumière rouge tournoient, tel un flamboiement de brasier, renvoyés par les milliers de minuscules miroirs du gros globe à facettes suspendu au plafond, et caressant le visage, les seins, le ventre. Bien sûr, elle fait un clin d'œil à Gil. C'est maintenant qu'il a *de visu* cette fameuse faveur que Vincent, par l'intermédiaire de Rebecca, lui a demandée, et qu'il a dû accepter. Elle est carrément collée au faux cheik de la scène en vitrine. D'une main, cette copie de sultan tient sa coupe de champagne, de l'autre il empoigne une fesse de la belle blonde, cette fesse sur laquelle il a abattu une claque retentissante. Vincent fait les présentations :

— Gil, je te présente la belle Élodie, dit-il en présentant la Noire. Et cette superbe blonde, c'est Candice, avec son maître, mon ami le prince Radjah. Suis-moi un instant.

Ainsi donc, Rebecca a repris pour un soir le prénom que Gil lui avait donné à Paris. Le feu aux joues, Gil suit le patron et écoute ses explications qui, si plausibles qu'elles soient, ont néanmoins un fort relent de machiavélisme dans lequel vice et débauche font force de loi.

— Tu sais, Gil, il y a du beau monde ce soir parmi les invités, le maire et même un député. Je ne peux pas les tromper sur tout. Alors, Candice et Radjah doivent passer aux yeux de tous pour un couple un peu... disons spécial, quoi ! Pas seulement en vitrine, tu comprends. Mais à vrai dire, Radjah, c'est tout simplement Éric, le gérant de ma nouvelle boîte. Ici, c'est lui qui sera le maître. Il a donc toute autorité sur les filles qui y travaillent.

Allez ! Régale-toi sur mon compte. N'oublie pas de prendre quelques photos de l'intérieur.

Les deux hommes reviennent près du bar, Vincent saisit son verre de Triple Westmalle, une bière forte d'abbaye, et Gil prend une photo du petit groupe composé du patron, du gérant devenu cheik pour un soir, de Rebecca et d'Élodie. Profitant de son rôle au maximum, le cheik serre Rebecca contre lui, n'hésite pas à lui soulever un sein tout en posant un baiser sur ses lèvres. Vincent agit de même avec sa pute noire.

— C'est pas tout ça, mais il est vingt et une heures ! Allez, les enfants ! Filez en vitrine ! déclare le patron.

Pendant cette nouvelle représentation, Gil reprend une coupe de champagne et photographie les deux autres jolies filles qui s'accrochent au bras des clients fortunés. Vincent s'approche à nouveau de son photographe pour lui faire comprendre, sur un ton faussement ennuyé, qu'il préfère que Rebecca ne prenne pas la route cette nuit pour rejoindre Bray-Dunes. Il y a des chambres, car l'établissement a été conçu sur le modèle du motel américain. Gil fait semblant de croire son ami, même si l'argument de la longueur du trajet en pleine nuit est valable. Mais il comprend la nature du piège quand Vincent ajoute :

— Et puis, tu sais... le maire a jeté son dévolu sur... enfin, il croit que Candice, je veux dire Rebecca, est une nouvelle pute de l'établissement... il en est littéralement ébloui et veut passer une ou deux heures en sa compagnie... comme il a signé des tas de papiers en ma faveur, je ne peux pas...

271

enfin, tu comprends... il sait qu'Éric est le gérant... je l'ai mis au parfum lui aussi du faux couple qu'il forme avec Rebecca.

Bien sûr que Gil comprend. Il comprend surtout qu'en réalisant son fantasme avec la complicité de Rebecca, il vient soudain de perdre le contrôle de la situation. Même si ce n'est que pour un soir et une nuit. Que sa bourgeoise devienne une véritable salope, c'était prévu, c'était tout ce qu'ils voulaient tous les deux. Mais sous la direction de Gil, avec des partenaires choisis par lui. Or, cette fois, c'est Vincent qui décide. Et cette nuit, après avoir gouiné en vitrine avec une Noire, et pas un peu, elle va faire réellement la pute pour ce patron de bars. C'est lui qui choisit le client. Et il ne pourra prendre aucune photo ! Pensez donc : le maire, ou le député, dans le lit d'une pute ! Ce qui le chagrine encore plus, c'est que sa petite bourgeoise salope semble réellement prendre son pied dans cette histoire. Cette façon qu'elle a de se frotter au faux cheik, de l'embrasser sur la bouche alors qu'elle sait qu'il est le gérant ! Et le souvenir marquant qu'il va lui laisser sur les fesses ! « Ma parole, elle en viendrait à oublier qui elle est ! Qu'elle est une bourgeoise de Strasbourg et que tout ça risque de mal finir ! » pense Gil en buvant une tasse de café fort. Car lui, il doit reprendre la route pour Bray-Dunes !

* *
*

Minuit. La plage est déserte. La mer teintée d'encre vient mourir en vaguelettes sur le sable fin qui se couvre de varech à l'odeur si particulière. Seul le clapotis du ressac rythme le temps qui s'écoule sous un ciel noir parsemé d'étoiles. Au loin, très loin sur la ligne de l'horizon, on aperçoit les feux blancs de la malle Ostende-Douvres. Gil fume un cigarillo sur le balcon de l'appartement tout en manipulant son portable. Il envoie vers Strasbourg une série de photos de la bourgeoise en vitrine, baisant avec une belle Africaine, un œillet rouge lui sortant du cul, et aussi dans les bras d'un faux cheik. Il bande en revoyant ces photos, mais il sent aussi s'installer en lui ce sentiment affreux auquel il espérait ne jamais succomber : la JALOUSIE. Avant de couper son portable, toujours celui de Rebecca bien entendu, il envoie encore un texto : « Les photos de demain seront nettement plus salaces ! »

Pour sûr, le champagne de ce soir avait un goût de vinaigre !

Chapitre 15

1. Anvers, ses diamantaires...

Gil peine à s'endormir. Les idées s'entrechoquent dans son cerveau, son esprit se laisse emporter par l'angoisse, l'inquiétude, l'excitation, mais aussi la jalousie, engendrée sans doute par la rage de s'être laissé berner par cet ancien ami bien plus profiteur qu'il ne l'aurait pensé. Tour à tour, il revoit les vitrines où Rebecca a posé cette semaine, sans qu'il sache jamais derrière quelle coiffure et quelle tenue elle se cachait. Il revoit aussi cette dernière soirée, cette façon crapuleuse qu'elle avait de se coller, seins à l'air, à ce soi-disant cheik qui n'était autre qu'un gérant de bar, de se laisser peloter par lui devant tous ces clients de haut rang, de l'embrasser même. Non, Gil, soudain, n'est plus le même. Il prend conscience qu'il est en train de subir le seul risque auquel il n'avait pas pensé. Une heure du matin, il serre les poings sous le drap, puis se caresse la queue, toute molle. Eh non, ce n'est pas la main fine aux longs ongles rouge carmin qui lui prend la hampe, qui lui presse les couilles de façon vicieuse, une façon unique, douce et possessive à la fois. Ce n'est pas la main de cette superbe Rebecca, la belle bourgeoise perverse dont il s'est épris sans s'en rendre compte, comme ça, un soir de dédicaces à Dijon. Une rencontre arrangée par une consœur en plus ! Une bourgeoise strasbourgeoise qui s'envoyait en l'air en lisant ses bouquins et ne rêvait que de devenir son héroïne plus vraie que nature. Et maintenant, il l'a dans la peau. C'est un feu qui le dévore, les flammes de l'enfer. Ah, il doit bien rire dans son habit mité, le divin marquis. Fatigué, en proie à tant de sentiments contradictoires, il ne bande pas, le pornographe. Il sourit en pensant à ce vieux tonton Georges : « La bandaison, papa, ça n' se commande pas ! ». Et puis, qu'est-elle en train de faire à ce moment de la nuit, sa bourgeoise salope ? À quel client politico-financier est-elle occupée à donner sa bouche, son con, son cul, sur ordre du ridicule *prince Radjah ?* Mais bon, il reste encore une journée, une journée rien que pour elle et lui. Ce vendredi, il va reprendre possession de son esclave. Il est temps, grand temps... Enfin, il sombre dans un sommeil profond.

*
* *

Huit heures. Douche longue, petit déjeuner vite avalé. Il a quelques achats à faire, des choses à régler. Si tout se passe normalement, comme prévu, Rebecca sera de retour sur le coup d'onze heures. Il doit réserver une table pour déjeuner à Ostende, à l'Apéro Bouffe, un restaurant qui offre une cuisine française et méditerranéenne, histoire de ne pas être trop dépaysés. Étant donné ce qu'il a prévu pour le soir, pas question qu'elle fasse une indigestion. Déjà qu'elle n'aura certainement pas beaucoup dormi !

Ce vendredi seize juin, il fait très beau sur la côte belge. L'été prend de l'avance et, dès neuf heures, le soleil rayonne de mille feux dans un ciel où quelques petits nuages blancs inoffensifs se laissent pousser par le vent venu d'Angleterre. À dix heures cinquante exactement, la Renault Clio de Rebecca se gare sur le parking privé de l'immeuble où se situe l'appartement prêté par Vincent. Au deuxième étage, Gil est sur le balcon, fumant un cigarillo. Il la photographie sortant de sa voiture. Souvenir personnel, rien d'autre.

Une fois la porte de l'appartement refermée derrière elle, Rebecca se précipite dans les bras de son amant, qui la serre fortement contre lui, longtemps, lui caresse les cheveux. Long silence avant un baiser langoureux. La jolie bourgeoise est en mini-jupe de cuir, T-shirt rouge, collant noir, à peine maquillée. Ses yeux brillent d'une étrange lueur. Contre le bas-ventre de sa maîtresse perverse, Gil sent son sexe se raidir. Ouf ! Tout n'est pas perdu. Il saisit le visage de Rebecca à deux mains pour plonger dans son regard. Enfin, elle murmure :

— Oh ! Gil... Sans toi... cette nuit... enfin, faut qu' tu saches que...

Il pose un doigt sur la bouche de son amante, l'incitant à se taire.

— C'était le risque. Toi, tu as assumé jusqu'au bout. Je dois assumer aussi. De toute façon, ma petite bourgeoise salope, je te réserve une surprise.

Prends ton temps sous la douche, je veux que tu sois en forme.

— Que serais-je sans toi ?

Gil retrouve sa bonne humeur, et avec un large sourire répond simplement :

— Mais, ma chérie, tout d'abord, ce n'est pas moi qui vins à ta rencontre ! Et puis, crois-tu vraiment que tu sois un cœur au bois dormant ?

Rebecca disparaît dans la salle de bains où, n'y résistant plus, Gil la rejoint dix minutes plus tard. Sous le jet d'eau chaude de la douche, il caresse ce corps brûlant, aux formes si voluptueuses, qui sait si bien envoûter les hommes, les femmes, et le diable lui-même sans doute. Il savonne les fesses de Rebecca, portant chacune l'empreinte de la main du faux prince Radjah et de ses bagues dorées. Elle s'abandonne dans les bras de son amant, s'empale sur cette bite raide qu'elle a sucée tant de fois, qui connaît aussi bien son con que son cul, et murmure :

— J'ai bien vu, hier soir... que tu étais un peu... et sûrement que cette nuit aussi...

Gil sent son sexe raide comprimé entre les parois chaudes et trempées de sa divine maîtresse. Elle est pendue à son cou, il lui soulève une cuisse, la pénètre plus profondément.

— Oui... jaloux. J'ai oublié que ce sentiment devait être exclu de la voie que nous avons choisie. Mais il n'a fait que transiter un instant. N'en parlons plus.

— Tu ne veux vraiment pas savoir comment ça s'est passé après ton départ ? insiste-t-elle, plus perverse que jamais.

La respiration de Rebecca est saccadée, lentement elle se laisse monter et descendre sur la tige dure de son amant, son maître ès-sexe, un maître habité cette nuit par la crainte de perdre sa petite esclave.

— Non ! Hier soir et cette nuit... tu as juste été une parfaite...

— Hôtesse de bar, mon chéri ! Une parfaite hôtesse de bar dont un maire et un député se sont amourachés et... qu'ils ont partagée ! Quel dommage que...

— Que ?

— Que ce soit fini ! conclut Rebecca en haletant, son corps nu ruisselant contre celui de Gil.

Orgasme court, rapide. Rebecca colle sa bouche à celle de son amant tandis qu'il éjacule tant et plus dans ce con brûlant qui, depuis la veille au soir, reçoit visite sur visite. Son sexe ramolli à peine sorti du fourreau qui vient de l'accueillir, Gil soulève le menton de sa maîtresse.

— Mais, ma chère Rebecca, que crois-tu donc ? Ce n'est pas fini. Nous ne rentrons à Strasbourg que demain. Disons que c'est terminé pour... Monsieur Vincent et son faux prince Radjah ! Mais pas pour moi ! Le maître, c'est moi, n'est-ce pas.

Rebecca esquisse alors un large sourire, se colle contre Gil pour répondre :

— Je n'ai jamais pensé autrement. Quoi qu'il arrive, je serai toujours ta petite bourgeoise salope, ton esclave perverse.

Tandis qu'elle s'apprête, Gil descend jusqu'au parking de l'immeuble. Il ouvre le coffre de la Clio de Rebecca, y fouille un sac pour en vérifier le contenu, puis le transporte jusqu'à sa C5 Citroën où il le dépose sur le siège arrière. Avant de filer sur Ostende pour déjeuner, il insiste pour que Rebecca prenne deux comprimés.

— N'aie crainte, ce ne sont que des vitamines. Pas question que tu accuses un coup de fatigue. Je tiens à ce que tu sois toujours en super-forme... pour moi. D'ailleurs, le pharmacien a précisé qu'il fallait aussi en prendre à dix-sept heures.

*
* *

Après un excellent déjeuner, les amants se promènent sur la digue d'Ostende. Sur la plage, un peu plus de monde qu'en début de semaine et déjà quelques jolies femmes allongées, désireuses de commencer leur bronzage estival.

— Toi, dit Gil en regardant sa montre, tu auras tout le mois de juillet pour bronzer à Ramatuelle, n'est-ce pas. Viens, je t'emmène ailleurs.

Il est quinze heures trente. Direction : Anvers, cent vingt kilomètres d'autoroute. Dans la voiture, Rebecca est d'humeur joyeuse, elle laisse un bras autour du cou de son amant, se penche pour y poser un baiser, se dit heureuse que leurs chemins n'en fassent qu'un depuis quelque temps déjà.

— Et quel chemin ! rétorque Gil en caressant la cuisse de son amante.

Réflexe naturel chez la bourgeoise, elle écarte aussitôt les cuisses, histoire d'inciter son amant à la caresser bien plus haut. Ce qu'il n'hésite pas à faire, passant du bord brodé des bas noirs auto-fixants à la chair chaude et tendre. La circulation fluide permet un peu plus d'audace et les doigts de Gil tâtent le fin tissu du string noir, descendent jusqu'à l'entrecuisse pour mieux palper la vulve dodue, humide déjà. Tandis qu'elle tire sur sa cigarette, Gil pince les grandes lèvres par-dessus le tissu et sa petite esclave salope pousse son bas-ventre vers l'avant, glousse en sourdine, insiste :

— Pourquoi pas sous le tissu, mon chéri ? Tu sais que je t'appartiens toute. Et je ressens à nouveau cette insatiabilité... cette soif d'être pénétrée de plus en plus...

— On a tout le temps..., répond-il, laissant sa maîtresse sur sa faim et reposant les mains sur le volant.

On ne peut aller à Anvers sans voir la statue de Rubens sur la Groenplaats, visiter sa maison et son atelier où sont conservées une cinquantaine de ses toiles. Pour y intéresser Rebecca, Gil lui fait remarquer que le nom de Rubens est associé à la ville d'Anvers tout comme celui d'Andy Warhol l'est à celle de New-York. Mais en bonne bourgeoise fortunée, Rebecca sait qu'Anvers est aussi la capitale du diamant. On fait donc une petite balade dans la rue des tailleurs diamantaires.

— C'est ça qu'il me faut ! s'exclame-t-elle devant la vitrine d'un bijoutier.

— Tu as vu le prix ?

— Je veux me les payer avec mon premier salaire de...

Gil sourit, sans rien dire. Rebecca poursuit :

— Ton ami Vincent était tellement content de notre prestation en vitrine qu'il nous a donné à chacune cinq cents euros. Plus mon pourboire sur la nuit... Alors !

Rebecca sort avec de magnifiques boucles d'oreilles en forme d'anneaux sertis de pierres précieuses. De la rue des diamantaires, les amants passent dans le centre plus commercial. Une visite dans un magasin de mode et Rebecca en ressort avec une mini-robe de cuir noir, sans manches, très décolletée et se fermant entièrement sur l'avant par une fermeture Éclair. Cadeau de Gil pour la remercier d'avoir concrétisé son fantasme toute cette semaine.

— Avec les sous-vêtements de cuir que tu portais hier soir, ce sera parfait, déclare Gil.

— J'ai hâte de porter tout ça rien que pour toi, mon chéri, réplique Rebecca toute enflammée. Ça m'excite déjà, tu peux pas savoir...

Tandis qu'ils boivent un verre en terrasse, sur la Groenplaats, face à la statue de Peter-Paul Rubens, le pornographe en profite pour faire prendre à sa maîtresse ses vitamines.

— Tu sais, mon chéri, je me sens en pleine forme. Même que je suis déjà en train de mouiller... j'ai une folle envie, Gil...

— Tant mieux... tant mieux... c'est tout ce qu'il faut pour finir la semaine en beauté, ma petite salope. Tu dois toujours être dans cet état pour ton maître.

Sans trop tarder, ils entrent dans une pizzeria.

— Après ça, on ira sur les docks, déclare Gil. Venir à Anvers sans voir le port, ce serait un comble.

Le léger repas terminé, le demi-carafon de vin vidé, Rebecca sent monter en elle une fièvre étrange. Elle serre la main de son amant sur la table, a pour lui un regard qui en dit long sur son envie de baiser.

— Gil, les docks, putain, j'en ai rien à foutre... j' veux autre chose, tu le sais bien !

Pour toute réponse, un sourire, un clin d'œil. Il commande deux cafés et file à sa voiture. Dehors, la clarté du jour commence à s'estomper. De retour à table, Gil tend à Rebecca le sac du magasin de mode contenant la nouvelle robe de cuir qu'il lui a offerte. Mais, sans qu'elle le sache, il y a glissé également le soutien-gorge et le string, constitués tous deux de simples lanières de cuir, qu'elle portait la veille pour son numéro en vitrine. Il y a ajouté un porte-jarretelles en dentelle noire et ses bas noirs à couture.

— J'aimerais que tu files aux toilettes et que tu mettes tout ce que ce sac contient, ma chérie. En plus, je voudrais te voir maquillée comme hier soir.

Rebecca veut jeter un coup d'œil dans le sac mais Gil l'en empêche.

— Non ! Tu vas aux toilettes et tu enfiles tout.

Tout sourire, le feu aux joues, Rebecca répond :

— D'accord, mon chéri... pas de problème... après tout, pourquoi ne pas déjà mettre cette nouvelle robe pour toi ce soir ?

Tandis que Rebecca traîne dans les toilettes, Gil règle l'addition. Enfin, elle réapparaît. Perchée sur des talons aiguilles de dix centimètres, maquillée comme la veille, les cheveux coiffés en queue de cheval avec quelques mèches sur le front, elle est on ne peut plus sexy et provocante dans cette mini-robe de cuir, dont le bas, sous la fermeture Éclair, reste ouvert et laisse voir les jarretelles noires ainsi que le bord brodé des bas à couture. Quant au haut, son décolleté en carré offre le haut des seins avec d'étranges morceaux de lanières de cuir dont seul

Gil connaît la nature. Tous les regards se tournent vers cette beauté sublime, un court silence s'installe dans la salle de restaurant tandis que Rebecca s'approche lentement de son amant qui se lève de sa chaise. Pour les clients, ça ne fait pas l'ombre d'un doute : elle rejoint son mac pour aller au turbin.

En rejoignant la voiture sur le parking, Rebecca se serre contre son amant.

— Gil, je ne sais pas ce que j'ai... je me sens plus excitée que jamais... je t'en supplie, sens ma chatte... elle est trempée... j'en peux plus...

— Eh bien, allons donc nous promener sur les docks. Je suis sûr que l'odeur nauséabonde du mazout et des détritus en tout genre s'insérera parfaitement dans le tableau de ta nouvelle incartade.

— Gil... que vas-tu faire ? Donne-moi ta bite, je t'en supplie... rien qu'un instant... là, entre deux voitures...

*
*   *

2. ... et ses dockers

Sur le dock 21, où est amarré un porte-conteneurs, l'air empeste, relents de vieille huile, de mazout, de fruits et légumes pourris, de carcasses de rats flottant sur l'eau polluée ; on est loin de l'air pur et iodé de la plage d'Ostende. Entre chien et loup, quatre dockers s'affairent encore à un rangement de palettes dans le hangar ouvert face au flanc de l'immense navire. Deux projecteurs éclairent crûment l'espace du dock où évoluent les travailleurs mariniers, une vingtaine de mètres carrés tout au plus. Déjà, en voyant approcher Gil et Rebecca, ils s'arrêtent de discuter. Une pareille nana sur les docks, c'est plutôt rare. L'un d'eux siffle même, autant d'admiration que pour attirer l'attention de ses collègues. Ces gars-là ne sont pas des gringalets, des grooms du Carlton ou du Georges V, plutôt des lutteurs de fête foraine ou du World Wrestling Championship, des déménageurs genre armoires à glace. Le type de mecs avec qui on préfère entretenir de bonnes relations amicales.

— Eh bien, ma chérie, j'espère que tu seras à la hauteur ! Ça, c'est pas du prince d'opérette !

Sans qu'elle ait eu le temps de dire quoi que ce soit, Gil ouvre entièrement la fermeture Éclair de la robe de cuir de Rebecca et écarte les pans. Elle est bouillante, la bourgeoise, jamais encore elle ne s'est trouvée dans pareille situation, offerte comme une belle marchandise par son amant à quatre dockers, un jeunot d'une vingtaine d'années, un type chauve, avec une moustache à la Mongol, et deux colosses noirs. Impossible à Rebecca de prononcer le moindre mot, tout son corps est couvert de frissons. Elle est là, sur un dock du port d'Anvers, les nichons à l'air, gonflés comme la veille par le soutien-gorge en lanières de cuir qui lui comprime la base des seins, gros mamelons raidis, vulve au vent de façon obscène dans ce string hyper-érotique, sans oublier le porte-jarretelles et les bas à couture. Heureusement, l'air est tiède.

— Eh bien, les gars ! Qu'en pensez-vous ? Pas de la belle marchandise, ça ? demande Gil, cigarillo au bec, allure de mac oblige.

Rebecca a la gorge nouée, son cœur cogne à tout rompre dans ses tempes. Son Gil ne lui a jamais fait ça ! Son esprit vacille entre angoisse et excitation. La fièvre l'envahit entièrement, elle est toute chaude, elle a peur, elle a envie, elle mouille plus que jamais. Cette fois, il la met réellement à l'épreuve, elle voulait être pute, elle l'a été cette nuit, mais dans le luxe, dans la chaleur feutrée d'un bar select, caressée par des mains soignées d'hommes en trois pièces-cravate. Maintenant, son amant, lui montre l'autre facette de la vile débauche, le côté sombre de la voie qu'elle voulait suivre avec lui. Cette nouvelle incartade lui apparaît comme l'épreuve ultime que Gil lui soumet. Qu'à cela ne tienne, elle s'y soumettra, avec délices même ! Elle est une bourgeoise salope, elle a été pute de haut rang la nuit précédente, elle sera pute de bas étage ce soir.

— Trop cher pour nous, ça, mon gars ! tonne le grand chauve.

— Pas du tout ! rétorque Gil. Ce soir, pour vous, c'est gratis ! Je lui offre sa récréation ! Elle tenait à connaître des dockers. Pas vrai, Candice ?

Rebecca-Candice, soudain revigorée par sa détermination d'aller jusqu'au bout dans la voie de la déchéance, regarde son mac d'un soir avec un large sourire et répond :

— Et comment, mon chéri ! Tiens donc ma robe.

Le reste ne gênera pas ces beaux mâles pour flatter mon corps de leurs atouts virils.

— Jamais vu pareille nana ! s'exclame un des deux Noirs, tandis que tous quatre entourent Candice, pleine de fièvre, la respiration courte et saccadée.

Sans perdre une seconde, Gil prend déjà une ou deux photos de sa maîtresse bien plus provocante encore que si elle était complètement nue.

— Allez, gamin ! dit le grand chauve au jeune blanc d'une vingtaine d'années. Des nichons pareils, t'en verras pas beaucoup. Vas-y ! Tâte-les ! Mais n' fais pas dans ton froc, hein ! Avec la bouche qu'elle a, elle se fera un plaisir de te sucer.

Les deux autres dockers éclatent de rire, et poussent le gamin vers la belle pute qu'on lui offre. Lui aussi est tout enfiévré. Il tend les mains vers cette poitrine nue, agressive, laisse sur les seins qu'il pelote sans délicatesse des traces noires et grasses sous les encouragements de ses trois collègues.

— J'aime bien tes jeunes mains sur mes nichons, mon chéri. Vas-y, pince mes gros bouts, lui murmure Candice tout en palpant la braguette bombée du jeune docker.

Mais déjà un des deux colosses africains a passé par derrière sa main immense entre les cuisses de la jolie poupée pour lui palper la vulve et tirer sur les grandes lèvres.

— Putain ! Elle est trempée comme une soupe, cette bonne femme !

— Gamin, avec une pareille pute, tu dois te montrer plus autoritaire, déclare l'autre Noir au visage de gorille.

Gil, resté à deux mètres des personnages qui lui jouent une scène dont il a souvent rêvé, dépose la robe de cuir sur une bitte d'amarrage, saisit son portable dans une main et son petit appareil numérique dans l'autre. Juste à temps pour photographier ce gorille saisir Candice par les cheveux et l'obliger à se courber vers l'avant pour prendre en bouche la bite toute raide du jeune docker.

— Voilà ! Tiens-la comme ça, mon gars, dit-il encore en lui faisant empoigner la queue de cheval de Candice dont la bouche rouge s'active sans plus attendre sur sa hampe dressée comme un obélisque.

Pliée à l'équerre, elle s'accroche au T-shirt du gamin qui, trop excité sans doute, lui remplit déjà la bouche de son foutre de jeune mâle tandis qu'un des deux Noirs arrache brutalement son string et lui enfonce d'un coup sec son long braquemart brun dans le con, ses mains empoignant fermement la taille de la belle blanche à sa disposition. Surprise, Candice lâche la jeune bite pour pousser un long râle en se cambrant, toujours accrochée au marcel du gamin dont le sexe flasque pend déjà mollement sur des bourses à peine velues. À la commissure de ses lèvres, apparaît une grosse goutte blanchâtre et épaisse. Elle passe la langue couverte de sperme pour aspirer l'air des docks. Mais pas le temps de respirer plus. Le grand chauve à moustache de Mongol prend la place du jeunot et saisit lui aussi la queue de cheval blonde. Sans plus tarder, il enfonce son gros gland violacé en forme d'obus dans la bouche de Candice en disant :

— C'est pas tous les jours qu'on a une pareille poupée ! Tu vas voir comme on va te remplir, salope ! déclare-t-il sans s'occuper de ce que fait le mac occasionnel de la belle Rebecca, ou Candice, son doux prénom de pute.

Gil, qui n'a jamais connu lui non plus une telle fièvre mêlée d'angoisse, ne cesse de photographier. Mais entre deux photos avec son numérique, il a aussi formé sur son portable le numéro de monsieur de la Molinière. Et après avoir envoyé les deux ou trois photos qu'il venait de prendre, où on voit la bouche de Candice sucer une bite blanche tandis qu'un immense Noir la prend par derrière, il a placé son portable, branché sur haut-parleur, pas loin de la tête du chauve pour que le sieur Édouard entende les paroles du docker. Le bas-ventre collé au cul de Candice, le Noir la pistonne à grands coups secs, la projetant chaque fois vers l'avant, rythmant du même coup le va-et-vient de sa belle bouche rouge sur la bite de son collègue chauve. Le colosse ahane comme une bête furieuse, la bite du chauve dis-paraît entièrement dans la bouche de Candice qui glousse de plus en plus fort, ses lèvres viennent buter sur le sac de couilles gonflées et velues, son nez s'écrasant sur la bas-ventre puant du quinquagé-naire. Elle voudrait lâcher la bite qui lui remplit la bouche, mais pas question. Remplie par une bite blanche et une noire, ses nichons sont en même temps torturés par le deuxième Africain qui n'hésite pas à étirer ses gros mamelons vers le bas comme s'il trayait une vache.

— Quels bouts elle a, ta pute, mon gars ! dit-il en s'esclaffant et s'adressant à Gil.

— Et surtout, quel con ! s'exclame l'autre Noir en

train de lui envoyer sa semence en la secouant comme une poupée de chiffon.

Gil, les tempes battantes, ne rate rien de cette scène de débauche dans laquelle il fait plonger sa petite esclave, qui gémit de plus en plus fort. Le quinqua chauve et le Noir sont en train de lui remplir ses deux orifices de leur foutre. Gil approche son portable du visage de Candice pour qu'à six cents kilomètres de là, on entende ses couinements, ses gémissements de plaisir autant que de douleur, que l'on voie le sperme déborder de ses lèvres carminées.

— Une véritable chienne en chaleur, votre bourgeoise. Elle a la bouche pleine du sperme de deux dockers, un gamin de vingt ans et un gars de cinquante, et son con dégouline de celui d'un Noir... et ce n'est pas tout, monsieur... elle les supplie d'encore la prendre..., murmure Gil dans son portable.

Il approche l'appareil de la bouche enfin libérée de la bourgeoise qui halète à n'en plus finir, la chevelure toujours maintenue par le chauve en train de frotter sa bite flasque sur le visage de Candice.

— Faut bien que j' m'essuie quéqu' part ! J'ai pas d' mouchoir ! s'exclame-t-il.

— ... encore... de grâce... encore... y'a mon cul... putain... j'veux qu'on me remplisse..., bredouille Candice dans un état d'extrême excitation tandis que le gland poisseux lui parcourt les joues, les yeux et le menton.

Aussitôt, le Noir qui torturait les mamelons de Candice se redresse et sort son sexe dont la taille est si impressionnante que Gil écarquille les yeux.

— Elle n'en a sûrement jamais eu une pareille dans le cul, cette salope, hein, mon gars ? déclare-t-il en regardant Gil, dont les mains commencent à trembler.

Heureusement, il a tout prévu et sort d'une poche de sa veste sans manches, type veste multi-poches de photographe, un tube de vaseline non encore entamé. Il le tend au puissant Noir qui s'est débarrassé de son jean et de son slip pour mieux enculer cette chienne qu'on lui offre. Tout affairé, Gil n'a pas remarqué l'arrivée d'un jeune Métis qui travaillait dans le hangar voisin et que le gamin est allé chercher après s'être vidé avec bonheur dans la bouche de sa première pute. En lui faisant un clin d'œil, le chauve lui a passé la chevelure de Candice comme on passe le témoin dans une course-relais. Et déjà, tout heureux, le Métis voit sa belle bite café au lait s'enfoncer dans la bouche la nouvelle princesse des docks.

— Waouh ! Moi jamais avoir été sucé par une Blanche !

Mais Candice se cambre, elle glousse et gémit fortement. Le Noir est en train de lui enfoncer tout le contenu du tube de vaseline dans l'anus à l'aide de son index. Sous le regard ahuri de Gil, il a jeté par terre le tube complètement aplati, et enfonce carrément son long doigt dans le cul qu'il veut enfiler. Il le tourne de gauche à droite, s'écrie :

— Quel cul, cette poufiasse ! Il s'ouvre déjà ! Graissé comme il est... waouh, ça va bien glisser !

Aussitôt, il pose son gland noir, épais comme une petite courge, sur le trou du cul dilaté et luisant de façon obscène sous la lumière du projecteur du hangar. Saisissant sa proie aux hanches, il pousse lentement, et sous les yeux hagards de Gil, le gland de cinq centimètres disparaît dans le cul de Candice. D'un coup sec, elle a lâché la bite beige du jeune Métis pour respirer un bon coup. Elle râle, halète, balbutie en même temps :

— ... oh... non... j' pourrai pas...

— Toi me sucer mieux que ça ! ordonne le Métis qui a tôt fait de refourrer brusquement sa verge dure dans la bouche dégoulinante et déformée de sa première pute blanche.

Le puissant Noir qui a attendu un moment s'exclame :

— Ça y est ! Elle est ouverte... une vraie truie !

Alors, sous l'objectif du numérique de Gil, puis sous celui de son portable, sous le regard aussi des trois autres dockers déjà soulagés mais qui veulent voir si ça va entrer, il enfonce doucement son long sexe dur, épais comme un concombre, dans l'anus de Candice qui gémit, la bouche pleine de la bite du Métis. Lentement, le cul dilaté engloutit l'énorme braquemart du Noir jusqu'à ce que son sac de couilles grosses comme des pêches vienne buter contre l'entrecuisse.

— Putain ! Quel chaud cul ! Enfin une Blanche que je parviens à enculer !

Sous les encouragements lubriques de ses collègues, il entame un lent et long mouvement de va-et-vient dans le rectum plein de graisse. Une fois de plus, Candice lâche la bite du Métis pour respirer et s'écrier :

— ... aah... jamais eu ça dans mon cul... t'es le meilleur... remplis-moi... aah...

Des paroles prononcées suffisamment fort pour passer par le portable de Gil, toujours en liaison avec le sieur de la Molinière. Sous le regard horrifié de son amant, elle reçoit séance tenante une gifle du Métis tandis qu'il la maintient toujours par les cheveux. Avec les réflexes d'un grand reporter, Gil photographie la scène en vidéo et capte tous les sons.

— Merde ! Moi éjaculer dans ta belle gueule ! Pas à terre ! dit-il en rentrant rapidement sa tige tendue entre les lèvres de Candice.

Elle est en transes, en proie à une jouissance démesurée. Le Noir et le Métis éjaculent en même temps, l'un dans son cul plein de vaseline, l'autre dans sa bouche. En moins d'une heure, c'est le troisième docker dont elle reçoit tout le foutre en bouche. Quant à son con et son cul, ce soir, ils ont été plus qu'honorés, bourrés, défoncés, remplis par deux Noirs aux sexes surdimensionnés.

La bite du grand docker noir sort du cul de Candice, toute gluante, et il l'essuie sur les fesses blanches, les couvrant de traces brunâtres. Quant au jeune Métis, il redresse Candice, la maintenant toujours par les cheveux. Il lui sourit et pose sur sa bouche rouge et brillante un furtif baiser.

— Merci bien, princesse des docks. Tu m'en veux pas, hein, pour la baffe ? Mais tout mon foutre, il allait partir.

À la grande surprise de Gil, elle répond, d'une voix chevrotante et rauque :

— Mais non... tu as bien fait... je le voulais ton foutre, mon chéri... il est bon...

— Ça, pour une princesse, c'est une princesse !

Surtout, ne la perds pas, mon gars, elle vaut une fortune ! dit un des deux Noirs à Gil.

Les cinq dockers se retirent, épanouis, s'envoient des tapes amicales dans le dos, s'éloignent pour aller vider une cannette de bière au bar du port, à cent mètres de là. La nuit est tombée, l'air est toujours aussi tiède, empeste toujours autant.

* * *

Rebecca est sans voix, les jambes tremblantes d'être restée aussi longtemps pliée à angle droit. Son regard plonge dans celui de son amant qui a coupé portable et numérique. Elle a la bouche pleine de sperme, son con et son cul dégoulinent plus que jamais. Ahurie, elle voit Gil sortir d'une poche une fiole en verre, type éprouvette de laboratoire, d'environ douze centimètres de long sur un et demi de large. Il l'approche de la bouche de son amante :

— Crache tout ça là-dedans, ma chérie. Ce sera un souvenir.

Le sperme tombe au fond de l'éprouvette, blanchâtre, épais, à forte odeur vinaigrée, plein de traces aussi de rouge à lèvres.

— Maintenant, écarte tes belles cuisses de pute, ma petite bourgeoise salope !

Rebecca s'exécute et voit son amant pousser l'entrée de l'éprouvette dans l'entrée de son con tout détrempé. Les mains sur la tête de Gil, elle sent le tube de verre racler ses parois vaginales pour recueillir cette semence laissée par le premier docker noir qui l'a prise. Elle ne dit pas un mot, des frissons l'envahissent, elle est pratiquement nue, là, sur le dock, examinée et *vidée* de son trop-plein par son mac d'un soir. Le bord brodé de ses bas est humide, lui colle à la chair. Gil passe derrière elle et s'accroupit à nouveau.

— Allez, ma chérie, écarte tes fesses à deux mains... je dois tout avoir...

— Oh ! Gil... on n'a jamais fait ça... ho...

Elle n'a pas le temps de prononcer un mot de plus, Gil enfonce le bout de l'éprouvette déjà remplie à moitié dans l'entrée encore dilatée du cul de sa maîtresse. Il lui imprime un léger mouvement circulaire pour racler doucement le fond du rectum. Mains sur les fesses, Rebecca se cambre, pousse des soupirs de plaisir qui sidèrent son amant. Gil sent le cul de Rebecca se refermer sur le bout de l'éprouvette, comme s'il voulait l'emprisonner, l'aspirer, la garder encore un peu dans son antre chaud.

— Ma parole... après tout ce que tu as eu... ne me dis pas que...

Il la tire doucement vers le bas, et un bruit obscène d'extraction de bouchon s'échappe au moment où elle sort complètement de l'anus. La fiole de verre est remplie aux deux tiers d'un liquide visqueux, à odeur indéfinissable, peu agréable, sans couleur particulière mais avec des filaments bruns, d'autres rouges. Gil la rebouche fermement à l'aide d'un bouchon de liège. Il aide alors sa maîtresse à enfiler sa robe de cuir, referme lui-même la fermeture Éclair.

— Gil, je t'en supplie... serre-moi dans tes bras... j'en ai besoin...

Il caresse le visage, luisant et collant lui aussi du sperme laissé par le grand chauve, approche sa

295

bouche des lèvres gonflées, presque démaquillées, poisseuses, mais il n'hésite pas à y coller les siennes pour échanger avec sa merveilleuse bourgeoise perverse le baiser le plus fougueux qu'ils aient jamais échangé.

— Tu viens de commettre ta plus belle... *incartade*, ma chérie. Tu es vraiment la... PRINCESSE DES DOCKS.

Sans rien dire, il ramasse le string de cuir qui traînait sur le sol, le fourre dans sa poche. Main dans la main, les amants diaboliques rejoignent le parking du port, au bout du dock 21.

*
* *

Vingt-deux heures trente. Le ciel noir d'encre s'appesantit sur le port, pas beaucoup d'étoiles, et une lune entourée d'un halo rosâtre. Sur le parking, flotte une odeur marine, plus supportable que celle qui régnait sur les docks. Il faut reprendre l'autoroute, direction Ostende, puis Bray-Dunes. Cent cinquante kilomètres. Une bonne heure et demie. Dans la voiture, épuisée, Rebecca allume une cigarette, incline plus fort son dossier, écarte les jambes. Son con coule encore, ses cuisses collent l'une à l'autre. De son bas-ventre s'élève une odeur de foutre qui se répand dans l'habitacle. Gil allume un cigarillo, histoire de mêler les parfums. Il branche la radio, pousse sur le bouton CD et le chargeur situé derrière le tableau de bord envoie Léo Ferré. « ... *Une robe de cuir, comme un fuseau, qu'aurait du chien sans le faire exprès... et dans le port de cette nuit... une fille qui tangue et vient mouiller... c'est extra...* »

Chapitre 16

1. Le cadeau

Le trajet de retour vers Strasbourg se passe sans encombre. Pour le voyage, Rebecca a enfilé sa nouvelle robe de cuir avec, par-dessous, un soutien-gorge push-up rouge qui lui fait une poitrine de star, bombée et fort apparente par le décolleté en carré, et un string en dentelle rouge. Pas de bas et maquillage léger. Après une semaine consacrée intégralement à la représentation de sa féminité, de sa sensualité et sa sexualité, un peu d'accalmie sera la bienvenue dans toute cette débauche de déplacements sur des routes inconnues et d'incartades hors des sentiers battus. Comme pour le trajet aller, elle est seule dans sa voiture, suit des yeux et sans trop de difficultés celle de Gil, cent ou deux cents mètres devant. Quel dommage ! Elle a tant de choses à lui dire, tant d'amour à lui donner. Qu'à cela ne tienne, comme on s'arrête toutes les deux heures, les pauses sont bien remplies, en câlins et baisers. La première moitié du trajet se passe assez rapidement. À midi, à Luxembourg, on s'arrête un peu plus longtemps et on déjeune dans un restoroute. Rebecca en profite pour affirmer à son cher amant que cette semaine écoulée lui a apporté ses orgasmes les plus intenses de sa vie de femme jusqu'à présent, des jouissances égales sur les plans physique et cérébral.

— Je t'en serai toujours reconnaissante, mon chéri. Toujours ! Mais je me demande quand même...

Gil sourit et la rassure quand elle se dit inquiète à propos de toutes les photos qu'il a envoyées à son époux. Surtout ces photos prises en vidéo la veille au soir sur les docks. Puis, elle ajoute :

— Et aussi celles à l'intérieur du bar select de Vincent, hum !

Voyant l'air étonné de Gil, elle précise, sourire en coin :

— Édouard pourrait croire que j'ai été achetée par un émir, s'esclaffe-t-elle en avalant sa bière de travers.

Sur un ton aigre-doux, Gil réplique que le P.-D.G. y verrait sans doute le moyen d'entamer des affaires supplémentaires avec l'Arabie.

Durant la seconde moitié du trajet, Rebecca essaie de faire le point. Depuis sa rencontre avec son auteur favori, sa vie est littéralement passée de la bourgeoise tranquille, aux occupations réglées comme sur du papier à musique, à celle de bourgeoise... Ses pensées s'arrêtent là, Rebecca ne trouve pas le qualificatif qui conviendrait actuellement à son statut. Bourgeoise, oui, certes, elle l'est encore, par sa fortune, sur son carnet de mariage, vu qu'elle s'est liée à un petit *de*. Pour le reste... ! En quelques minutes, ses trente-sept ans défilent devant ses yeux à une allure étrange, qu'elle ralentit ou accélère elle-même selon les souvenirs engendrés par l'une ou l'autre situations. Ainsi, elle est tout sourire, et sa chatte mouille allègrement quand elle revoit sa première fellation, offerte à Bertrand, son cousin germain qui l'avait ensuite déflorée pour ses quinze ans sur une petite plage déserte près de Ramatuelle. Et cette première orgie pour son seizième anniversaire dans un club de tennis, où elle s'est donnée à trois copains du cousin. Sans oublier cet apprentissage de la sodomie avec Olivier, le greffier du tribunal, qu'elle retrouvait le vendredi après-midi quand elle séchait les cours au lycée Fustel-de-Coulanges. Pauvre Olivier ! Que se serait-il passé, que serait-elle devenue s'il ne s'était pas tué en voiture ?

Zut ! Péage : faut s'arrêter de penser, ça ralentit. Ben oui ! C'est comme...

Zut ! Mariage : faut arrêter de s'amuser, de libertiner, faut se calmer, faut s'enfermer, cacher, surtout ne pas dévoiler, enfin pas trop...

Ce qu'elle a donc fait après Olivier et ses études, la belle Rebecca ! Mariage à vingt-trois ans. Et pendant quatorze années, sa chatte a somnolé, son clitoris s'est renfrogné, son cul n'a fait que déféquer, elle est presque entrée en hibernation, et son esprit a gambergé. Bien sûr, ce n'était pas le couvent des Carmélites, mais quand même. Quatorze ans de plaisirs plus souvent solitaires qu'à deux, ou trois ou quatre, quatorze ans à ressasser, déplorer, se faire chier, quoi ! Et puis, enfin, la rencontre ! Ah, il était temps ! Brave Clotilde ! Tiens, c'est vrai, elle l'avait oublié, son premier plaisir saphique, c'était avec sa grande amie, il n'y a pas si longtemps. Et sous l'instigation et le regard même de Gil, que Clotilde lui avait présenté. Cette chère Clotilde, elle était certainement à mille lieues de se douter de la tournure qu'allaient prendre les événements après une telle rencontre. Faut pas la laisser tomber, Clotilde, elle aussi a besoin d'amour. Et puis, maintenant, gouiner de temps à autre, c'est comme s'accorder une petite récréation entre deux véritables orgies sadiennes.

Allez, ça repart. Tout comme c'est reparti pour son sexe depuis que Gil s'en occupe. Et pas un peu. Enfin, si l'on peut dire ça ainsi, disons qu'il dirige la manœuvre. Le pornographe est devenu maître de travaux pratiques et son élève mérite sans aucun doute la mention EXCELLENCE ! Dernier tronçon avant Strasbourg. Encore un arrêt pour s'embrasser longuement avant de rentrer au bercail et retrouver Édouard de la Molinière. Sur cette aire de Hochfelden, juste avant la grande ville, les amants s'enlacent avec passion. Dans une semaine, la belle Rebecca part, comme chaque année, passer un mois à Ramatuelle.

— Tu reviendras toute bronzée et tu seras encore une plus belle...

— Pute, mon chéri. On ne peut l'être plus, n'est-ce pas ? La petite bourgeoise a-t-elle donné entière satisfaction à son maître adoré ?

— Elle est allée au-delà de mes espérances. Elle est vraiment la bourgeoise la plus salope que je connaisse. Mais avant qu'on se quitte pour un bout de temps, je dois te confier une dernière mission.

En voyant ce que Gil lui donne, en entendant ce

qu'il lui demande, pour la première fois Rebecca se sent gagnée par une sorte d'hésitation. Non pas qu'elle veuille refuser, mais soudain un trouble étrange semble l'envahir.

— Gil... tu ne crois pas que ça, c'est... enfin, c'est pousser la provocation, l'arrogance... la perversion jusqu'à son extrême limite ?

La réponse de Gil est nette, claire, déterminée. Pas question que sa petite bourgeoise commence à avoir des scrupules, sinon elle risque de ralentir sa course sur cette voie qu'ils ont choisie à deux.

— Non ! Tu dois le faire !

Dernier baiser, dernier regard. Par la fermeture Éclair de la robe de cuir, descendue jusqu'au nombril, Gil passe une main pour empoigner une dernière fois un sein, abaisse un bonnet du soutien push-up pour mieux le palper, sentir le gros mamelon s'écraser dans sa paume. Puis, tandis que les langues se nouent, la main descend jusqu'au bas-ventre. La fermeture Éclair se dégrafe complètement, on est sur le parking mais on s'en fout. Ce n'est pas le parking des anges, plutôt celui des démons. À travers le fin tissu du string rouge en dentelle, Gil palpe cette vulve dodue, toute trempée, la pince fermement pour faire glousser sa maîtresse contre sa bouche, tandis qu'elle presse sa bite raide par-dessus sa braguette prête à craquer. Enfin, d'un geste délicat, il referme lui-même la robe de cuir après avoir rentré le sein de Rebecca dans son bonnet. En somme, il remballe sa belle marchandise.

On démarre. Dans vingt à vingt-cinq minutes, la belle bourgeoise pénétrera dans sa propriété stras-bourgeoise, Gil dans sa jolie maison d'Obernai.

　*

Ce samedi de fin juin, sachant que sa chère et tendre devait rentrer, Édouard ne s'est pas attardé au club de tennis. L'envie sans doute de bien accueillir celle qui partage sa vie depuis près de quinze ans, de lui permettre pour une fois de s'installer à table sans avoir rien à préparer. Et puis, il faut quand même que la bonne humeur règne au sein du couple à une semaine du départ en vacances, dans cette superbe villa avec piscine des parents de Rebecca, à Gassin, un peu plus haut que Ramatuelle.

À l'extérieur, il a déjà placé le bois dans le barbecue. Le temps s'y prête, l'été n'a pas oublié de pointer le bout de son nez en ce samedi vingt et un juin. Le rosé est au frais, il a même préparé quelques toasts au caviar (du vrai, qu'il reçoit d'une relation financière russe. Ah, ça aide d'être P.-D.G. d'une banque luxembourgeoise !). Son Martini Dry à la main, il jette une allumette dans le barbecue. Rebecca s'approche, elle sort juste de la salle de bains où elle avait du mal à s'extraire de la douche. Malgré son maquillage léger, la fièvre qui s'empare d'elle rosit les joues de la belle bourgeoise. Édouard lui sert un verre de Martini rouge avec deux glaçons.

— Ce soir, ma chère Rebecca, tu n'auras qu'à t'asseoir... tout est pratiquement prêt, brochettes d'agneau et de porc, salade de tomates, et frites. Sauf si bien sûr tu en as trop mangé en Belgique, conclut-il sur un ton quelque peu moqueur.

— Non... juste une fois...

Après avoir avalé une gorgée de son apéritif, elle se fait plus cajoleuse que d'ordinaire vis-à-vis de son époux. La mission que Gil lui a confiée est plutôt... salace et provocatrice à la fois. Elle passe les bras autour du cou d'Édouard, fort étonné de ce geste inhabituel et inattendu. Rebecca balbutie en invitant son époux à monter à l'étage tandis qu'elle achèvera les préparatifs du dîner.

— Édouard, laisse-moi dresser la table... pendant ce temps, va donc jusqu'à ton bureau... j'y ai déposé... un petit paquet... très... spécial.

Elle ferme les yeux pour sentir la bouche d'Édouard se poser sur ses lèvres. Le P.-D.G. presse le corps de sa femme contre lui. C'est la première fois qu'il la voit dans une mini-robe de cuir, et il bande, le sieur de la Molinière. Il sent la poitrine de sa belle Rebecca s'écraser contre son torse, aussitôt les seins bombés apparaissent encore plus par le décolleté en carré. Au fond d'elle-même, Rebecca sait qu'elle adopte ainsi une attitude des plus aguichantes pour mettre Édouard dans de bonnes conditions pour le reste de la soirée. Après tout, puisqu'elle s'est découvert un réel talent de pute, pourquoi ne pas l'utiliser aussi avec son propre époux, n'est-ce pas ? Même si elle sait qu'au final, il ne lui procurera pas le même plaisir qu'un client de bar à hôtesses !

Le bureau d'Édouard de la Molinière, situé à l'étage de la propriété, est éclairé par de grandes fenêtres donnant sur le parc. Une pièce luxueuse, comme toutes les pièces de la demeure d'ailleurs. Aux murs, deux copies de toiles de maîtres, un Dali et un Picasso. Comme la pièce est suffisamment grande, en face de son bureau en chêne, une petite table ronde, deux fauteuils Louis XVI, mais aussi un meuble secrétaire avec compartiment pour quelques bouteilles de cognac, armagnac, et autres whiskies millésimés. C'est vrai que le P.-D.G. reçoit régulièrement, pour affaires, l'un ou l'autres financiers, parfois même un sénateur ou un préfet. Mais ce samedi soir, sur son bureau, ce ne sont pas des dossiers remplis de graphiques comptables, ni les derniers relevés de santé de la Bourse qui traînent. Juste une enveloppe capitonnée, un rien plus grande qu'une enveloppe normale, à peine refermée par une bande collante. Fébrilement, Édouard coupe le papier collant pour l'ouvrir et en dégager le contenu. Ses tempes battent, de la sueur envahit son front quand il sort une éprouvette bien bouchée et remplie d'un liquide plus ou moins épais, blanchâtre, avec de-ci de-là quelques filaments bruns ou roses. Les mains tremblantes, il élève la fiole au niveau des yeux, l'incline un peu, observe la viscosité de son contenu. Dans son pantalon, son sexe se raidit, ses couilles gonflent. Il saisit le bouchon, le tourne lentement pour l'extraire sans secouer l'éprouvette. Aussitôt, une forte odeur de sperme mêlée de sécrétions vaginales et rectales lui monte au nez. Résidus de fornications perverses, de débauche hors-norme d'une putain sans scrupule, sans limites même, n'ayant pour tout désir que la recherche du plaisir, de la jouissance dans des actes illicites et d'une bassesse à peine imaginable. Édouard referme précieusement le flacon pour lire le petit billet plié en quatre qui l'accompagne :

« Mon cher Édouard, tu tiens en main le résultat de ma dernière incartade. Ma petite excursion en Belgique était prétexte à en commettre quelques-unes, et le port

d'Anvers a été le théâtre à ciel ouvert de la dernière, pas plus tard qu'hier soir. Ces dockers étaient montés comme des ânes. C'était un réel plaisir de me sentir ainsi remplie par mes trois orifices, des orifices qui débordaient de ce liquide que tu peux voir dans la petite éprouvette. Maintenant, vivement Ramatuelle, que mon corps puisse jouir... d'un repos bien mérité. »

Tout fiévreux, Édouard referme le billet et le colle sur la paroi de l'éprouvette. Puis, il va déposer le précieux flacon derrière ses bouteilles de cognac et armagnac, dans le secrétaire qui, désormais, renfermera aussi en son sein une preuve tangible des mœurs plus que légères et douteuses de Madame de la Molinière. Sortant de son bureau, il entre dans la salle de bains, juste le temps de se rafraîchir un peu le visage et de soulager ses bourses gonflées et sa bite trop raide pour rester ainsi dans son pantalon léger de toile beige. Enfin, il redescend, non sans avoir allumé un havane qui lui rendra son allure fière de P.-D.G. et de bourgeois strasbourgeois.

*
* *

2. Le maire, le député et même... Édouard !

Les flammes s'amenuisent dans le barbecue, le charbon de bois prend lentement une couleur blanche. Il va être temps d'y installer les brochettes.

Pour patienter, un deuxième Martini n'est pas de refus.

On s'installe à table, et Édouard apporte les entrées et le rosé frais. Il remarque enfin les nouvelles boucles d'oreilles, serties de petits diamants, de son épouse.

— Elles te vont à ravir, Rebecca. Je suppose qu'elles viennent de la capitale des diamantaires et qu'elles ont coûté leur pesant d'or.

— Même plus, mon cher époux, même plus... mais elles ont été payées avec les gains... d'une autre incartade, disons...

Le premier verre de rosé rapidement vidé, Édouard se montre désireux d'entendre un nouveau récit d'aventures truculentes, sans rapport avec celles d'Indiana Jones ou d'un brave scout en camp de vacances. Remplissant les verres, il déclare même :

— Je pense que je vais me remettre à la lecture des ouvrages de Sade. Qu'en penses-tu, Rebecca ?

Surprise, la belle bourgeoise avale de travers un morceau de jambon fumé. Elle regarde Édouard d'un œil malicieux et répond :

— Mais... pourquoi pas ? Ça te changera les idées entre deux lectures des *Échos de la Bourse* !

À ces mots, les époux de la Molinière éclatent tous deux de rire. Ouf ! L'atmosphère sera détendue ce soir, et aussi à St-Trop la semaine suivante. Au cours du repas, Édouard, intrigué par un des aveux de Rebecca, et surtout incité par sa propre mentalité plus qu'ambiguë, sa propension à écouter son épouse révéler les détails d'une de ses aventures crapuleuses, finit par demander :

— Rebecca, ces gains provenant d'une incartade

et qui t'ont permis d'acheter ces superbes boucles d'oreilles, il me serait agréable d'en connaître un peu plus sur... la nature, disons... de l'incartade, bien sûr...

« *Il en a mis, du temps, le faux-cul ! Même si je lui raconte, comme je suis sûre qu'il est allé se vider les couilles avant de redescendre, il ne bandera certainement plus, le pauv' chéri ! Ça ne vaut vraiment pas mes dockers ! Enfin, allons-y ! Moi, ça m'amuse, et lui, si ça l'excite... !* » pense Rebecca en vidant son verre de rosé. On en est alors au fromage, le ciel a remplacé sa jolie couleur bleu azur par sa teinte plus sombre, un bleu acier, presque noir. Une voûte céleste illuminée d'étoiles aussi brillantes que les diamants sertis sur les boucles d'oreilles en forme d'anneaux de Rebecca. La terrasse est maintenant éclairée par les deux réverbères halogènes, et selon les mouvements de tête de la bourgeoise, toutes ces petites pierres renvoient vers Édouard un reflet lumineux d'une blancheur éclatante. Pour le fromage, Édouard a préféré ouvrir une bouteille de bourgogne, un Nuits-Saint-Georges, parfait pour le comté et le brie de Meaux.

— *Eh bien, tu te souviens de cette Candice qui faisait le trottoir à Paris, en mars dernier, au début du printemps ? Dis, tu t'en souviens, Édouard ?* demande Rebecca en reprenant son ton de conteuse perverse qui lui va si bien, qu'elle adore même.

— Heu... oui, bien sûr... et comment, donc !

— *Bon ! Figure-toi que, par le plus pur des hasards, en se promenant à Bray-Dunes avec son amie, Clotilde a rencontré un ancien copain devenu propriétaire d'une chaîne de bars à hôtesses en Belgique. Mais tu sais, là-bas, les hôtesses, ce sont des putes, n'est-ce pas, Édouard, de très jolies putes, qui ne portent que des sous-vêtements hyper-érotiques, et rien d'autre. Comme il allait en ouvrir un nouveau à la fin de cette semaine-là, ce propriétaire a demandé si Candice, qui lui avait vraiment tapé dans l'œil, ne pouvait pas assurer un petit dépannage, et remplacer au pied levé l'hôtesse blonde qui devait faire l'inauguration de la nouvelle boîte.*

Fébrilement, Édouard rallume son demi-havane, entamé à l'apéritif. Rebecca avale une gorgée de bourgogne et continue son récit, expliquant que la belle Candice a donc joué une scène d'amour saphique en vitrine avec une superbe Africaine, pour l'inauguration de ce nouveau bar à hôtesses. Aussitôt, le souvenir de certaines photos reçues sur son portable amène à Édouard une bouffée de chaleur, à moins qu'il ne s'agisse d'un effet cumulé du Martini, du rosé et du bourgogne.

— *Mais après ça, elle a dû y passer la nuit car le patron l'avait bien entendu présentée à ses clients comme une nouvelle pute qui allait travailler pour lui. Ce qui fait que son amie Clotilde a dû repartir seule vers l'appartement qu'elles occupaient à Bray-Dunes. Elle n'a donc rien vu, ni rien su de ce qui s'est passé cette nuit-là.*

L'intérêt d'Édouard est aussitôt ravivé. Un blanc s'est donc inséré dans l'histoire, une coupure dans le film qu'il suit image par image depuis quelque temps. Il doit savoir.

— Mais... que s'est-il donc passé avec Candice ? insiste-t-il en tirant nerveusement sur son havane.

— *Eh bien, y' avait du beau linge pour l'inauguration*

308

de ce bar. Le maire, un député, des patrons d'entreprises... Le maire et le député étaient littéralement éblouis par la beauté de Candice. Comme ils avaient fermé les yeux sur certaines activités du patron pour ouvrir son bar, en contrepartie Vincent (le patron en question) leur avait promis de passer un bon moment avec sa nouvelle hôtesse blonde, qu'il avait même présentée comme une actrice de pornos. Tu vois le topo ! Et le piège dans lequel la pauv' Candice était tombée ! Du coup, Vincent n'a pu se rétracter et a fait comprendre à Candice qu'elle devait jouer son rôle d'hôtesse toute la nuit. Après avoir bien gouiné trois fois avec l'Africaine en vitrine, elle s'est donc retrouvée dans un petit salon particulier avec le maire. Elle s'est assise sur ses jambes, et il l'a pelotée tant et plus. Surtout qu'elle n'avait sur elle que ce fameux soutien-gorge fait de lanières de cuir qui lui comprimaient la base des seins, et ce string qui laissait sa toison et sa vulve à l'air libre.

Édouard, tout ouïe, sent son sexe se raidir à nouveau dans son pantalon. Après s'être vidé deux heures plus tôt à la salle de bains, il est lui-même étonné de ce regain de vitalité, ou plutôt de virilité. Tout de même, sa bourgeoise raconte divinement des histoires salaces.

— Entre deux coupes de champagne, continue-t-elle, le maire embrassait son hôtesse à pleine bouche, tout en lui pinçant les mamelons ou en palpant sa vulve toute mouillée. Ah, elle se prenait au jeu, la belle Candice. Elle s'y croyait d'autant plus que le maire n'arrêtait pas de glisser des billets de cent euros derrière les lanières de cuir soutenant sa poitrine ou celles encadrant son bas-ventre. Alors, elle s'est assise à côté de lui et s'est penchée pour ouvrir son pantalon, sortir sa queue toute raide et *ses couilles. Elle l'a embouché et sucé longuement. Le maire était aux anges, tu penses. Pendant qu'elle le suçait, il lui caressait le dos, les fesses nues, la pelotait encore et encore. Enfin, il a éjaculé dans la bouche de la belle Candice qui avalait tout pour qu'il ne tache pas son beau pantalon. Après ça, il l'a encore embrassée. Leurs langues se nouaient dans la salive et le sperme. Alors, tout content, il a fourré un troisième billet de cent euros sous la lanière de son string, avant de filer saluer Vincent et de quitter les lieux. Mais lorsque Candice est réapparue à son tour dans le grand salon, le patron lui a fait comprendre qu'elle devait monter en chambre avec le député. Comme elle avait toujours au cou son gros collier de cuir qu'elle portait en vitrine, le prince Radjah, le gérant du bar, lui a rattaché la chaîne et l'a tendue au député. Dans ce bar-là, c'est comme ça qu'on monte en chambre avec l'hôtesse qu'on a choisie. Elle était donc comme tenue en laisse par le député pour aller à l'étage. Et là... !*

Rebecca s'arrête pour se rafraîchir le gosier à grands coups de bourgogne. Mais elle préférerait une bonne tasse de café et un cognac pour terminer cette soirée. Tout enfiévré, Édouard file à la cuisine enclencher la machine à espresso, reboucher la demi-bouteille de Nuits-St-Georges et servir deux cognacs. Il a hâte de connaître la suite, qui semble combler ce vide de l'histoire dont il n'avait que quelques images. Enfin, il revient sur la terrasse avec un plateau, deux tasses de café et deux cognacs. Une gorgée d'alcool, une bonne rasade de café, et la belle conteuse reprend le cours de son récit pervers.

— *Ce député d'une soixantaine d'années, bedonnant et chauve, n'avait vraiment rien pour inspirer la baise.*

Mais Candice se sentait vraiment gagnée par son rôle de pute de luxe, et puis le fric lui semblait si vite gagné que ça l'excitait. Alors, autant fermer les yeux sur l'aspect physique du client. Mais avec le député, c'était une autre paire de manches. Pour la première fois, elle allait devoir satisfaire un gars qui n'avait rien d'agréable, et surtout lui montrer qu'elle en était très contente. Au fond, pour elle, c'était comme un examen de passage. Quand elle a été toute seule avec lui dans la chambre, il s'est foutu à poil, et elle a écarquillé les yeux en voyant la grosse bite toute raide, parcourue de veines bleues, avec un gland tout mauve, et des couilles toutes velues. Mais elle est restée bouche bée, a senti un coup de fièvre l'envahir quand le député a sorti de sa petite mallette un tablier blanc de médecin qu'il a enfilé avant d'enfiler aussi des gants de latex. Il l'a fait mettre à quatre pattes sur le lit, lui a dit de bien écarter les jambes, et surtout de se taire pendant qu'il l'examinait ! En plus, il a attaché la chaîne de son collier à la tête du lit à barreaux. Elle a compris la tendance perverse du type quand il a ajouté : « Quand le vétérinaire les examine, les vaches ne bougent pas, elles sont bien contentes ! Donc, il doit en être de même avec toi, petite pute ! Ici, tu t'appelleras Marguerite, et tu seras bien récompensée ! »

Entendant ces propos, Édouard se sent gagné par une excitation croissante, sa bite tend sa braguette à l'extrême. Il a hâte de connaître la suite.

Il a commencé par lui palper les nichons, tirer sur les tétons et à faire des commentaires bestiaux : « De très beaux pis, avec des trayons bien fermes, bien... bien... Voyons les orifices. » Alors qu'elle pensait devoir simuler le plaisir, comme toutes les putes, quoi, Candice s'est rendu compte que le vice du député l'excitait. (Le comble, et elle l'a appris par la suite, c'est que ce député était vraiment vétérinaire.) Il a ôté lui-même le string en lanières de cuir et l'a jeté sur le sol. Elle s'est cambrée et a poussé un long soupir quand elle a senti quelque chose de froid lui pénétrer le cul. « On va bien prendre sa température, et pendant ce temps-là, on va examiner sa matrice », a dit le député. Il lui a palpé longuement la vulve, a tiré sur les grandes lèvres pour en éprouver leur élasticité, faisant même gémir la pauv' Candice. Puis, il a enfoncé un doigt ganté dans son vagin, l'a fait tourner dans tous les sens en appuyant sur les parois. Pour donner satisfaction à son client, l'hôtesse ne disait rien, mais elle commençait à haleter, son cœur battait dans ses tempes. Jamais, elle ne se serait attendue à une telle situation, surtout avec un député. Tout à coup, il a déclaré : « Tu m'as l'air fort en chaleur, Marguerite. Tu produis beaucoup de sécrétions. Tu dois donc t'ouvrir rapidement. » Il a aussitôt sorti son doigt pour le remplacer par trois doigts à la fois. Marguerite, enfin j'veux dire Candice, s'est fortement cambrée et a poussé un long gémissement en se mordant la lèvre. « Tout doux, Marguerite, tout doux ! Tu vois ? J'en étais sûr ! » Elle s'est mise à haleter fortement quand elle a senti toute la main du député lui entrer dans le con et agiter ses doigts en tous sens. Pour son premier client en chambre, la pauv' Candice, elle en voyait, mais qu'est-ce que ça l'excitait ! Toute une main dans son con, elle n'avait jamais connu ça. Elle pensait que seule son amie Clotilde en était capable. Elle haletait, respirait par à-coups, transpirait. Laissant sa main dans le vagin, de l'autre le député vété-rinaire a sorti le thermomètre du cul de la belle hôtesse en disant : « Ah ! C'est bien ! Trente-sept-deux ! Je l'ai bien vu que tu étais en chaleur, Marguerite ? » Il a enlevé sa main, ouvert son tablier et est monté sur le lit pour enfoncer sa grosse bite raide dans le con qu'il venait d'élargir de façon professionnelle. « Ça te plaît, Marguerite, d'être prise par le bon docteur ? Hein ? Dis-le, dis-le ! » Le député s'était penché vers l'avant pour empoigner les nichons de la belle Candice et tirer sur ses gros bouts tout gonflés comme on tire sur des trayons. Sous les coups de boutoir du député, les seins malaxés brutalement, Candice haletait et jouissait, tandis que le député lui envoyait tout son foutre dans le con. Elle a quand même balbutié : « Oui... j'adore être prise... par mon bon docteur. » Enfin, le député est sorti du vagin de Candice et s'est rhabillé. Elle, elle restait là, à quatre pattes, reprenant lentement son souffle, se demandant si c'était toujours ainsi la vie d'une hôtesse d'un bar select. Elle était toute en transpiration, son vagin dégoulinait du sperme du député, et la chaîne de son collier était toujours attachée aux barreaux du lit. Alors, elle est restée ahurie quand le député a déposé un doux baiser sur sa joue et lui a dit tout bas qu'il allait lui faire une piqûre : « N'aie crainte ! Je suis médecin, on doit te l'avoir dit. C'est juste une petite dose d'amphétamines pour t'aider à tenir toute cette nuit. Et même demain, tu peux me faire confiance. » Elle n'a pas eu le temps de dire le moindre mot, déjà il lui tapait sur une fesse en rigolant, en disant qu'on voyait bien les marques du prince Radjah. Elle s'est juste un peu cambrée en sentant l'aiguille de la seringue pénétrer sa chair. En quelques secondes, c'était fait. Avant de sortir, il a déposé trois billets de cent euros sur le lit en disant qu'il espérait la retrouver le mois suivant. « La prochaine fois, faudra que j'examine ton rectum, n'est-ce pas, Marguerite ! » a-t-il ajouté en détachant la chaîne des barreaux du lit. Avant

313

de redescendre, Candice s'est refait une beauté. Elle se sentait soudain en pleine forme. En même pas deux heures, elle avait déjà gagné six cents euros. Et il n'était qu'une heure trente du matin. Comme c'était prévu, le député est redescendu en tenant Candice par la chaîne de son collier. Et arrivé dans le grand salon, il l'a tendue au prince Radjah en disant : « Elle est parfaite ! Je reviendrai bientôt. »

Édouard est époustouflé d'avoir entendu un pareil récit. Lui aussi était loin de se douter des tendances perverses de certains clients fortunés de bars select. Mais une chose est sûre, dans son froc, il bande comme un bouc, le cher Édouard. Il se sert un second cognac et insiste. Le blanc de son film est pour ainsi dire entièrement comblé, mais il reste encore un morceau.

— Et comment s'est donc passée la fin de la nuit ? Tu racontes tellement bien, chère Rebecca, qu'on t'écouterait des heures durant.

Elle vide son verre de cognac, mais reprend du café avant de poursuivre.

— Oh ! ça a été plus calme ! Enfin, façon de parler. Sur le coup de deux heures quarante-cinq ou trois heures, le prince Radjah est resté seul avec Candice et Élodie, la belle Noire. Il a tout fermé et est monté dans son appartement en tenant ses deux plus belles hôtesses par la chaîne de leurs colliers. Et ils ont dormi tous les trois ensemble... enfin, quand je dis dormi, disons que le prince Radjah a d'abord voulu être sucé par ses deux favorites avant de les enculer à tour de rôle. Et voilà !

Rebecca se lève et file aux toilettes. Elle revient dix minutes plus tard. Édouard achève son gros havane et son second cognac, enfoncé dans les coussins de son siège de terrasse. L'air est tiède, les esprits plutôt embrouillés, mais excités en même temps. La belle bourgeoise s'étonne elle-même de son attitude, de cette facilité qu'elle a de raconter ses scènes de débauche à son mari. Est-ce donc par esprit de vengeance de lui appartenir, ou au contraire pour le satisfaire lui aussi dans son vice tout autant pervers que le sien ? Oh ! et puis zut, plus de question existentielle ! Il faut aller jusqu'au bout, a dit Gil, son auteur chéri, son maître adoré. Alors, elle va jusqu'au bout. Elle s'approche d'Édouard, se plante devant lui, fait descendre lentement la fermeture Éclair de sa mini-robe de cuir, en écarte largement les pans. Assis à cinquante centimètres, le cognac dans une main, le cigare dans l'autre, Édouard écarquille les yeux en voyant le corps de sa belle bourgeoise, mis en évidence par des sous-vêtements dont il était loin d'imaginer l'existence, les seins gonflés par ce soutien-gorge en lanières de cuir et ce string de la même matière qui laisse sa vulve et sa toison à l'air.

— Édouard, mon cher Édouard, veux-tu être le prince Radjah cette nuit ?

En disant ces derniers mots, Rebecca se tourne doucement et montre ses fesses. Édouard les palpe, les caresse longuement, approche son visage et pose un baiser sur les marques laissées par les mains et les bagues du prince d'opérette.

— Soit ! Montons donc en chambre... madame de la Molinière !

« Bourgeoise salope pour Gil, pute pour Vincent, d'accord ! Et maintenant pute avec Édouard, merde, ça c'est con quand même ! C'en serait fini des incartades ! Gil, aide-moi ! » pense Rebecca en quittant la terrasse, seulement revêtue de ses lanières de cuir.

Cette nuit-là, la belle bourgeoise a vraiment pris son mari pour... un client ! Mais quel client ! Un P.-D.G. d'une banque luxembourgeoise. Et ça, ça l'a bien aidée pour jouir ! Avant de s'endormir, elle a encore pensé à ce député vétérinaire : « Si ça c'était une petite dose d'amphétamines, c'est quoi une dose normale ? Putain ! Et dire que je ne le verrai plus ! »

ÉPILOGUE

ÉPILOGUE : Conclusion d'un ouvrage littéraire. Conclusion d'une histoire, d'une affaire. Voilà la définition que donne Larousse de ce mot, traduit du grec *epilogos*. Bien humblement, pourrais-je me permettre d'en ajouter une autre, plus adéquate, il me semble, à cette histoire, comme : le bout d'un chemin ? Car, ne l'oublions pas, c'est bien sur le chemin des délices que cette jeune et jolie bourgeoise au prénom accrocheur voulait s'aventurer, coûte que coûte. Eh bien, non. Tout simplement parce que si ce chemin emprunté d'un pas allègre, en compagnie de son pervers amant pornographe, se termine bel et bien pour celui-ci, il n'en est pas de même pour elle. Je devrais donc écrire : demi-épilogue. Enfin, soit !

Oh ! bien sûr, il n'est pas question d'une fin très brutale pour ce cher Gil ! Par contre, brutale, elle l'est pour Édouard de la Molinière, mari de Rebecca et P.-D.G. d'une grande banque luxembourgeoise. Les engrenages les mieux entretenus, les mieux huilés, finissent toujours par s'arrêter, bloqués qu'ils sont par un grain de sable venu d'on ne sait où, apporté par on ne sait quel vent de malheur. Et ça, Gil aurait dû s'y attendre, lui qui avait l'imagination si féconde. Mais quand on vit dans le plaisir permanent, ou quasi-permanent, on n'imagine pas que cela puisse s'arrêter un jour, c'est humain. On ne pense surtout pas à ce fichu grain de sable qui pourrait vous empêcher de continuer à connaître des plaisirs peu communs, avec une maîtresse encore moins commune à l'esprit diabolique. Diaboliques, ces amants le sont assurément. Pour eux, rien n'est insurmontable pour satisfaire leur besoin de débauche, pour trouver sans cesse de nouvelles jouissances dans des plaisirs interdits, où la bassesse le dispute à l'humiliation, la soumission à l'orgie. Pour eux, le vice n'a pas de prix, il faut le satisfaire, c'est tout.

* *
*

Ce grain de sable porte un nom : Gontran von Heidelberg. Ancien copain de lycée de Gil, il était aussi devenu directeur commercial dans la banque du sieur Édouard de la Molinière. Le hasard fait parfois étrangement les choses. Fort étrangement, même. Gil et Gontran, s'ils ne se voyaient plus, s'écrivaient de temps à autre. Gil envoyait toujours à son ancien condisciple les bouquins tombés de sa plume, et Gontran n'hésitait pas à lui transmettre ses appréciations, toujours positives au demeurant.

Il se fait que, pour récompenser ses compétences, la banque luxembourgeoise d'Édouard a confié la gérance de sa succursale de Nancy à Gontran, qui a invité son copain Gil au cocktail inaugural. Et Gil s'est donc présenté, mais accompagné de Rebecca, que Gontran connaissait bien entendu comme l'épouse de son P.-D.G. La tension provoquée par cette situation fut rapidement dissipée par Gil, qui trouva les mots qu'il fallait pour ramener illico la bonne humeur dans cette soirée qui se devait festive. Gontran, lui, n'avait d'yeux que pour le décolleté ravageur de Rebecca, sa robe de cuir moulante et fendue sur l'avant, laissant apercevoir furtivement un bout de jarretelle tendant le bord brodé des bas noirs à couture. Par la suite, Gil s'arrangea pour rencontrer secrètement Gontran dans une brasserie. Et là... ! Et là, il lâcha le morceau, le gros morceau : il était l'amant de Rebecca, il était même son maître ès-sexe, elle était une véritable chienne en chaleur, depuis ses seize ans. Il alla jusqu'à confier les tendances perverses qu'ils avaient tous deux, sans oublier tout le profit que lui-même en retirait, y compris sur le plan financier. Son P.-D.G. de mari, tout aussi pervers, approvisionnait régulièrement le compte de Gil pour les photos qu'il lui envoyait de sa femme en pleine séance de débauche. Gontran n'en avait pas perdu une miette et avait tout simplement mis Gil au pied du mur : il voulait sa part du gâteau ! À savoir : il voulait devenir le seul maître et amant de Rebecca, et ce sans témoin. Pas de photos, pas d'enregistrements ! Sinon, il lâchait tout dans la presse à sensations. Néanmoins, pour avoir amené Rebecca à Gontran, celui-ci promettait à Gil une compensation financière. Gil regretta amèrement d'avoir formulé de tels aveux, mais il était trop tard pour faire marche arrière. Il essaya de se consoler en pensant qu'après tout, pour Rebecca et lui, ce n'était qu'une étape supplémentaire dans leur recherche de plaisirs hors-norme, et que ce Gontran ne ferait que passer, comme les autres. Ce qui ne fut pas du tout le cas.

La première rencontre intime entre Rebecca et Gontran fut, en effet, marquante quant à la poursuite de sa recherche de plaisirs nouveaux, toujours plus intenses. Certains diraient même « la poursuite de sa lente descente aux enfers ». Mais l'enfer n'est-il pas pavé de bonnes intentions ? Et puis, après tout, pour Rebecca, les plaisirs, de quelque nature soient-ils, ne sont jamais l'enfer, n'est-ce pas. Toujours est-il qu'après cette rencontre avec Gontran, la belle bourgeoise se fit plutôt discrète vis-à-vis de Gil, qu'elle chérissait pourtant, ne lui dévoilant pas, ou très peu, le véritable contenu de cette relation nouvelle, ce que son nouvel amant et maître projetait de faire avec elle. Tout ce qu'elle finit par lui avouer, c'est que ce Gontran lui apportait des joies nouvelles, qu'il était bien plus pervers encore que Gil lui-même, qu'il lui faisait connaître des plaisirs auxquels elle-même n'osait croire, mais sans jamais apporter la moindre précision. D'ailleurs, que ce soit avec Gil ou avec Clotilde, Rebecca se rendait compte qu'elle ne jouissait pas comme lorsqu'elle était avec Gontran. La jouissance avec Gil et Clotilde, qui lui étaient pourtant si chers, n'avait plus aucune saveur. Elle attendait quelque chose d'autre. Il fallait donc prendre une décision.

Une fois de plus, les circonstances interviennent en sa faveur, lui apportant ce petit coup de pouce dont elle a besoin pour faire un pas de plus sur son chemin des délices avec Gontran von Heidelberg. Car elle le sent au fond d'elle-même, c'est bien lui le vrai maître capable de l'amener à l'extrême jouissance, celle à laquelle elle aspirait sans en être tout à fait consciente. Comme le dit Gontran, tout ce qu'elle a fait jusque maintenant avec Gil était plutôt mièvre et d'une déplorable banalité.

*\
* *

Dès le début décembre de cette année, après un an de tractations financières rondement menées, la fusion est établie entre la banque que dirige Édouard de la Molinière à Luxembourg et la plus grande banque de Nassau, aux Bahamas. Machiavélique dans l'âme, le mari de Rebecca intervient auprès des différents comités d'administration afin que le choix du nouveau directeur de la succursale insulaire se porte sur Gontran von Heidelberg lui-même. Édouard, que Gil avait bien entendu mis au parfum à propos de la relation étrange qu'entretenait Rebecca avec ce gérant à Nancy, ne supportait pas, lui non plus, de ne plus rien savoir des excès extra-conjugaux de son épouse. Plus de photos de ses scènes de débauche ! Plus le moindre mot, le moindre soupir, entendus par portable interposé au cours de ses relations crapuleuses ! En éloignant Gontran à des milliers de kilomètres, à l'autre bout de l'Atlantique, la vie reprendra son cours, et il ne sera plus privé d'images salaces l'aidant à se masturber en cachette !

Ce vendredi douze décembre, tout heureux de la

prochaine nomination de Gontran aux Bahamas, Édouard rentre donc à Strasbourg l'esprit guilleret. Il y retrouve sa belle Rebecca, qui s'est d'ailleurs apprêtée pour le recevoir. Outre sa mini-robe de cuir fort décolletée, sous laquelle elle a enfilé ce soutien-gorge en lanières de cuir lui entourant la base des seins et le string de cuir largement ouvert sur l'avant, laissant voir son pubis rasé et sa vulve, elle a particulièrement soigné sa nouvelle coiffure rousse et son maquillage. Après un apéritif, doublé pour la circonstance, on passe à table. À la fin du repas, au cours duquel l'un et l'autre n'ont parlé que de banalités, Édouard annonce fièrement la réussite de la fusion de sa banque avec celle de Nassau. Rebecca est tout sourire, elle attend l'essentiel, qu'elle connaît d'ailleurs déjà.

— Et pour le poste de direction, le comité d'administration a nommé Gontran von Heidelberg, qui dirigeait la succursale de Nancy. Je pense que tu le connais... très bien même. Mais que veux-tu ? Les affaires sont les affaires, n'est-ce pas, Rebecca.

C'est ce qu'attendait la belle bourgeoise pour couvrir une dernière fois, et à sa manière, son cher Édouard de tout le mépris qu'elle ressent à son égard. Après une gorgée de café fort suivie d'une lampée de cognac, elle se lève et se dresse devant lui, à un mètre à peine. Lentement, elle ouvre de haut en bas la fermeture Éclair de sa robe de cuir, en écarte les pans, l'ôte et la laisse tomber à ses pieds. Perchée sur des talons aiguilles noirs de douze centimètres, elle est superbe dans sa nudité presque totale, dans cette tenue qui doit n'avoir été créée que pour elle, seins gonflés par les étroites lanières de cuir qui les enserrent à la base, bas-ventre et vulve rasés et exposés par ce string de cuir entièrement ouvert, bas noirs à couture accrochés à un nouveau porte-jarretelles constitué d'une lanière de cuir autour de la taille et de chaînettes d'acier pour retenir le bord brodé des bas. Édouard a la gorge nouée, son front perle de transpiration en entendant les propos provocateurs et méprisants de Rebecca, propos qu'elle accompagne de gestes obscènes et excitants à la fois. Se caressant les seins, se pinçant les mamelons, elle déclare :

— Regarde bien une dernière fois ces beaux gros nichons, Édouard, et ces gros bouts que tu suces si mal ! Tiens, passe ta main sur mon bas-ventre rasé de frais, pince donc ma grosse vulve que ta langue ignore trop souvent. Et mon clitoris, hein ?

Sous le regard ébahi d'Édouard, Rebecca pince son gros bouton, l'étire, le triture, le fait gonfler.

— Ah ! Celui-là non plus, tu ne le verras plus. Mais l'as-tu déjà vu convenablement une seule fois ? En quinze ans, me l'as-tu sucé réellement à m'en faire pâmer ? Eh bien, tout ça, ça va filer... aux Bahamas ! Tout ça appartient désormais à mon nouveau maître, mon vrai !

— Mais... Rebecca, tu deviens folle ! Dis-moi que tu plaisantes !

Tout en transpiration, mains tremblantes, Édouard saisit son verre et avale une gorgée de cognac. Emportée par l'excitation de ses propres propos et gestes, Rebecca fait de même. Puis, elle insiste, enfonce le clou :

— Pour maître Gontran, je ne serai plus qu'une simple poupée, une vulgaire chienne à qui il pourra faire subir les pires sévices. Ce que j'ai fait jusqu'à présent n'est rien à côté des plaisirs qu'il me fera découvrir. Lui, c'est un véritable expert en la matière. Il m'apprendra à souffrir par amour... Allez ! Tiens ! Je t'offre une dernière fois mon cul. Après ça, tu n'auras plus que tes souvenirs pour te branler !

Même si le ton de son épouse est des plus méprisants, Édouard est terriblement excité tant par ses paroles que par ses gestes obscènes. Elle s'est mise à quatre pattes sur le tapis persan, face à la grande cheminée où brûlent quelques bûches de chêne. En un éclair, il ôte pantalon, chemise et slip. En un éclair, il s'agenouille entre les jambes de Rebecca, lui saisit les hanches et enfonce sa bite raide dans le con trempé de sa bourgeoise. Une bourgeoise qui semble atteindre le sommet dans son art de la provocation. Elle glousse, halète un peu sous les quelques glissades de son époux. Entre deux coups de boutoir, elle en rajoute pour faire endêver Édouard de la Molinière, son époux :

— Et... tu sais quoi, Édouard ?... Gontran est celui qui me provoque les... plus intenses orgasmes... surtout quand je pense à ce qu'il va me faire subir... aah...

C'en est trop pour de la Molinière. Il ahane en secouant son épouse, envoie tout son jus, pour la dernière fois, dans ce con pervers, dans l'antre de cette femme démoniaque. Rebecca halète, ricane même entre deux gloussements, elle jouit aussi, mais plus en imaginant la scène qu'elle vient d'évoquer que par plaisir de se donner à son mari qu'elle quittera sous peu.

Nassau, le 5 janvier 2009

Mon cher Gil, mon auteur adoré, mon amant chéri,

Oui, je t'appellerai toujours ainsi car sans toi je ne me serais jamais épanouie autant. Sans toi, j'en serais toujours à jouer seule dans mon bain. Toujours, et je l'écris en majuscules, TOUJOURS, je te serai reconnaissante d'avoir réveillé ma sexualité endormie. Grâce à toi, j'ai découvert le plaisir, la jouissance dans des actes que la morale réprouve. J'en ai retiré de folles jouissances, tant physiques que spirituelles. Avec toi, j'ai connu des moments merveilleux, inoubliables, et je me dois de t'en remercier du fond du cœur. Sache, mon très cher Gil, que je t'aimerai toujours pour tout cela, que tu occuperas dans mon cœur la place qui te revient. Mais comme tu dois l'avoir compris, j'étais arrivée au terme de ce chemin que nous avions décidé d'emprunter tous les deux, le cœur léger. Tous ces actes pervers, si débauchés soient-ils, ne m'apportaient plus grand-chose. Mon esprit et mon corps, souffrant toujours de cette insatiabilité sexuelle, avaient besoin de quelque chose d'autre, de sensations bien plus fortes, dont je ne parvenais pas moi-même à définir la nature. Ce quelque chose, c'est ton ancien copain Gontran qui me l'a fait découvrir. Et c'est toi qui m'as amenée à Gontran, n'est-ce pas. Tout s'explique en ce bas monde, il n'est point de hasard. Pour toi, mon chéri, pour nous deux donc, la boucle est bouclée. Mon chemin pervers va devenir rude, très rude même, j'en ai déjà goûté quelques parcelles, mais la jouissance qu'il m'apporte est indéfinissable. Et, cerise sur le gâteau, l'amour est aussi au rendez-vous. N'aie crainte, mon cher

Gil, je t'écrirai souvent pour te raconter les péripéties de cette nouvelle voie de déchéance que j'emprunte cette fois avec Gontran. Et ce qui ne gâte rien, c'est que c'est au soleil des Bahamas, et plus sous la grisaille du nord-est de la France.

Quant à toi, je sais que tu trouveras ton bonheur avec cette chère Clotilde. Elle t'aime beaucoup sans jamais te l'avoir dit. Et comme tu as pu t'en rendre compte toi-même, mon beau salaud, elle aussi est une fameuse jouisseuse, n'est-ce pas ! Vous êtes faits pour vous entendre, l'écrivaine érotique et le pornographe. Elle aussi est prête à te satisfaire dans tous tes désirs. Alors, je te souhaite beaucoup de bonheur avec elle. Je sais que vous penserez souvent à moi, comme je penserai à vous.

À bientôt, mon Gil chéri. Je t'embrasse très fort, et je signe comme tu aimes...

Ta petite bourgeoise salope

*Composition et mise en pages réalisées
par ÉTIANNE COMPOSITION
à Montrouge.*

Achevé d'imprimer par GGP Media GmbH, Pößneck
en mars 2011
pour le compte de France Loisirs,
Paris

N° d'éditeur : 63378
Dépôt légal : février 2011

Imprimé en Allemagne